LA TROISIÈME MORT DE DIEU

DU MÊME AUTEUR

Le Discours de la guerre, L'Herne 1967 ; 10/18, 1974 ; Grasset, 1980.
1968 : Stratégie et Révolution en France, Christian Bourgois, 1968.
La Cuisinière et le mangeur d'hommes, Le Seuil, 1975.
Les Maîtres penseurs, Grasset, 1977.
Cynisme et passion, Grasset, 1981.
La Force du vertige, Grasset, 1983.
La Bêtise, Grasset, 1985.
Silence, on tue, avec Thierry Wolton, Grasset, 1986.
Descartes, c'est la France, Flammarion, 1987.
Le XIᵉ Commandement, Flammarion, 1991.
La Fêlure du monde, Flammarion, 1994.
De Gaulle, où es-tu ?, Lattès, 1995.
Le Bien et le Mal, Robert Laffont, 1997.

André Glucksmann

LA TROISIÈME
MORT DE DIEU

« Ténèbres, mon soleil à moi. »

SOPHOCLE

À Raphaël

Envoi

C'était à Baïnem, dans les faubourgs d'Alger, une veille de Noël. Haoua, trois ans, Yahia, huit ans, Selma, onze ans, furent éventrés. Leurs assassins accrochèrent les entrailles en guirlandes sur les branches des arbres. Sur le corps décapité du père était cousue une tête de poupée. Celle de Haoua ? Celle de Selma ? La mère, la grand-mère, les tantes, les oncles, la famille tout entière dépecée. Pour ne rien négliger, clarté du message oblige, un gamin de neuf ans fut cloué par les bras.

« En langage chrétien, on appelle cela une crucifixion », remarquai-je dans *Le Figaro*, m'étonnant d'un silence universel. Mon billet, intitulé « La troisième mort de Dieu », concluait : « À quoi sert la religion en l'an de grâce 1998 ? À ergoter *pro* et *contra* le préservatif en ignorant l'enfant cloué aux portes d'Alger ? Là-haut, le Très-Haut n'a plus qu'à éclater... de rire. » Jamais je ne reçus, pour un bref papier, quantité si énorme de lettres. Courtoises, profondes, méditées, citant l'Ancien et le Nouveau Testament, évoquant l'histoire, convoquant les poètes. Je ne pouvais répondre à toutes avec l'attention et la précision dues. Elles m'ont poursuivi.

J'avais porté ce livre des années durant, depuis que l'ami Maurice Clavel, en pleine bataille commune pour les dissidents de l'Est et contre les complaisances témoignées à leurs bourreaux, m'interpella sur Dieu, le diable et ses pompes. Mort en chrétien, Maurice ne répliquera pas de sa voix combien vive à ma tardive réponse. Nous savions que notre dialogue ne se fermerait pas puisqu'en tiers, sans cesse, faisaient effraction les scandales du monde. Il eût compris, j'imagine, que j'entreprenne cet essai juste après l'épouvante d'un 25 décembre.

Ayant franchi en même temps le mur du son et les bornes de l'inhumanité, l'individu contemporain se découvre en rapport assez ambivalent avec ce qu'une tradition pas très ancienne nommait Dieu. Celui-ci demeure si fiévreusement proche qu'un peu partout c'est sous son masque qu'on massacre, mais simultanément il s'éloigne infiniment au point qu'il ne s'offusque même pas des crimes commis en son nom.

Pareille relation maniaco-dépressive à l'Être suprême prête à diagnostics contrastés — ne proclame-t-on pas à chaque décennie un retour de la foi ? — et à comportements accommodants — la religion de jadis mute en « religiosités » aussi indéfinissables que le paquet de vague à l'âme et de nostalgie qu'elles véhiculent planétairement.

Il ne manque pas d'esprits bien intentionnés soucieux de rétablir un juste milieu entre j'adore et je m'en fous, entre les ivresses de l'excès de proximité et les anesthésies d'un excès de distance, postmoderne ou autiste. Néanmoins le zèle déployé à ressusciter les visions théologiques du monde échoue si souvent qu'une question préalable s'impose : Dieu reste-t-il l'enjeu de nos enthousiasmes et de nos déceptions à répétition ? Ou bien ce sommet, où culminaient jusqu'alors nos civilisations, n'est-il plus qu'un vocable ronflant, corrélat informe d'élévations volubiles et volatiles ? Le Seigneur tout-puissant serait-il plébiscité au gré des saisons, à la mode ou pas, comme les jupes maxi ou mini et les « stop and go », qui rythment expansions et récessions, optimisme et pessimisme, investissement et consommation ? Les Églises glissent-elles chapelles littéraires ou orchestres de variétés, dont la cote fluctue en fonction de la mise en scène et des paillettes ?

Il ne suffit pas de déplorer le fanatisme des uns et l'indifférence des autres qui aboutissent à une sanglante barbarie. Force est de demander aux uns comme aux autres si le Très-Haut tant invoqué, Celui qui meurt, Celui qui tue, signifie encore quoi que ce soit. Et si oui, comment l'entend-on ? Les pages qui suivent s'adressent à des curieux qui ne présupposent pas que Dieu soit une affaire bouclée, un problème d'avance résolu par la négative ou la positive, à ceux que son équivoque présence dans les événements cruciaux d'une actualité peu tendre interroge, inquiète et passionne.

Enfants perdus du XIXᵉ, nous demeurons spirituellement captifs d'un siècle qui estimait l'idée de Dieu insécable, à prendre ou à laisser. Telle qu'en elle-même une apparente éternité la fige. Rien à ajouter, proféraient les traditionalistes, sulpiciens ou néothomistes. Rien à conserver, proclamaient les libres penseurs. Seuls firent exception, plus suspicieux et subtils, quelques écrivains. Dostoïevski bien sûr, autour duquel cet essai gravite. Et plus secrètement Flaubert, qui anticipa génialement la fracture de l'Être suprême et les réactions en chaîne qu'elle déclenche. D'un côté une divinité sauvage, de l'autre un dieu tout sucre, tout miel.

Ici Carthage, éclairée et riche, se paie des mercenaires pour massacrer et les massacre pour ne pas les payer. La cité marchande préfigure les « grandes puissances » d'une Europe maîtresse du monde, elle adore Moloch et lui voue un culte immémorial et sanguinaire, qui stupéfie même les « barbares » découvrant d'extraordinaires crucifixions. « C'était un lion, attaché à une croix par les quatre membres comme un criminel. Son mufle énorme lui retombait sur la poitrine, et ses deux pattes antérieures, disparaissant à demi sous l'abondance de sa crinière, étaient largement écartées comme les deux ailes d'un oiseau. Ses côtes, une à une, saillissaient sous sa peau tendue ; ses jambes de derrière, clouées l'une contre l'autre, remontaient un peu ; et du sang noir, coulant parmi ses poils, avait amassé des stalactites au bas de sa queue qui pendait toute droite le long de la croix. Les soldats se divertirent autour ; ils l'appelaient consul et citoyen de Rome et lui jetèrent des cailloux dans les yeux, pour faire envoler les moucherons[1]. »

Ailleurs, avant-poste normand d'une religiosité californienne, l'unique amour de Félicité, un perroquet dont sa patronne ne voulait plus, illumine, empaillé, l'humble dortoir de la servante transformé en chapelle. Aveugle, mourante, elle serre sur son sein ce fétiche mangé de vers, plus sacré pourtant que la colombe du Saint Esprit. « Une vapeur d'azur

---

1. G. Flaubert, *Salammbô*.

monta dans la chambre de Félicité. Elle avança les narines, en la humant avec une sensualité mystique ; puis ferma les paupières. Ses lèvres souriaient. Les mouvements de son cœur se ralentirent un à un, plus vagues chaque fois, plus doux, comme une fontaine s'épuise, comme un écho disparaît ; et quand elle exhala son dernier souffle, elle crut voir, dans les cieux entr'ouverts, un perroquet gigantesque, planant au-dessus de sa tête[1]. »

Le Dieu de Flaubert titube, cassé en deux. Et le nôtre ?

_____

1. G. Flaubert, *Un cœur simple*.

I

L'EXCEPTION EUROPÉENNE

> *Athée : un peuple d'athées ne saurait subsister.*
>
> Flaubert, *Dictionnaire des idées reçues*

Dieu est-il mort en Europe ? La question fait, en été 99, la couverture d'un grand hebdomadaire américain[1]. Oui, affirme-t-il, cela est arrivé. Sur plusieurs pages, le reportage se veut informatif, il s'abstient de récriminer ou de prêcher. Ni accablé ni accablant, il constate. C'est ainsi, amen. Si problème il y a, il surgit dans la tête du lecteur confronté à une annonce parfaitement comparable à celles qui se succèdent à la une les cinquante autres semaines de l'année. Les Grands de ce monde périssent par accident, les stars divorcent et s'entr'épousent, les guerres éclatent, l'économie se trouve en expansion, en crise, en déclin ou en révolution. Eu égard à d'aussi brûlantes actualités, les concepts théologiques focalisent rarement l'attention internationale. Non point que la presse à grand tirage néglige les affaires religieuses, elle commente patiemment les derniers voyages du pape, elle épingle les nouveaux méfaits des fanatiques en Afghanistan, en Algérie, voire en Israël, elle se délecte des épineuses singularités de la sexualité ecclésiastique qui défraient une chro-

---

1. 12 juillet 1999, couverture de *Newsweek* : « Is God dead ? In western Europe, it sure can look that way. »

nique millénaire. Nonobstant ces curiosités professionnelles, un journaliste n'a pas pour ordinaire d'entrer dans le saint des saints pour débattre des allées et venues de l'Être suprême. Par métier, il évite les controverses profondes et rapidement obscures où s'embourbent croyants militants, incrédules impénitents et spécialistes ésotériques.

God is dead in Europe. Titrer sur le décès de l'Éternel prend à contrepied les coutumes rédactionnelles et par là même décroche la timbale du bon journalisme soucieux de l'inattendu, à condition que le lecteur surpris comprenne. En ce dernier mois de juin du siècle, la question de Dieu en Europe dépayse moins qu'on ne croit. Elle s'inscrit dans le genre convenu du tourisme intelligent. Tandis que les Américains préparent leur visite estivale du Vieux Continent, les hebdomadaires français consacrent leurs numéros d'été à l'Espagne, l'Irlande et l'Italie, autant d'invitations aux voyages programmés ou imaginaires en des lieux dont la proximité masque le subsistant mystère. Belle occasion de brèves leçons d'histoire : on rappelle aux Français que ces voisins désormais si familiers semblaient, voilà trente ou cinquante ans, habiter mentalement une autre planète. L'Espagne n'avait-elle pas, en plein XXᵉ siècle, organisé la dernière très grande guerre de religion européenne, les uns se réclamant du Christ Roi pour vouer aux gémonies et aux massacres la moitié de la population, les autres éliminant les curés parce qu'ils étaient curés ? Quant à l'Irlande, haut lieu des vacances vertes, de la croissance record, des paradis fiscaux pour artistes à succès, n'exhibe-t-elle pas, selon Joyce et Beckett, gloires posthumes du pays, une turpitude ténébreuse où la religion immanquablement tourne à la superstition ?

Et l'Italie ! *Sempre cosi*, toujours les villes, les filles, les monuments, les églises fascinent. Pourtant, dûment sermonné par nos hebdos, le visiteur est invité à prendre du recul et se doit de fouler la péninsule comme on entre au musée. Il compare hier et aujourd'hui. Souviens-toi d'un pays qui, au sortir de la Seconde Guerre mondiale, s'affirmait massivement catholique, peuplé de sentiments édifiants et de bonnes sœurs en cornette. Découvre la liberté des mœurs, un taux de natalité et de divorces qui témoignent d'un relatif manque

16

d'égards pour les enseignements de l'Église. Que la société civile obéisse rarement aux prescriptions des catéchismes n'est point chose nouvelle en France, dont le XIXe siècle fut tenu en haleine par l'affrontement, ô combien énergique, des « cléricaux » et des « anticléricaux ». À l'occasion, Gauche et Droite mobilisent encore sur ces thèmes, école « libre » et école « laïque » rassemblent des millions de manifestants. Mais sans plus. Comme s'il s'agissait pour chaque camp de convaincre l'autre que le passé doit demeurer passé et que les querelles d'antan relèvent des sons et lumières d'une procession commémorative. À Paris, comme dans le reste de l'Europe, la désinfection des superstitions, le désinvestissement idéologique et la désaffection théologique progressent de conserve : Dieu repose-t-il au musée Grévin ?

Le ton d'un reportage se veut indicatif plutôt que prescriptif, il exhibe des faits sans prétendre explicitement les évaluer. La déchristianisation douce de l'Europe nous est contée ; on interroge des témoins autorisés, des prêtres, leurs ouailles, d'anciens fidèles, tous parlent de la chose comme si elle allait de soi et n'avait plus à susciter ressentiments ou exaltations. Pas de larmes, pas de sarcasmes. Rien qui rappelle les emportements de jadis. On n'encense pas un progrès décisif des « Lumières », on ne prédit pas l'apocalypse. Les pronostics demeurent réservés, l'événement s'impose incontestable mais neutre, au point qu'on le soupçonnerait nul. Sans doute tire-t-il à conséquences, mais personne ne les discerne.

Derrière l'objectivité de l'enquête affleure un sous-entendu. Le journaliste et le lecteur, tous deux américains, s'épargnent les jugements catégoriques, ni « c'est bien », ni « c'est mal », juste une surprise indépassable. Au moment où les notables européens déplorent à qui mieux mieux « l'américanisation » de leur continent, les observateurs d'outre-Atlantique enregistrent une exception religieuse qu'ils ne rencontrent pas chez eux et nulle part ailleurs. La mort européenne de Dieu, remarquent-ils, affecte autant les pays protestants que catholiques. On ne saurait par conséquent supposer seule en cause la tradition dite « autoritaire » du Vatican. L'Amérique s'ébahit d'un ébranlement plus général et profond.

À première vue, un nouvel esprit de tolérance même ponctué d'indifférence n'était pas pour choquer la conscience américaine qui admit dès l'origine le pluralisme religieux. Si l'Europe se contentait de secouer des traditions et des disciplines anachroniques, elle se bornerait à « rattraper » les États-Unis. Aussi bien le concile de Vatican II, qui mit à l'ordre du jour un tel dépoussiérage, le fameux *aggiornamento*, fut-il aimablement reçu par les élites des Côtes est et ouest qui soupirèrent « enfin ! ». Lorsque se profile, en revanche, l'admission nonchalante d'une disparition de toute référence à La religion, ces mêmes élites perdent pied. Elles ont médité, dès le début et aujourd'hui encore, la nécessité de « moraliser » la démocratie par la croyance, « en même temps que la loi permet au peuple américain de tout faire, la religion l'empêche de tout concevoir et lui défend de tout oser » (Tocqueville). Que chacun honore le Dieu de son choix, pourvu que tous souscrivent à l'existence d'un Garant, la Constitution américaine s'en réclame et le citoyen lui prête serment d'obéissance. Discrètement l'Europe passe outre et sans souci transforme Dieu en affaire purement privée. Du jamais-vu.

Encore convient-il de cerner la raison de cette surprise. Elle ne tient pas aux professions de foi athées, voire nihilistes, qui fleurissent çà et là sur les deux rives de l'Atlantique. *Newsweek* attribue à Nietzsche la paternité de la sentence et du diagnostic : Dieu est mort ! Voire ! Pareille annonciation résonnait déjà chez maint Grecs de l'Antiquité et l'Université américaine s'en fit l'écho, comme d'autres. Entre la position doctrinale des « Possédés », que saint Augustin partagea un temps, et ce qui s'étale sous nos yeux, un abîme s'est ouvert. Depuis l'Athènes de Socrate, il n'est pas de génération occidentale qui n'aligne les esprits forts, incrédules, libertins, hérésiarques, dont les doutes et les imprécations furent amplifiés par la solitude d'où ils surgissaient. « L'insensé dit en son cœur : il n'y a pas de Dieu. » Le renversement paraît total, lorsque seul l'insensé profère, en son cœur, qu'il y a un Dieu, car l'affirmation contraire court sur toutes les lèvres, au point qu'elle se passe d'être dite. Jadis, un athée vertueux semblait aussi peu imaginable qu'un cercle carré. L'impeccable Spinoza, sage panthéiste ou pieux athéiste, passait pour saint ou fou. L'impie Voltaire ne put, sa dernière heure venue, que se convertir et confesser ses errances. Avec une humble mais renversante sincérité, le grand public désormais s'interroge : Comment peut-on être chrétien ? L'est-on encore ? L'a-t-on jamais été ?

La nouvelle inouïe qu'introduit à son insu le reportage américain tient plus à la forme du message qu'à son contenu, plus aux sonorités qu'aux mots : les croyances traditionnelles importent peu au regard du ton serein, détaché, quasi indifférent qu'adoptent et les interrogés et les reporters. Lorsque Nietzsche, voilà un siècle à peine, trompettait « Dieu est mort », il forçait la voix ; imprécateur, il crevait les tympans pour fracasser les interdits. À l'heure actuelle, devant les micros tendus le premier Européen venu énonce calmement : la météo prévoit un temps variable, Dieu est en baisse et le Dow Jones en hausse. La meilleure façon de dissimuler une lettre volée est de la placer en telle évidence qu'elle échappe aux limiers, n'est-ce pas, Edgar ? La plus efficace manière de méconnaître la mort de Dieu ne serait-elle pas d'organiser autour d'elle un tapage à la Nietzsche, lequel signalait pourtant que les grandes pensées s'avancent silencieusement sur « des pattes de colombes ». L'effacement du Très-Haut dans l'Europe contemporaine paraît d'autant plus étrange qu'il va de soi. Les pleurs, les grincements de dents, les roulements de tambour s'éclipsent ; les lampions des messes blanches et noires s'amenuisent. L'événement vit sa vie comme si de rien n'était. Quelque chose advint ? Si oui, quoi ? Si Dieu n'existe pas aujourd'hui, existait-il hier ? Rien n'aurait changé ? Ce rien déconcerte l'Américain. Étrange Europe !

« En France la pratique dominicale dans l'Église catholique (la participation à la messe ou à l'Eucharistie) a diminué régulièrement jusqu'à atteindre moins de 10 % des catholiques, alors qu'elle connaissait des niveaux au-dessus de 20 % il y a encore trois décennies (avec, il est vrai, de gros écarts régionaux). Ces chiffres sont d'autant plus significatifs que cette pratique est, en principe, obligatoire dans le catholicisme. Ils sont corroborés par d'autres, comme ceux des sacrements (la confession personnelle est en désuétude, le nombre de baptêmes et de mariages à l'église a nettement diminué, etc.), ou par des indicateurs comme les inscriptions au catéchisme. »

Jean-Louis Schlegel[1].

Serveuse dans un bar à Berlin, Julia, 22 ans, avoue qu'elle pense rarement à Dieu, « seulement quand je me trouve dans une belle église en Italie ou quand je regarde la guerre du Kosovo à la télé ». Elle ne croit pas au Dieu chrétien et ses amis pas davantage. Un brin de nostalgie l'effleure : « Dommage. Je suis persuadée que croire vous donne de la force. Je m'en rends compte quand je pense à ma grand-mère. » Le père Claude, curé à Notre-Dame de Paris, confirme : les rares qui ne viennent pas en touristes demandent une écoute, « Certains se rendent chez le docteur, d'autres ici, pour le même motif ». Pareils sentiments submergent l'Europe seulement, mais toute l'Europe. Ailleurs, sur la planète, les religions s'épanouissent, les sectes fleurissent et de nouveaux dieux, çà et là, éclosent. Contre l'URSS finissante, Washington a misé sur l'extrémisme islamiste, avec un succès tel que nos subtils stratèges sont débordés par la créature qu'ils ont parrainée. Des vagues d'extase et d'agitation balaient la surface du globe, mais évitent une zone de calme plat théologique. Si Vatican II a voulu ouvrir l'Église au monde, le vieux monde s'est refusé à l'Église. Jean-Paul II célébrait la chute de l'Empire soviétique comme une part de sa propre victoire, mais la conversion qu'il prescrivait au capitalisme consumériste et matérialiste n'eut pas lieu.

Loin que les Églises, échappant aux poubelles de l'Histoire promises par le marxisme, insufflent une âme à un Occident sans âme, force est de constater, fût-on pape polonais, que la Pologne suit doucement la pente d'une Italie post chrétienne et pas l'inverse. À son tour, sans douleur et sans débat, l'Eu-

---

1. « Le paradis sans peine », *in Le Monde de l'éducation*, avril 1998, p. 38.

rope de l'Est cantonne sa religion au domaine privé, à charge pour chacun d'inventer à Dieu une essence, une existence, une non-existence. À charge pour tous de faire mentir Platon et tant de grands esprits réunis sur l'axiome longtemps évident que sans Dieu tout s'écroule. « À un tel Principe sont suspendus le ciel et la nature[1]. »

La photographie mentale proposée par l'hebdomadaire américain se voit authentifiée par une source on ne peut plus autorisée, puisque le bilan qu'elle dresse afflige les espérances qu'elle nourrit. Préparant la deuxième assemblée spéciale du Synode des évêques pour l'Europe, le Vatican recadre l'instantané de *Newsweek* dans le temps et dans l'espace. Oui, il s'agit d'un phénomène de longue durée ! Dans le sillage des événements extraordinaires qui accompagnèrent la chute du Mur de Berlin, le premier synode programmait « la nouvelle évangélisation » du continent dans son ensemble. Une décennie plus tard, le Vatican revient sur « l'esprit euphorique » de ces instants privilégiés et confesse une « profonde déception », « un sentiment d'incertitude et de moindre espérance ». Oui, la crise gagne d'ouest en est : « L'athéisme pratique et le matérialisme sont largement répandus en Europe ; sans qu'ils soient imposés par la contrainte ni proposés explicitement, ils amènent les hommes à penser et à vivre **comme si Dieu n'existait pas**[2]. »

Oui, un spectre hante l'Europe : « Grand est le risque d'une progressive et radicale paganisation du continent. » Cette « profonde crise de l'identité culturelle européenne » permet de formuler l'hypothèse d'une sorte d'« apostasie ». Pareil état des lieux n'est pas dressé par quelque intellectuel de droite ou de gauche, suspect de se faire un nom aux dépens des croyances les plus incontestables, insultant les autorités le

---

1. Aristote, *Métaphysique*, 1, 1072 b. De même Hegel : « La fin de la philosophie est de connaître la vérité, Dieu, car il est la vérité absolue. Par rapport à Dieu et à l'explication de Dieu, rien d'autre ne vaut la peine », *Leçon sur l'histoire de la religion*, partie III, Vrin, 1954, p. 212.

2. Synode des évêques, *Instrumentum laboris*, Cité du Vatican, 1999, p. 16. Rendant compte de ce document de travail, J. Vandresse titre : « La fin de l'Europe chrétienne, l'Église confrontée à une perte générale de la foi », *Le Figaro*, 13 juillet 1999.

mieux établies, non, c'est l'Église catholique qui déconseille de fermer les yeux et récuse l'optimisme bien pensant, c'est le pape Jean-Paul II qui médite sur l'abandon. Les certitudes religieuses d'antan « ont chez nombre de personnes été remplacées par un sentiment religieux vague et peu contraignant de la vie, ou encore par différentes formes d'agnosticisme et d'athéisme pratique qui débouchent toutes dans une vie personnelle et sociale *"etsi deus non daretur"*, comme si Dieu n'existait pas [1] ».

Qu'on se le dise, pareille menace d'effondrement n'affecte pas uniquement l'Église de Rome, dont on se plaît, sous d'autres cieux, à incriminer les contraintes et l'autorité. Des christianismes moins centralisés, qui s'affirment pluralistes et libéraux, pâtissent d'essoufflements analogues. Inutile de se renvoyer la balle, aucune religion traditionnelle n'échappe à la désaffection : « Les églises sont recyclées en restaurants, en théâtres et galeries d'art. Les Européens semblent avoir accueilli la nouvelle de la mort de Dieu avec aplomb. S'ils accordaient une pensée à pareil sujet, de nombreux Suédois, Anglais, Français, Allemands ou Danois diraient qu'ils se trouvent heureux d'être débarrassés d'une divinité qui les a menacés des feux de l'enfer... et qui, pour ce qui est de gérer providentiellement le monde, paraît faire un sale travail [2]. » Ici prêtant une voix aux foules européennes, qui silencieusement désertent les us et les coutumes d'hier, l'hebdomadaire dépasse quelque peu les limites du simple constat pour restituer au phénomène son épaisseur historique. Révolution théologique ? Transformation radicale du paradigme culturel ? Apostasie ? Étrangement journalistes objectifs, évêques concernés et consternés s'accordent à détecter une métamorphose de première grandeur : en vagues diffuses, une irrésistible modification d'atmosphère déplace l'ensemble des manières de vivre, d'aimer et de mourir.

---

1. Jean-Paul II, discours au Symposium présynodal, 14 janvier 1999.
2. *Newsweek*, numéro cité, p. 54.

« Sur les problèmes d'éthique, les résultats d'un sondage CSA/*L'Actualité religieuse*, réalisé en janvier 1994, confirment cette tendance. En réponse à la question "faites-vous confiance ou pas à chacune de ces autorités pour dicter des règles éthiques ?", les Français placent, dans l'ordre, les médecins (76 %), les autorités scientifiques (68 %), les ordres professionnels (60 %), les organismes comme le comité national d'éthique (54 %). Les Églises ne recueillent que 40 % d'opinions favorables (seulement 30 % chez les 25-34 ans), le pape 39 % et l'État 29 %. Le degré de confiance de l'Église catholique reste bien évidemment élevé chez les pratiquants réguliers (76 %) et irréguliers (59 %).

L'individu moderne attend de moins en moins des Églises une réponse globale aux questions qu'il se pose. Au pire, les institutions religieuses ne sont plus une référence, au mieux, elles en sont une parmi d'autres qui participent au libre choix de la conscience. Certes 37 % des Européens de plus de 65 ans affirment qu'il n'y a qu'une seule vraie religion, mais il n'en reste plus que 17 % chez les 18-24 ans... Toujours selon la même enquête sur les valeurs, si deux tiers des Européens trouvent justifié que les Églises prennent publiquement position sur des problèmes comme le racisme ou le tiers-monde, ils ne sont plus qu'un tiers en ce qui concerne l'homosexualité ou les relations extraconjugales. Pour prendre les grandes décisions de leur vie, 83 % des Français déclarent tenir compte avant tout de leur conscience et seulement 1 % des positions de leur Église. »

Serge Lafitte[1].

Les explications d'une aussi profonde et mystérieuse mutation sont légion. Leur nombre même incite à la prudence. Mieux vaudrait rendre justice au caractère surprenant, massivement imprévu, encore imprévisible, du mouvement en

---

1. *In Télérama*, « Le XXIᵉ siècle sera-t-il religieux ? », numéro spécial 1999, p. 29.

cours. Les sociologues comme les théologiens puisent sans compter dans un stock inépuisable de causes et de motifs. La religion décèle les hérésies avant même qu'elles n'existent, les sciences humaines détectent, dans les coulisses de l'exploit, les forces secrètes à l'ouvrage derrière ce qui n'a pas encore vu le jour. La « mort de Dieu » prête à des interprétations multiples, certaines vieilles de plusieurs millénaires, toutes construites sur le même schéma : qui agresse la référence suprême ? Plus brièvement : qui tue Dieu ? Sobrement : qui le remplace ? Nos péchés, répondent les religieux. La Raison qui désenchante le monde, proposent les sociologues. Ou la science. Ou l'esprit critique. Ou le désespoir. Ou l'angoisse. Ou de nouveaux dieux. Ou les idoles. Ou le vide. Ces réponses antinomiques s'entrechoquent, mais la manière de penser et d'interroger demeure inchangée.

Tous les docteurs ès mort de Dieu s'obstinent à rechercher « ce qui a pris la place » du Seigneur. Comme si le poste était immuable. Comme si le Remplacé ne pouvait être déplacé que par un Remplaçant. Fût-ce rien, aussitôt divinisé comme le Néant du nihilisme. La notoriété de Nietzsche n'est pas peu due à l'extrême agilité de ses travaux de substitution. N'a-t-il pas testé successivement tout ersatz à portée de main ? L'esprit libre. Dyonisos. César, Napoléon, le Grand Style. L'éternel retour. La volonté de puissance. Le surhomme. La bête blonde. Et pour finir « moi ou le crucifié ». Compte tenu des trouvailles de ses épigones, la série paraît intarissable. À croire que Dieu ne peut être détrôné que par un Pseudo, hypothèse arbitraire sur laquelle néanmoins s'entendent athées militants et croyants convaincus. Dieu ou Satan. La Foi ou la Raison. La Science ou la Superstition. L'Esthétique ou l'Éthique. L'Humain ou le Surhumain. La Terre ou le Ciel. Pareil affrontement manichéen fit les délices des prêcheurs et penseurs du XIXe siècle. Rien dans ces combats de géants menés par des puissances apocalyptiques, mutuellement exclusives, ne correspond au glissement quasi insensible des mœurs européennes au début du IIIe millénaire.

Sous nos yeux, aucune guerre entre croire et savoir. La déperdition d'énergie est égale des deux côtés. Le désinvestissement est général. Il paralyse chaque camp et atteint l'enjeu même. Ce n'est point Dieu qu'il s'agit de remplacer, c'est sa place même qui ne se trouve plus. Le XIXᵉ siècle disputait du point de référence censé structurer la civilisation ; la société gravitera-t-elle autour du soleil de la Raison ou conservera-t-elle celui de la Foi ? Désormais, le principe d'une référence centrale est mis en cause. Raison et foi paraissent simultanément détrônées. Première à mesurer la nouveauté du défi, la foi découvre que la raison, qu'elle tint si longtemps pour son ennemie la plus intime, subit un sort aussi peu enviable que le sien : « La raison et la foi se sont toutes deux appauvries. »

Cette communauté de destin devient l'indice d'une solidarité intrinsèque : « Il est illusoire de penser que la foi, face à une raison faible, puisse avoir une force plus grande ; au contraire... » Très rares furent ceux qui mesurèrent l'originalité extrême de l'encyclique *Fides et Ratio* (septembre 1998)[1]. Jamais le Saint-Siège n'avait, avec une telle clarté, déclaré qu'il n'existe pas de philosophie officielle de l'Église catholique (se démarquant de l'encyclique *Aeterni Patris* de Léon XIII qui lança le néothomisme). Jamais non plus n'avait été précisé que le dialogue direct des religions présuppose la médiation de la raison, couronnée intermédiaire obligé entre les confessions (Vatican II inclinait en sens contraire). Jamais enfin le travail de la raison et l'entreprise philosophique ne furent aussi vigoureusement émancipés. Plus question d'attribuer une place de servante (*ancilla theologiae*) à la philosophie. Les lumières de celle-ci précèdent celles de la révélation, dit l'encyclique. Historiquement, ni Socrate, ni Platon, ni Aristote ne furent « préchrétiens ». Pédagogiquement : il est recommandé aux séminaires de n'aborder les questions théologiques qu'après des études sérieuses de philosophie.

En proposant pareille « paix des braves » entre les deux partis qui s'écorchèrent des siècles durant, le pape Jean-Paul II ne recueillit que peu d'écho. Son réajustement conceptuel contredit trop les préjugés de ses partisans et ceux de ses adversaires. Il témoigne néanmoins de l'impossibilité de réfléchir au destin religieux du vieux continent dans le cadre des rivalités traditionnelles, somme toute commodes.

---

1. *Fides et Ratio*, 1998, p. 48.

Qu'importe qu'on s'acharne à diviniser la raison ou le sentiment, puisqu'il y va de la capacité même de se rapporter au divin. Qu'importe ce qu'on élève en lieu et place du dieu traditionnel quand s'estompent et le lieu et la place.

« Dresser un état de la religion aujourd'hui, c'est d'abord constater une série de faits qui paraissent se contredire. Le premier paradoxe, au moins apparent, est celui-ci : l'Occident constitue sous nos yeux la première civilisation de l'histoire à dominante agnostique. Mais à l'échelle planétaire, une grande majorité de la population mondiale pratique une religion. D'autre part, chez nous, se précise une conscience de plus en plus vive de l'importance du fait religieux hier et aujourd'hui et de la richesse du patrimoine religieux de l'humanité »... « Autre opposition entre des faits de signes contraires ou, si l'on veut, entre un vide et un trop-plein. Chez nous les églises catholiques sont beaucoup moins remplies qu'autrefois. Les baptisés boudent la messe, la confirmation et les confessionnaux. Les prêtres vieillissent et sont insuffisamment remplacés. Du côté protestant, les temples sont carrément désertés en Suisse, en Suède et dans l'ex-Allemagne de l'Est ; il en va de même des églises anglicanes. Tous les sondages s'accordent pour confirmer la déprise chrétienne en Occident. »

Jean Delumeau[1].

Les multiples théories qui attribuent notre déchristianisation à une soudaine lucidité ou à un surcroît de rationalité me paraissent anachroniques et à côté de la plaque. La présomption flatteuse d'un Européen devenu adulte, émancipé de la magie grâce à sa science, libéré des idéologies grâce à sa prudence, provoque chez moi de francs fous rires. Le XXᵉ siècle a vu l'Europe livrée aux démons. Si de très cuisantes expériences ont bridé nos humeurs dévastatrices, les

---

1. « La civilisation agnostique », *in Le Monde de l'éducation*, numéro « Religion », avril 1998.

croyances les plus baroques et les imaginations fantasques trouvent toujours preneurs. Arrêtons de rêver à un petit professeur ès désenchantements qui dans la cervelle de chacun réglementerait la circulation des émotions, en pesant soigneusement le pour et le contre. Mieux vaut revenir à la chose même : Dieu déserte l'Europe. Chacun le sait, tous en témoignent. L'événement laisse pantois : Comment ? Pourquoi ? Jusqu'où ? Jusqu'à quand ?

Une fois éliminées les réponses toutes faites, devinette. Quelle est la différence entre une barmaid de Berlin qui croit ne plus croire au dieu chrétien et un pape qui s'en réclame, avec une ferveur qu'un mécréant français eût jadis jugée toute espagnole ou italienne ? Tous deux s'interrogent. Tous deux admettent qu'un décrochage est en train, qui laisse peu de chances au retour des incrédulités et des crédulités. Tous deux sortent d'une querelle (*Kulturkampf*) dont les fureurs plongent nos sociétés en ébullition. Ils décrètent l'un et l'autre que la grande guerre opposant Dieu à ses ersatz s'achève sur un match nul et n'avait pas lieu d'avoir lieu. Au regard des fortes convictions dont l'Europe s'est longtemps targuée, il faudrait conclure que le vieux continent déprime et cesse le combat faute de combattants. À une raison faible, une foi tout aussi faible ne sert pas même de repoussoir, et réciproquement. Le constat de dépression momentanée ou d'asthénie définitive de la culture européenne est si souvent décliné en d'autres lieux, voire plus fréquemment encore par les Européens eux-mêmes, qu'on excusera l'auteur de ces lignes de récuser un pessimisme facile. Examinons plutôt l'hypothèse inverse : il se passe vraiment quelque chose en Europe. Et non pas rien, fût-ce un rien définitif.

L'extrême banalité des expériences qui dénouent le rapport de l'Européen à ses dieux mérite d'être méditée. Ce qui va de soi est précisément le plus difficile à penser. Un nouveau consensus, encore énigmatique, force les cœurs les plus divers et déverrouille des comportement qu'on croyait ossifiés. Entre les passions d'hier, qui ne lui conviennent plus, et les engagements des aurores futures, qui lui paraissent plus que jamais incertaines, l'Europe flotte. Mais ce flottement même, général d'est en ouest, partagé du nord au sud, fait un événement de première grandeur. La Renaissance et les Lumières n'avaient pas ouvert un aussi gigantesque et transcontinental marché commun des conceptions et des déceptions, des sentiments et des mœurs. De l'Atlantique à l'Oural, les modes de vie diffèrent, les performances économiques se contredisent, mais, pour la première fois, les questions fondamentales que l'homme de la rue pose à la vie, à la mort, au ciel et à la terre s'avèrent identiques. Les clivages anciens sautent. Les frontières de toujours se retrouvent démantelées. Même si les réponses ultimes demeurent obscures, comme en suspens, l'évidence de cette suspension, sa perception quasi unanime, indiscutable et silencieuse, constitue l'exception culturelle et religieuse européenne. Elle stupéfie, à juste titre, l'observateur, quitte à laisser bouche bée le reste de l'univers.

Inutile d'accumuler références et citations pour rappeler combien depuis l'Antiquité le leitmotiv de la mort de Dieu revêt de multiples atours. Lorsque en 1925 Miguel de Unamuno consacre un livre à *L'agonie du christianisme*, il se réclame de Pascal : « Jésus sera en agonie jusqu'à la fin du monde : il ne faut pas dormir pendant ce temps-là. » À première vue, loin d'annoncer l'extinction céleste un titre pareil en proclame l'assomption. Les harmoniques ambiguës et contradictoires du vocable « agonie » prennent vite le dessus, on les soupçonne chez Pascal, elles éclatent chez Unamuno. Lequel regrette de ne pouvoir suivre Chateaubriand qui rédime son athée et dévastateur *Essai sur les révolutions* (1797) par l'apologétique *Génie du christianisme* (1802). Cent ans plus tard, les cartes sont redistribuées, chaque parti combat à fronts renversés. Napoléon prédisait qu'un siècle après lui l'Europe serait cosaque ou républicaine. Unamuno lui reproche de n'avoir pas prévu « que les cosaques se feraient républicains et les républicains cosaques, l'ultramontanisme révolutionnaire et la révolution ultramontaine ». Tandis que la raison allait se manifester plus fidéiste et superstitieuse que la foi — ô la locomotive marxiste de l'histoire ! — la foi, çà et là, s'instaurait raison suprême dévorant ses propres enfants. Les bonnes pensées du XIXᵉ siècle n'avaient envisagé « ni le bolchevisme, ni le fascisme », remarque, très précocement, Unamuno qui, tenaillé par l'angoisse, identifie chute (ou déclin) de l'Occident et agonie du christianisme.

Dans l'horizon complexe, mais de plus en plus présent et contraignant, d'une énigmatique « mort de Dieu », l'Européen essaie depuis longtemps de déchiffrer un destin. Le sien. Il tente de se mettre théologiquement, et par là culturellement, politiquement, intimement, à jour, se confrontant au double infini d'un passé jamais totalement dépassé et d'un avenir incertain, risqué, parié. Paradoxalement, le récit des journalistes américains ne conte pas la fin d'une expérience religieuse, cataloguée, classée. Il décrit plutôt l'expérience d'une fin, une manière d'apprendre à mourir et d'organiser une agonie qui soit à la fois combat et dernier jugement. Les Anciens, Cicéron en tête, justifiaient l'existence d'un dieu *ex consensu gentium*. Tous les peuples adorent quelque Être suprême, preuve qu'Il existe. Le consensus nouveau insinue au contraire qu'on pourrait vivre comme si, ou même si, Dieu n'existait pas. Cette conviction historiquement singulière, mais tellement partagée, est-elle moins formidable que la précédente ? L'expérience de la mort de Dieu ne s'avère-t-elle pas à son tour religieuse, puisqu'elle fait lien et simultanément distance, rassemblant les Européens dans une aventure au long cours à nulle autre pareille ?

II

UNE PREUVE
DE LA NON-EXISTENCE DE DIEU

> *Le client : Dieu a fait le monde en six jours
> et vous, vous n'êtes pas foutu de me faire un
> pantalon en six mois.*
> *Le tailleur : Mais, monsieur, regardez le
> monde et regardez votre pantalon.*
>
> Samuel Beckett, *Le Monde et le Pantalon*

D'où vient que l'Europe bascule toujours davantage dans sa mécréance ? Aucune des résurrections de la foi promises, aucune des réévangélisations annoncées ne parvient à bloquer cette lame de fond. Les autorités morales et théologiques d'obédiences diverses désignent le vieux continent comme nouvelle terre de mission. Les appels pressants et inquiets à la mobilisation des âmes se multiplient depuis deux siècles, sans autre résultat que d'en provoquer de nouveaux, toujours plus angoissés.

Cette déroute demeure inexpliquée. Comme si les fidèles ne parvenaient pas à cerner ce qui les met en cause dans le défi que partout ils rencontrent, parfois relèvent, mais jamais ne surmontent. Revenant avec émotion et ferveur sur le concile de Vatican II, le père Joseph Thomas, S.J., risque, au milieu des louanges, une critique : « Ce concile fut une affirmation sereine de la foi de l'Église. Cette foi, l'Église veut la proposer à tous les hommes, avec la belle audace tran-

31

quille que lui donne l'Esprit et qui rayonnait de la personna-
lité de Jean XXIII. Mais la foi ne va pas de soi. Les pères
conciliaires ne se sont jamais demandé pourquoi, aujourd'hui,
il est si difficile de croire. Ils ont fait comme si déjà l'Église
entière était un peuple de véritables croyants. Ils ont présup-
posé l'existence d'une foi robuste chez les chrétiens et une
large disponibilité à croire chez tous les hommes[1]. » Difficile
de tenir une telle lacune pour une bévue anecdotique. S'il est
vrai que nos bons pères « ne se sont jamais demandé pourquoi aujourd'hui il est si difficile de croire », force est de
conclure qu'ils n'ont jamais cessé de se cogner dans le noir à
un obstacle qu'ils scotomisaient, alors même que l'extrême
urgence de l'affronter était proclamée *urbi et orbi*. Comment
éradiquer une incroyance dont on ignore le pourquoi ?

Certes, lorsque deux hommes de foi se rencontrent, ils ne
laissent pas d'évoquer les périls en la demeure et les radios
confessionnelles consacrent aux difficultés de croire autant
d'émissions que les chaînes d'information sportives à la préparation des matchs vedettes. Églises et sectes égrènent à
n'en plus finir le chapelet des erreurs et des péchés auxquels
succombe une masse rétive à leurs bons soins. Il pleut des
clichés : hédonisme, consumérisme, scientisme, tantôt on
accuse la technique qui veut tout commander, tantôt l'émotion qui s'hypertrophie arbitre. Culte du spectacle, permissi-
vité sexuelle, échec éducatif, commerce des armes, l'averse
tombe dru. Ces recensements sempiternels laissent l'auditeur
sur sa faim. Expliquer du jamais vu par du toujours dit
manque de sérieux. Si notre dérive spirituelle introduit une
situation radicalement nouvelle, la rigueur mentale minimale
exige d'examiner la nouveauté, sans la dissoudre dans le non-
temps, les arguments rebattus et les imprécations de toujours.
Peut-être les péchés de la chair et ceux de l'esprit cumulés
livrent-ils une clé du désarroi présent, reste à élucider le
secret de cette accumulation soudaine et l'origine singulière
d'un état de chose sans égal dans l'histoire de l'humanité.

Longtemps, les théologiens se gaussèrent de l'incompétent
qui pérorait sur Dieu, de quoi se mêlait-il ? Ils revendiquaient

---

1. *Vatican II*, Cerf, 1989, p. 115-116.

l'exclusivité divine, renvoyant à son ignorance crasse le laïc de plume ou de salon. Il convient désormais de leur retourner le compliment : croyants, ils sont mal venus pour explorer l'incroyance, surtout lorsque celle-ci chamboule une époque de la cave au grenier.

Les Églises se trompent d'ennemi. Elles imaginent se heurter à des anti-religions aussi structurées qu'elles. Elles se mobilisent contre un adversaire — la chair, l'égoïsme, le monde — alors qu'elles sont victimes d'une adversité d'autant plus envahissante qu'insaisissable et dissymétrique. Vatican II a pris en compte l'existence de l'athéisme, mais, objecte le père Thomas, c'était apostropher un humanisme athée réfléchi et systématique. Les pères conciliaires ne font « nulle part mention de **l'humanisme d'indifférence.** Ce silence, cette omission est sans doute la cause de réveils douloureux et d'un profond désenchantement[1] ». Les religions d'aujourd'hui auraient tort de s'acharner sur l'ennemi d'hier, *alter ego* armé de pied en cap, comme elles, contre elles. Le temps des batailles frontales, en miroir, est révolu. Reste une indifférence, souvent sans humanisme, qui joue gagnant.

L'insatisfait, qui se refuse à justifier le laisser-aller du siècle par des tares éternelles, doit déterrer les racines actuelles d'une indifférence *sui generis*. Le voilà donc au rouet : Dieu meurt, à tout le moins esquisse quelques pas de retrait, il semble quitter la scène et personne ne prend la peine de le pousser dehors ! Nietzsche et ses collègues du XIXᵉ, croyants ou non, simplifiaient outrageusement cette bizarrerie : s'il meurt, c'est qu'on le tue ; si l'humanité n'assume pas sa responsabilité, avouons que l'acte est (encore) « trop grand pour nous ». Bref, il leur suffisait de chercher l'assassin, comme dans un honnête polar, pour résoudre l'énigme du Dieu mort et entamer l'aria du surhomme. Cette fantasmagorie a fait long feu. L'évanouissement du Très-Haut est d'autant plus radical que la place demeure vide. Ni suicide, ni homicide, ni cadavre encombrant, tout juste un souvenir et les regrets d'une perte plus subie que voulue. L'Europe vit là l'expérience du grand absent sans pouvoir la projeter, avec Pascal, en Figure — « la présence d'un

---

1. *Vatican II, op. cit.*, p. 22.

Dieu qui se cache ». Ou l'intérioriser, avec Nietzsche, comme autocréation d'une subversion triomphante.

La mort de Dieu se produit sans que nul ne la produise. Ni sacrifice divin ni attentat profane, un procès sans sujet génère le consensus incroyant. Il déploie une puissance de contagion pas moins étonnante et pas moins efficace que celle qui présida à l'instauration des religions. Méditer la disparition de Dieu, son actualité, ses limites revient à concevoir une antirévélation qui avance avec l'aura et la persuasion des anciennes révélations. L'évangile d'un Dieu-qui-n'est-pas s'annonce dans un message que personne n'expédie et que tous enregistrent. Un sondage permet peut-être de pénétrer le mystère.

Paris, un pape, la ferveur des jeunes. Dans la foulée des Journées mondiales de la jeunesse et de leur succès, les Français dûment interrogés se révélèrent croyants (59 %) et peu pratiquants (49 % ne prient jamais), bref ambivalents comme prévu. Sondage banal donc, s'il ne risquait un coup de génie : creuser les raisons qu'ont les gens de ne pas croire, plaçant ainsi un échantillon représentatif de citoyens devant la question négligée.

Question : Dans lesquelles de ces occasions doutez-vous de l'existence de Dieu ?
Réponses : 1. Lors des génocides dans le monde comme au Rwanda : 40 %
2. À l'occasion de la mort d'un proche : 27 %
3. Quand vous voyez les intégristes : 13 %
4. Lorsque vous avez subi une injustice : 9 %
5. Avec la douleur physique : 7 %
6. Lors des découvertes scientifiques : 4 %
7. Aucune de ces occasions : 26 %
8. Je ne crois pas en Dieu : 6 %
9. Sans réponse : 3 %
Sondage SOFRES, *Le Figaro*-Arte, *Le Figaro*, 18 décembre 1997[1].

---

1. Très souvent les raisons de ne pas croire sont omises dans les sondages, cf. J. Sutter, *La Vie religieuse des Français à travers les sondages d'opinions (1944-1976)*, CNRS, 1984, t. II, p. 845, 962, 966.

À la surprise générale, le Rwanda surgit argument premier contre Dieu. Il ne s'agit aucunement d'un effet de mode ou d'actualité. À la date du sondage (décembre 1997), le génocide du printemps 1994 ne fait pas recette dans les journaux et ne défraie plus du tout la chronique. La grande presse oublieuse ne lui consacre ni ses titres ni ses analyses et les élites politiques préfèrent camoufler leur attitude peu glorieuse d'alors. Les excuses (du seul président Clinton) et les commissions d'enquête parlementaire tomberont six mois plus tard. La demi-repentance de l'ONU deux ans après. La réponse des sondés est donc « inactuelle » ; ce n'est pas sous influence, mais dans leur for intérieur qu'ils élisent le Rwanda et le meurtre des Tutsis preuve n° 1 de la non-existence de Dieu.

Ce choix de l'âme résume l'expérience intérieure du siècle. Gageons qu'en 1900 le malheur des proches, le décès d'un fils, d'une mère ou d'un époux eussent alimenté la colère contre Dieu bien davantage qu'un massacre perpétré aux antipodes. Pour une raison évidente : on ignorait encore que l'humanité pût en bloc comme en détail mettre fin à ses jours. La Belle Époque n'imaginait pas la possibilité d'Auschwitz. Elle ne prévoyait pas que ses bonnes pensées et ses flonflons humanistes ouvraient les vannes d'une première guerre mondiale, suivie d'une seconde close par Hiroshima. Le génocide inaugural, celui des Arméniens, fut escamoté. Le second, celui des Juifs et des Tziganes, fut tenu pour unique et ultime (« jamais plus »). Le troisième fut minimisé comme spécialité locale, « autogénocide » du Cambodge. Au quatrième, l'apparente exception vire à l'opération banale, la capacité d'éliminer artisanalement une population, du vieillard au fœtus, s'avère des plus universelles. En objectant le Rwanda à Dieu, le public ne s'embarrasse pas de distinctions, il présente l'addition, il collecte les cruautés du siècle et les intègre dans une somme antithéologique.

On aurait tort de mépriser pareille sommation en moquant les naïfs qui amalgament tous les malheurs du monde et partent à l'assaut du ciel, juchés sur le bric-à-brac babélien des ignominies de toujours. Inutile d'évoquer Job, lequel récriminait mais trouvait un destinataire sacré à ses doléances. Même

Ivan Karamazov, qui allègue le martyre d'un enfant innocent pour justifier son athéisme, n'anticipe pas l'argument « Rwanda ». La protestation millénaire des affligés et des humiliés procède depuis toujours dans la même direction, elle monte de la terre au ciel. Hommages, prières, sacrifices ou révoltes se déploient entre un bas et un haut, ce qui suppose indépassable le partage du céleste et du terrestre. Or, depuis la guerre de 1914, cette hiérarchie cosmique a perdu son évidence et le Rwanda répète l'expérience d'un effondrement, au sens propre d'un dés-astre. Les insensés et les insurgés d'antan visaient une position dominante pour l'implorer, la subvertir, la conquérir ou la détruire. Tel n'est plus le cas.

Exorcistes et profanateurs s'abusent mutuellement. Loin de surgir d'un acte, louable ou condamnable au gré des options, l'incroyance contemporaine accompagne un choc suffisamment fort pour tordre les règles du jeu. À peine la « Grande Guerre » terminée, Keynes, prophète profane, repérait qu'elle touchait l'essentiel et modifiait le rapport que l'homme entretenait avec le temps et l'espace. « La guerre a dévoilé, à tous, la possibilité de la consommation et, à beaucoup, l'inanité de l'abstinence... Les classes laborieuses peuvent ne plus vouloir pratiquer un si large renoncement. La classe capitaliste, ayant perdu confiance dans l'avenir, peut rechercher à jouir complètement de ses possibilités de consommation tant qu'elles dureront[1]. » On ne comprendra jamais combien le génocide du Rwanda touche et bouleverse (comme sur un mode mineur la déportation des Kosovars et l'extrême famine d'Éthiopie...) si on ne décèle pas dans l'événement, l'événement de l'événement. Et dans l'horreur d'un tel massacre perçu à distance, la répétition traumatique du moment de vérité où l'Européen découvre que tout ce qu'il appelle le ciel lui tombe sur la tête.

---

1. J.M. Keynes, *Les Conséquences économiques de la paix*, Gallimard, 1920, p. 29.

« Classe 40, c'est la mienne. Génération de la guerre, vingt ans après la première qui devait être la dernière. Les historiens devraient entendre Jacques Maury qui fut président de la Fédération protestante de France, quand il rappelle après d'autres que beaucoup firent alors "l'apprentissage contradictoire des certitudes théologiques et des grands drames collectifs". L'épreuve fut la même pour tous, sans avoir été vécue ni résolue pareillement par tous. L'histoire ne s'est pas arrêtée pour si peu, et d'autres générations se sont succédé qui avaient leur vie à faire avec son lot de difficultés propres. Mais, pour ceux de ce temps-là, on ne le constate que trop, l'épreuve est restée indépassable, inoubliable, comme l'avait été à sa manière la Grande Guerre pour ses anciens combattants. Ce que chacun croyait se trouva mis à mal sans ménagement, ne laissant de recours qu'en ce que chacun espérait, qui, à son tour, sera rudement traité quand sonnera l'échéance... »

« Été 44. Voici bientôt cinquante ans, le débarquement de Normandie et de Provence, la libération de Paris, la marche à la victoire. Célébrations, commémorations. Pour moi, pour ma génération, notre jeunesse identifiée à la guerre, à ses maléfices et à ses méfaits. On croyait en voir le bout. Voici quarante ans commençait la guerre en Algérie une guerre qui n'osait pas dire son nom, tandis qu'une autre s'achevait à peine en Indochine, du moins pour la France. Et voici quatre-vingts ans se déclenchait la Grande Guerre, qui devait être la dernière et donna lieu au plus grand sacrifice humain encore jamais vu. Elle laissait loin derrière elle les Aztèques dont nous déconcerte tant le vertige immolateur. Comment ne pas faire retour sur ce chemin pavé de pierres rouges et jalonné de croix de bois ? Pour ceux qui la vécurent et lui survécurent, cette histoire fut une expérience intense, profonde, considérable. »

Émile Poulat[1].

---

1. *L'Ère postchrétienne*, Flammarion, 1994, p. 135-149.

À l'époque, pas si lointaine, où les libres penseurs s'armaient de raison mathématique et de conscience morale, le philosophe Lagneau leur reprochait de combattre des moulins à vent : « Affirmer que Dieu n'existe pas est le propre d'un esprit qui identifie l'idée de Dieu avec les idées qu'on s'en fait généralement et qui lui paraissent contraires aux exigences soit de la science, soit de la conscience[1]. » En va-t-il autrement quand, prenant le relais de la science et de la conscience c'est l'événement, dans son actualité la plus saignante, qui présente son objection à Dieu ? Prise au pied de la lettre, la critique de Lagneau relève du pur sophisme : il est clair qu'on ne saurait parler, pour ou contre, du Divin sans en cultiver quelque idée. Les « preuves » de la non-existence de Dieu sont logées à la même enseigne que celles de son existence, et pareillement toute prière et malédiction susceptibles d'être formulées à voix haute ou basse. Si l'idée de Dieu, d'une pomme et d'une licorne devait n'entretenir aucun rapport avec « l'idée qu'on s'en fait », nous ne nous en ferions précisément aucune. Les questions de l'existence ou des non-existences de Dieu et de la licorne seraient dans ces conditions non existantes. N'en déplaise à Lagneau, il n'est pas rédhibitoire, mais nécessaire, de se faire une idée de ce qu'on nie, autant que de ce qu'on affirme. Il convient d'examiner contre quelle idée préconçue de la divinité le génocide du Rwanda décoche sa flèche empoisonnée.

Qu'ils fussent dévots, agnostiques ou rationalistes militants, que le ciel les inspirât ou les exaspérât, les bons esprits qui peuplaient les universités et les académies ont longtemps sacrifié à une conception unitaire du religieux. La religion relie. Dieu, ou ses substituts — le Genre Humain, la Conscience — est ce sans quoi la collectivité se désintègre, l'individu s'étiole, la vie intérieure s'éparpille. Hors l'Église point de salut, promet le conservateur. Sans fortes convictions religieuses pas de société, fait écho le sociologue, souvent « progressiste », tandis que l'historien confirme, en rédigeant quelque inévitable « bible » de l'Humanité. Privilégiant une des deux étymologies latines possibles, on s'accorde à

---

1. J. Lagneau, *De l'existence de Dieu*, Alcan, 1925, p. 11.

entendre dans religion la capacité de nouer (*religio*) ; Dieu est le lien social par excellence. En aucun cas l'athée n'ébranle ce parfait consensus : il chipote l'existence personnelle du Seigneur, pas celle du lien social, qu'il baptise d'un pseudonyme impersonnel, la race, la classe, la vie, l'Humanité, etc. Du coup, la même idée-de-Dieu investit celui qui croit et celui qui ne croit pas. Chacun joue sa partie, mais l'enjeu est identique ; on dispute la qualification, pas l'existence d'un lien universel. Quelque chose existe plutôt que rien ; d'avance, un Être, garant ou Père, nous élève au-dessus du rien et contre-signe l'acte de naissance de l'Européen éclairé. Patatras ! De Verdun à Kigali, l'événement contre-attaque : pourquoi pas rien plutôt que vous ?

« Nous autres civilisations, nous savons maintenant que nous sommes mortelles. » Justement célèbre, ce bilan de Valéry, formulé à l'issue de la première boucherie mondiale, m'a toujours paru infiniment culotté, à moi tard venu. Ce « maintenant » équivalent d'un « désormais » énoncé sans l'ombre d'un remords et sans soupçon d'ironie, reportez-vous au texte, vaut son pesant d'inconscience ingénue[1]. Ainsi, auparavant, vous vous êtes crus immortels, et pas seulement pas la grâce de l'Académie. En tant qu'Européens vous habitiez une civilisation inexpugnable. Anglais, vous vous sentiez infaillibles, *right or wrong my country*. Allemands, vous étiez tout-puissants, *Deutschland über alles*. À Paris, la perpétuité était acquise d'office aux bienheureux citoyens de la « France éternelle ». Les chrétiens échappaient par définition à la finitude du temporel, quitte à étendre aux autres monothéismes un privilège que la culture scientifique et technique s'attribuait en se passant d'intercessions divines. L'Europe entière, campée sur son nuage, travaillait dans et pour l'immortalité. Et trouvait normal d'éconduire l'éphémère. Et naviguerait encore volontiers hors-mort, si la répétition des incidents fâcheux n'avait mis à mal tant d'insolite suffisance.

---

1. Paul Valéry, *La Crise de l'esprit* (1919), *in Œuvres*, Gallimard, Bibliothèque de la Pléiade, I, p. 988.

UN TÊTE-À-TÊTE AVEC DIEU
(selon Paul Claudel)

« Les guerres n'ont pas sensiblement diminué de fréquence ; et en tout cas elles ont sûrement augmenté d'intensité. Rien de comparable entre la guerre actuelle et aucune de celles qui l'ont précédée. On pourrait presque dire sans paradoxe que plus les nations sont civilisées, plus elles tendent à la guerre. Non seulement parce qu'elles la font mieux ayant des armes plus perfectionnées. Mais surtout parce que plus elles sont capables de concevoir, plus elles sont susceptibles aux intérêts de l'esprit, plus elles sont prêtes à les protéger, plus elles sont sourcilleuses... On pourrait dire que plus la civilisation augmente dans un certain milieu de nations, plus les causes de guerre y deviennent sérieuses, élevées, profondes, plus elles tendent à passer de l'ordre matériel à l'ordre spirituel... On fait la guerre pour un presque rien, mais qui est tout : une certaine manière de penser, de sentir, etc. On fait la guerre pour une certaine manière de voir le monde. Toute guerre est une guerre de religion. Seulement le dogme est plus ou moins précis. »

J. Rivière[1].

À fréquenter les hauteurs célestes avec l'heureuse aisance des ayants droit, les Européens honoraient sans problèmes le maître de logis, Dieu ou Nature. D'où l'extrême ahurissement, au sortir des tranchées, de découvrir la maison mise à feu et à sang par ses habitants sans foi ni loi. L'ordre, même provisoirement rétabli, apparut vaporeux et fragile, le traditionnel Dieu-garant sans emploi, le sacro-saint « lien social » éminemment déchiquetable, donc les religions intrinsèquement vacillantes. « Le peuple entra dans le sanctuaire, il leva le voile qui doit toujours couvrir tout ce que l'on peut dire, tout ce que l'on peut croire du droit des peuples et de celui

---

1. *À la trace de Dieu* (écrits de 1916-1917), Gallimard, 1925, p. 136-137.

des rois qui ne s'accordent jamais si bien ensemble que dans le silence[1] », troquez la Fronde contre la Grande Guerre, substituez aux rois les autorités morales et religieuses de la Belle Époque, l'effet de profanation se trouvera décuplé et le cardinal de Retz passe la main à Dada, aux soldats perdus avec Ernst Junger, aux bolcheviques s'extasiant avec Trotski : « L'Europe est devenue une maison de fous... » À Paris, Breton décrète l'acte surréaliste : descendre dans la rue, un revolver au poing, et tirer dans la foule au hasard.

L'ancien combattant allemand se retrouve vaincu, sans comprendre pourquoi. Le Français vainqueur s'estime floué dans un gigantesque qui-gagne-perd. Des deux côtés l'ordalie apparaît rétrospectivement insensée. Comme si, quatre ans durant, dix millions de surréalistes s'ignorant tels avaient déchargé leurs armes à la sauvette sur l'*alter ego* d'en face. L'étonnant du conflit mondial n'est pas qu'il ait éclaté : les imbroglios diplomatiques, le pataquès des états-majors, les responsabilités partagées, même inégalement, sont de tous temps. L'inouï tient dans la volonté de poursuivre jusqu'au bout, mobilisant comme jamais les âmes et les corps, la société civile, l'industrie nationale, les échanges internationaux et les peuples des cinq continents. Sans trêve ni négociation, cette guerre civile européenne vise le maximum de destructions jusqu'à la capitulation. Le temps pour les plus hautes autorités de déclarer forfait.

À quoi bon le Dieu unique quand s'entr'égorgent, sans limites, ceux qui s'en réclament ? Comment rêver du socialisme quand les travailleurs de tous les pays s'unissent aux enfers, où ils s'expédient mutuellement ? Qui peut se réclamer désormais sans rire de l'universalité des universitaires, aussi délirants et affolés que le simple pékin ? Mais le temps passe et efface, les Européens sont pressés de réintégrer leur bulle d'éternité. Quelques piqûres de rappel et les malheurs des autres restituent la mémoire : l'impensable de jadis une fois produit demeure définitivement possible. Rien de ce qui

---

1. Cardinal de Retz, *Mémoires*, in *Œuvres*, Gallimard, Bibliothèque de la Pléiade, p. 204.

est inhumain ne nous est étranger. Le Dieu que le Rwanda déboulonne au crépuscule du millénaire garantissait une condition humaine qui tout au long du siècle s'est découverte sans garanties.

« Mais je suis vraiment persuadé qu'en cette époque — quel que soit le nom ou la valeur que nous lui attribuons, qu'elle soit sortie de ses gonds ou solidement établie, qu'elle en soit encore à accuser Hamlet de meurtre et de corruption ou qu'elle se prépare déjà pour la poigne d'un Fortinbras — les racines du mal sont à la surface. À la faveur d'un grandiose tohu-bohu tout cela apparaîtra clairement et tout ce qui autrefois paraissait paradoxal trouvera sa confirmation en cette grande époque. Comme je ne suis ni un homme politique ni son demi-frère l'esthète, il ne me viendra pas à l'idée de nier la nécessité de tout ce qui peut arriver, ni de me plaindre de ce que les hommes ne sachent pas mourir en beauté. Je sais pertinemment qu'il est légitime de pilonner des cathédrales lorsque des hommes s'en servent légitimement comme postes militaires. Pas de scandale dans le monde, dit Hamlet. Sauf qu'un abîme infernal s'ouvre lorsqu'on se demande quand donc commencera l'époque la plus grandiose de la guerre — celle de la guerre des cathédrales contre les hommes ! Je sais parfaitement qu'il est parfois nécessaire de transformer les marchés en champs de bataille pour que ceux-ci puissent redevenir des marchés. Mais un jour, triste jour, tout devient plus clair et on se demande s'il est vraiment juste de suivre aussi résolument le chemin qui éloigne de Dieu [...] Une fois achevé ce rêve, nous nous réveillerons sur un champ de bataille plus sanglant encore, immense décharge pour les hyènes de notre temps, désert sans fin d'où se lèvera le pouvoir nouveau enfermé des siècles durant dans le ghetto des enfers ; il répandra sa pourriture sur terre, s'emparera des airs et soufflera sa puanteur jusqu'au ciel. Et les conservateurs de profession ou de naissance, la noblesse, l'Église ou même les guerriers pourront bien perdre courage devant cet ennemi impitoyable et se résigner — prétendant que nécessité fait loi — à s'allier avec lui. Ils pourront bien, jour après jour, commettre leurs erreurs comme mus par ce que leur commande mystérieusement une impuissance généralisée. »

Karl Kraus[1].

Il fut un temps où les fidèles tentaient de rationaliser leur foi et de convaincre les sceptiques en « prouvant » l'existence de Dieu. L'un des arguments les plus canoniques s'étayait sur la contingence du monde. Puisque chaque chose finie dépend d'une autre non moins finie, de quoi dépend l'ensemble ? Puisque à chaque effet il faut une cause, une origine est nécessaire qui enveloppe l'aléatoire terrestre dans l'éternité céleste, etc. Celui qui progresse de l'accidentel à l'essentiel conclut à la présence d'un Grand Ordonnateur qui fonde le devenir des éphémères. Aliocha, qui croit, contemple silencieux son frère Ivan arguer des innocents blessés pour nier Dieu. L'âme pieuse ne se trouble pas, la plainte des cœurs sensibles naît de la contingence du malheur — d'où le scandale — et parle de la justice nécessaire. Elle s'élève du monde désordonné à l'Être, qu'elle apostrophe dans son mystère. Ivan, sans le vouloir, prouve Dieu et, sans le savoir, use de l'argument *a contingentia mundi*. La preuve par le Rwanda « démontre » le contraire par un raisonnement parfaitement inverse. Elle ne s'élève pas du terrestre au céleste, mais fait chuter le ciel sur la terre. Elle ne sublime pas le temporel dans l'éternel, mais s'acharne à dissoudre le second dans le premier. Les morts sans sépulture d'Afrique manifestent la contingence, non du monde, mais du ciel.

On ne médite pas les grandeurs divines comme on calcule les géométriques. On les montre, on ne les démontre pas. Quand on croit prouver, on se satisfait d'éprouver ce qu'on croit. Derrière la preuve « par la contingence du monde » pointe la force d'une exigence d'ordre. Dans la sphère des choses naturelles, tout n'est pas possible. Dans les affaires humaines, tout n'est pas autorisé. Un axiome fondamental

---

1. *Cette grande époque*, écrit en 1918, Rivages, 1990, p. 175-176 et 206.

régit cette spéculation : il faut un principe qui commence et commande. Sans Dieu c'est le chaos. Les braves gens furent longtemps convaincus qu'un athée était condamné à voler, violer et rompre ses serments : si Dieu n'est pas, tout est permis. Spinoza relève du miracle. Le sentiment qui soutient la contre-preuve par la contingence du ciel subvertit l'axiome au nom de l'évidence retournée. Dieu est, tout est permis. En avant les enfants ! Il recollera les morceaux.

Les Rwandais n'étaient pas moins chrétiens en 1994 que les soldats de 1914. Sur les champs de bataille la référence divine requinque le moral des troupes, quelles qu'elles soient et quoi qu'elles fassent. On a vu sur les plateaux d'Afrique, pataugeant dans les mares de sang, des curés triant leurs ouailles — et des instituteurs leurs élèves —, sélectionnant ethniquement les innocents à découper. L'incroyance de longue durée procède du constat, sans cesse renouvelé, que les autorités morales se montrent incapables de préserver et garantir tout ce qu'elles juraient préserver et garantir. Le fait méritoire et rare d'assumer la mission qu'elles se sont attribuée — on se souvient des efforts vains de médiation du pape Benoît XV pendant la première guerre — témoigne, plus cruellement encore, de la vanité de tels garde-fous. Selon une lecture fausse, Pascal passe pour rejeter le dieu des philosophes et des savants. L'actualité retourne le propos, c'est bien le dieu du prêche qui se dévoile « inutile et incertain ».

« La Première Guerre mondiale a suscité chez nous de nombreux commentaires qui reflètent les efforts des hommes pour comprendre cet immense processus porté par les hommes et qui pourtant excédait la mesure humaine : processus en quelque sorte cosmique. Nous nous sommes efforcés de le faire rentrer dans nos catégories, de le cataloguer une fois pour toutes... Les explications de la guerre de 14 sont toutes fondées sur les idées du XIXe siècle. Or, ce sont là les idées du jour, de ses intérêts et de sa paix. Il n'est pas étonnant qu'elles n'aient pas réussi à éclairer le phénomène fondamental du XXe siècle qui, à la différence du XIXe, est une époque de nuit, de guerre, de mort. Je ne veux pas dire que, pour le comprendre, il ne soit pas nécessaire de se référer à la période précédente. Mais la pensée, les programmes et les objectifs de celle-ci ne permettent d'expliquer que la naissance de cette terrible volonté qui durant des années a poussé des millions d'hommes au feu ardent et jeté davantage encore dans les préparatifs gigantesques, jamais achevés, de cet autodafé monumental. »

Jan Patočka[1].

Des âmes sincères crurent sauver leur foi à bon compte. Comme si pour renouer avec son époque et en assumer la barbarie il suffisait de se montrer un peu moins optimiste, un rien plus tragique, en délaissant l'image bienveillante et kitsch d'un dieu tout sucre au profit de la figure plus distancée du père sévère et peu complice. Ces réajustements minimaux échouent nécessairement. L'élite pensante avait statué : la religion est le lien social. Quand ce lien devient guerre, corruption, torture et extermination, une religion qui détourne les yeux et se retire sur la pointe des pieds manque à sa définition et rate la partie. Échec et mat.

Chaque société promeut son idée particulière du lien social, propose une définition originale du Bien commun et institue un partage chaque fois spécifique du permis et du défendu. Derrière la relativité et la rivalité des valeurs et des idéaux quadrillant les coutumes locales, il existe deux prohibitions très générales, touchant le sexe et le sang, dont aucune collectivité ne saurait faire l'économie.

Tout n'est pas permis en matière d'échange des femmes : c'est la règle universelle de la prohibition de l'inceste. Tout n'est pas permis en matière de violence : c'est, moins reconnue parce que plus évidente encore, la nécessité incontournable pour toute collectivité humaine de distinguer les cruautés licites et illicites, à charge pour elle d'éduquer en conséquence enfants et adolescents. Pour variables qu'elles

---

1. *Essais hérétiques* (1975), Verdier, 1981, p. 129-130.

soient selon les lieux et les époques, les deux distinctions majeures — du mariable et du non-mariable, du tuable et du non-tuable — ne sont abolies par aucune communauté, pour la simple raison qu'elles constituent les conditions *sine qua non* de sa survie. Aucun lien social n'est possible si nous ne limitons pas l'illimitation potentielle de nos violences et si nous ne circonscrivons pas les choix d'une libido spontanément sans frontières.

Les sociétés traditionnelles tiennent ces prohibitions pour immuables. L'Europe éclairée et moderne les supposait intouchables et couronnait les religions, soutiens et témoins de l'indissolubilité d'un lien fondé sur d'aussi inébranlables interdits. Lorsque ceux-là sautent, lorsque la violence déborde toute digue, Dieu perd la place et la fonction dont il héritait depuis la nuit des temps. En déclarant forfait devant l'extrémisme de la rage contemporaine, les autorités spirituelles signent son avis de décès.

Augustin décelait dans le plus intérieur du for intérieur, non pas un moi, mais Dieu. Dans cette intime intimité explose, depuis 1914, ce que les hommes des tranchées intitulaient « l'expérience du front », celle qu'une cohorte de désastres n'a cessé de réveiller depuis. Ernst Jünger en livre une version provocatrice, fêtant l'abolition des prohibitions, célébrant les noces de Polémos et d'Éros, mettant à vif le désir de finir, voire la volonté de tuer qui jette l'un contre l'autre les corps sur les champs de bataille ou dans la moiteur des couches éphémères : « La volupté du sang flotte au-dessus de la guerre comme la rouge voile des tempêtes au mât d'une sombre galère, son élan sans limites n'est comparable qu'à l'amour[1]. » À l'affût sur la ligne d'en face, le père Teilhard de Chardin, plus austère, se livrait à des pensées tout aussi radicales, mystérieusement semblables. L'expérience du front est d'abord celle d'une solitude sans échappatoire. « À partir du moment où finit la vie civile la différence cesse entre le jour et la nuit... À mesure que l'arrière s'efface en un lointain plus définitif, la tunique gênante et dévorante des petites et

---

1. E. Jünger, *La Guerre comme expérience intérieure* (1922), Bourgois, 1997, p. 47.

des grandes préoccupations de santé, de famille, de succès, d'avenir... glisse toute seule de l'âme comme un vieux vêtement. Le cœur fait peau neuve [1]. »

Plus renversante encore est la révélation d'une solitude autrement générale et irrémissible, celle de l'humanité dans son ensemble. « J'ai senti sur moi le poids d'un isolement terminal et définitif, la détresse de ceux qui ont fait le tour de leur prison sans lui trouver d'issue. L'homme a l'homme pour compagnon. L'humanité est seule... Ce soir, dans l'angoisse du schisme sanglant qui divise actuellement le monde sans recours possible à aucun arbitre... j'ai vu les bords de l'humanité. » Hiroshima n'ajoute rien d'essentiel à la vérité de Verdun. Seuls les délais se resserrent, tandis que l'évidence de la communauté du risque se laisse, espère-t-on, moins aisément oublier. En 1952, Teilhard réitère : « Il ne nous servirait à rien de fermer les yeux — mais il nous faut au contraire les ouvrir tout grands pour regarder bien en face cette Ombre d'une Mort collective qui monte à l'horizon. »

Mutation brusque ? Virage de l'âme ? Renversement de toutes les valeurs ? Ériger en connaissance de soi l'expérience du conflit contraint l'homme occidental à cette conversion sans retour que les philosophes grecs et les chrétiens à leur suite nommèrent *métanoia* : les croyances anciennes ne tiennent ni ne retiennent, la planète entre en convulsions, l'âge du fondamental (Malraux) revient, autrement dit les « fondements » font partout défaut. Si une kyrielle de guerres et de révolutions témoignent du vide alors apparu, on aurait tort de réduire à d'aussi spectaculaires secousses des métamorphoses qui affectent plus durablement encore nos façons de vivre, d'aimer et de mourir. Qu'arrive-t-il à l'Européen ? interroge-t-on à New York et au Vatican. Peut-être rien, c'est-à-dire plus rien. Peut-être hésite-t-il. Peut-être dépouille-t-il le vieil homme pour oser, aussi paradoxale qu'elle paraisse, l'expérience religieuse d'une absence de la religion. Ne cultive-t-il pas, depuis toujours, une intuition bien à lui des mystères divins ?

---

1. P. Teilhard de Chardin, *Écrits du temps de guerre (1916-1919)*, Grasset, 1967, p. 207, 244, 245.

III

LA PLUS VIEILLE RELIGION
DU VIEUX CONTINENT

*Les dieux dans leur éclat sont terribles à
voir.*

Homère[1], *Iliade*

Dieu est mourant. Voire déjà mort en Europe. L'information se laisse déchiffrer dans les enquêtes de journalistes et les objurgations des âmes. Une telle perspective rend perplexe. Et nous nous demandons pourquoi l'Europe ? Pourquoi l'Europe seule ? Seule, dans l'espace planétaire et dans l'histoire de l'humanité, oserait-elle une civilisation sans Dieu ? Abandonne-t-elle une religion, une entre d'autres, aussi prestigieuse soit-elle ? Ou bien mue-t-elle en délaissant une façon datée et révolue de la pratiquer ? Amorce-t-elle plus gravement la disparition inouïe du moment religieux, nulle part identique, mais partout repérable, où l'homme affronte sa part d'ombre, en parlant « de piété et d'impiété, de pureté et de souillure, de crainte et de respect à l'égard des dieux, des cérémonies et des fêtes en leur honneur, de sacrifice, d'offrande, de prière, d'action de grâces[2] » ?

La désaffection massive des cultes et des rituels participe, on l'a vu, du bilan d'un siècle guerrier et révolutionnaire, dont

---

1. Trad. Bérard.
2. J.-P. Vernant, *Mythe et religion en Grèce ancienne*, Le Seuil, 1990, p. 10.

l'Europe constitua l'épicentre. Cette explication par l'histoire s'impose avec une telle évidence qu'elle contraint institutions, idéologies et théologies à un retour critique et repentant sur elles-mêmes. Néanmoins, pour éclairante qu'elle soit, la simple corrélation des désastres extérieurs et du désert intérieur ne permet pas de mesurer la profondeur et moins encore l'avenir de l'incroyance européenne. Vue des autres continents, notre aventure tombe dans l'anecdote : nous avons traversé une tempête de circonstances affligeantes, la dépression suit, la convalescence commence. Les Européens se seraient-ils monté la tête ? Ils bruissent encore de réformes et de révolutions, alors qu'en matière de finance, d'économie et pourquoi pas de religion, ils se rétablissent. Mauvais quarts d'heure passés et deuils accomplis, l'humanité ne retourne-t-elle pas inévitablement à ses moutons ? La seule leçon de l'histoire c'est qu'il n'y a pas de leçons, profère le philosophe Hegel, qui n'hésite pas par ailleurs à asséner la sentence inverse : il n'est de vérité qu'historique.

L'expérience sentimentale et religieuse du siècle s'épuise-t-elle avec le siècle ? Pour tenter de répondre, sans poser au futurologue et au Nostradamus de service, il faut revenir sur l'exception religieuse européenne. Seule une manière originale et probablement originelle d'interroger l'en-deçà et l'au-delà, la nature et le pas-naturel, l'existant et le non-existant, explique notre inclination d'aujourd'hui à tirer des conséquences religieuses définitives d'événements circonscrits dans l'espace et le temps. Nous partageons avec nos proches et nos lointains l'universelle capacité de vivre nos aventures intimes comme si elles étaient éternelles — *sub specie aeternitatis* —, mais nous comptons parmi les rares qui décident que l'éternité se joue ici et maintenant, à la vie, à la mort non seulement de nous mais d'elle. Qu'est-ce que l'éternité ? C'est la mer allée avec le soleil, répond Rimbaud.

Dieu a besoin des hommes pour survivre, l'idée ne va pas de soi. Pourtant elle se niche, discrète, dans les mythes grecs, avant de s'affirmer comme le nerf de la preuve par la « contingence du ciel », qui chahute les contemporains. Il suffit d'évacuer l'hypothèse d'une essentielle solidarité des affaires divines et humaines pour que les considérations sur le malheur des temps et les catastrophes humanitaires perdent leur force de frappe théologique. Nul n'ignore que les créatures terrestres s'entrechoquent autant qu'elles s'enlacent, quitte à pâtir de la deuxième aventure plus encore que de la première. L'imperfection de la condition d'éphémère, loin de contredire les croyances en Dieu, les conforte par un ressort banal, dont la preuve « par la contingence du monde » déploie l'évidence. La misère terrestre valorise les félicités paradisiaques. Pour qu'elle les contredise, pour que le ciel tombe sur terre lorsque la terre va mal, il faut une insolence, incroyable pour les autres continents avant de s'affirmer incroyante pour elle-même.

La passion de mouiller le divin dans les affaires humaines jusqu'à l'y noyer, pour moderne qu'elle paraisse, remonte à la plus haute antiquité. Platon s'éberluait, choqué déjà par l'insolence qui présida à l'instauration des Olympiens. Plutôt que de faire la loi aux hommes, les Immortels ont reçu d'eux la leur. Avant que les dieux ne s'adressent aux mortels, la littérature, toutes les puissances de la littérature, Homère, Hésiode, Eschyle ont soigneusement, polémiquement parlé aux dieux, leur ont appris qui ils sont, indiqué le chemin, prescrit la bonne et la mauvaise conduite.

1. Penser Dieu

« L'opinion que nous nous faisons des dieux est entière-ment formée et déterminé par ce que disent les poètes, les législateurs et en troisième lieu des philosophes », explique Plutarque, témoin tardif, mais excellent connaisseur[1]. Il poursuit « toute connaissance autre qu'immédiate et sensible trouve ses sources dans le mythe (*muthos*), la loi (*nomos*) ou la "raison" (*logos*) ». Plutarque, post-platonicien, incline à hiérarchiser ces trois principes, assignant au *logos* la fonction épiscopale. Toutefois, cette rivalité marque une intimité : quand il conte les origines (mythe), quand il réfléchit à l'éta-blissement de la loi ou fonde les cités (*nomos*), quand il pèse

---

1. Plutarque, *Dialogue sur l'amour*, trad. Flacelière, Les Belles Lettres, 763 A.

ses mots (*logos*), le Grec pense, et se soumet au contrôle de sa pensée. Pour désigner l'attention qui le tient en éveil, il dispose d'une constellation de termes, qui surgissent lorsque des décisions fondamentales sont prises. Il y a la méditation scrupuleuse, *meletein*, qui définit la sagesse (*meleta to pan* : tourne ton esprit sur le tout), ou la philosophie (apprends à mourir, *meleta thanatos*). Il y a l'intelligence — le *noûs* — contemporaine de sa propre lumière (ainsi le Dieu d'Aristote, pensée qui se pense, s'immerge dans l'intelligence de son intellection). Avant même d'élire au poste suprême un Dieu qui s'absorbe dans ses pensées, au point de ne rien connaître ni faire d'autre, la Grèce a, de tous temps, pensé ses principes et ses divinités. Sachant qu'elle les pensait, elle les a discutés librement.

Les théoriciens d'aujourd'hui réduisent souvent l'expérience religieuse à son ineffable immédiateté, quasi préverbale. Encore heureux qu'ils ne l'enferment pas dans un monosentiment inspiré et qu'ils respectent l'irréductible ambivalence irradiée par les choses sacrées. Plutarque évoquait l'état d'âme des initiés d'Éleusis balancés entre l'angoisse et l'extase. Il se fût bien gardé d'emprisonner la tension du religieux dans la polarité, supposée constitutive et suffisante, d'une institution (le « numineux ») simultanément répulsive (le *mysterion tremendum*) et attirante (le *mysterion fascinans*). Pour un Grec, l'expérience de la douleur, de l'horreur, de la terreur, comme de la joie, sont de l'ordre du *pathein* (pâtir, éprouver). Et le *pathein* se donne toujours dans l'horizon d'un *mathein* possible (apprendre, comprendre). Le pathétique à l'état pur n'est pas impossible, mais proprement pathologique, vicié, fou. Exhibant des délires meurtriers, les très religieuses tragédies d'Eschyle tentent de rétablir la communication du *pathein* au *mathein*[1]. Présente dans toute expérience, une indépassable pulsion de savoir s'interroge grâce aux mots d'un discours plein de sens

---

1. La séquence fondatrice *pathein-mathein* n'articule pas moins le mystère chrétien que la tragédie grecque. Elle se retrouve dans *Épître aux Hébreux* (5.8) et dans la patristique, relève Y. de Andia, *Henosis, l'Union à Dieu chez Denys l'Aréopagite*, E. S. Brill, 1996, p. 242. En revanche, Platon gouverne le *pathein* par le *mathein*.

(*logos*). Dès l'origine la religion s'avère théo-logique, discours réfléchi sur la nature des Dieux, avant même que le terme théologie ne fût inventé par Platon.

Dans un premier mouvement, préplatonicien donc, dire que l'expérience religieuse grecque — et, partant, euro-péenne — est théologique, c'est avant tout la prendre intellec-tuellement au sérieux, ne pas la dévaluer comme une mosaïque d'émotions arbitraires, éviter de l'entendre comme le cri primal d'une créature pré-logique, incapable de se retourner sur l'impression indéfinissable qui l'écrase ou l'en-flamme. La religion grecque d'emblée pense. Elle n'a jamais cessé de méditer avec rigueur et profondeur, donc effronterie, les dieux, que, par ailleurs, elle honore, révère et affronte. L'homme censé vouer sa vie à combattre l'ignorance qui l'ha-bite, le *philosophos* ou amateur de savoir, est aussi un *philo-mythos*, un amateur de belles histoires, un passionné de cette littérature qui offre à la Grèce ses dieux. La parenté du philo-sophe et du philomythe est reconduite par Aristote. L'éton-nement, qui les transporte tous deux, pousse les hommes « aujourd'hui et au commencement, aux spéculations philoso-phiques... Or apercevoir une difficulté et s'étonner, c'est reconnaître son ignorance (c'est pourquoi même l'amour des mythes est en quelque sorte un amour de la science)[1] ». Le penseur grec, si critique, n'invite jamais à déchiffrer chez ses prédécesseurs les vestiges naïfs d'une « mentalité primitive » (Lévy-Bruhl) et encore moins la vérité sauvage d'un homme naturel, que la civilisation n'a pas encore faussé (Nietzsche). Épopée, théogonie, poème lyrique ou spéculatif, aucun texte grec n'échappe « à la conscience et à la réflexion du narra-teur[2] », qui, dans les révélations qu'il porte à la parole, révèle et révère, du même coup, le travail sous-jacent d'une pensée soucieuse de sa propre vérité.

Tandis que les mythes des sociétés sans écriture « se pen-sent entre eux », inconsciemment, derrière le dos de ceux qui les narrent, la mytho-logie grecque s'installe d'emblée à un « autre niveau stratégique » (Lévi-Strauss). Directement ou

---

1. Aristote, *Métaphysique*, 982b.
2. Jean Bollack, *La Grèce de personne*, Le Seuil, 1997, p. 168.

indirectement, tout *logos* indique dans ses énoncés la place de celui qui les énonce. Parfois, le poète se présente apostrophé par la muse (Hésiode, Parménide). Parfois le héros devient aède et chante sa propre histoire, parfois encore il s'expose aux risques d'une audition mortifère (Ulysse). À l'occasion, une ironie appuyée (Sapho) exprime la distance de soi à soi, où chaque Grec reconnaît la vigilance de soi sur soi, que nous appelons pensée.

Ici la méditation du divin ne relève pas des automatismes d'une tradition qui échapperait aux controverses et, pas davantage, d'une révélation enthousiaste à prendre en bloc, sans autre forme de procès. Certes, les « superstitieux » ne manquent pas. La comédie s'en amuse. La tragédie s'en effraie. Les moralistes-psychologues (Théophraste) en croquent le portrait, avec la précision détachée des premiers médecins décrivant les premières maladies scientifiquement répertoriées. Gober ce qui est dit comme c'est dit, parce que c'est dit, témoigne d'une impiété de la pensée et, s'agissant des Suprêmes, d'une aliénation redoutable. En Hellade comme partout, le ciel parle, par la foudre et dans les rêves, par la voix des oracles soigneusement disséqués ou par le cri des ménades, des corybantes qui ne se possèdent plus. Mais ici, ces épiphanies ne s'acceptent que sous bénéfice d'inventaire, après examen dans et par un *logos*.

2. Et Dieu créa la vamp

Une si scrupuleuse distance se paie cher. Pour en avoir vu et su trop long au sujet des déesses et de la jouissance féminine, Tirésias fut aveuglé. Douloureux salaire pour ses dons de devin, Cassandre succomba de prévoir son destin funeste sans pouvoir l'interrompre, et celui des autres sans se faire entendre. Elle s'était refusée à Apollon et avait, dit-on, craché dans la bouche du dieu. Qui ne risque rien n'a, ne sait et n'est rien, réplique Antigone aux conseils de prudence prodigués par sa sœur. Sont-ce les immortels qui induisent en erreur ? Sont-ce les mortels qui se trompent à leur sujet ? Avant que Platon ne tranche, les deux thèses parurent également plausibles et non exclusives. Chaque partie, s'excusant en accusant l'autre, n'argumentait que par amour des argumentations finement ciselées : la gémellité de Logos et Polémos était acquise d'avance.

Toute recherche (« logique ») de la vérité est polémique. Calculer les angles d'un triangle ou interpréter un message divin requiert avant tout qu'on ne cède pas à son inclination spontanée. Pour manifester qu'un enfant esclave, pris au hasard, est porteur de savoir, Socrate commence par montrer que le garçon est capable de se dé-tromper. Ayant pour doubler la surface d'un carré commencé par doubler les côtés, il constate son échec. Cette faculté de penser contre soi-même et de se découvrir porteur du faux, avant même de repérer où est le vrai, constitue la condition préalable de tout accès à la connaissance quelle qu'elle soit, fût-elle ténue, éblouissante, géométrique, politique ou divine. Le mot grec, infiniment commenté, que nous traduisons par vérité — *aletheia* — indique par lui-même qu'au commencement nous ne sommes pas dans le vrai, mais face à l'oubli, à l'errance, au faux. (*Aletheia*, mot à mot l'anti-lethé, le contre-oubli, l'in-inconscient.) Notre rapport à la connaissance, la plus humble comme la plus haute, se manifeste de part en part en alarme et en alerte. Pascal fera écho : « On dira qu'il est vrai que l'homicide est mauvais ; oui, car nous connaissons bien le mal et le faux. Mais que dira-t-on qui soit bon ? »

La volonté grecque de ne point s'abuser ou se laisser abuser détermine sa théologie. Rites et cultes sont soutenus et réfléchis sur l'horizon de leur vérité — donc de leur tromperie possible. Le sacrifice, celui qu'inaugure Prométhée par exemple, est canoniquement défini comme l'instauration d'une juste distance entre les mortels et les immortels, expéditeurs et destinataires des offrandes recevant chacun la part convenue. Hommes et dieux, faute de perpétuer la commensalité du premier âge d'or, entretiennent une aimable séparation. À chacun sa part, les os, les parfums, les encens pour ceux d'en haut. La viande rôtie pour les carnivores d'ici-bas. « En immolant une victime, en en brûlant les os, en en mangeant les chairs selon les règles rituelles, l'homme grec institue et maintient avec la divinité un contact sans lequel son existence, abandonnée à elle-même, s'effondrerait, vide de sens[1]. »

Voilà qui respire l'idylle. Sauf que l'histoire se corse, car Prométhée, maître de cérémonie, ruse. Il invite Dieu à choisir librement son morceau, déguisant le non-comestible sous une appétissante apparence. Le roi des dieux, pas moins grec que son rival, contre-ruse, et le drame s'enclenche qui vaudra aux humains d'être condamnés à la reproduction sexuelle. Le tout par le truchement d'une créature, Pandora, mère de toutes les vamps et dispensatrice supposée d'une infinité de maux. Ô Ava Gardner ! La bataille à coups de feintes réciproques se prolonge. Prométhée menace le règne des Olympiens. Eschyle le cloue à son rocher du Caucase. Karl Marx se l'approprie en proclamant son aversion pour tous les dieux, avant que le Kremlin ne mette ladite détestation en pratique. Plus prudents, les tragiques grecs subodoraient qu'il ne faut ni adorer ni haïr, yeux fermés, les réalités inflammables que concocte leur théologie.

Creusant l'interrogation mythologique, le théâtre tragique démasque le meurtre imbriqué dans le sacrifice. Sous le couteau de l'égorgeur, derrière l'animal consentant, se profile l'innommable, le père immolant son enfant. Agamemnon-Saturne dévore Iphigénie. L'abominable eut-il lieu ? Eschyle, affirmatif, déroule la conséquence de meurtres en série. Euripide, au contraire, s'amuse, narquois, à innocenter des dieux empêtrés dans un combat douteux. Qu'importe la version retenue, la cité noue et dénoue sur la scène publique « des actions dont, en tout autre lieu, la pensée même serait dangereuse et insupportable[2] ». Le théâtre, relayant le mythe, nous contraint derechef à théologiquement penser l'impensable. Que faire quand le sacrifice ne fonctionne plus et que, loin d'honorer les dieux, il les déshonore ? Que dire lorsque le roi des rois s'autorise du Bien commun pour piller ses alliés et accaparer les biens privés ? Comment prévenir que de l'amour naisse la guerre, du respect la subversion et du cou-

---

1. J.-P. Vernant, *op. cit.*, p. 78.
2. N. Loraux, *Façons tragiques de tuer une femme*, Hachette littératures, 1985, p. 63.

rage une fureur sans limites ? Comment interdire qu'entre le très noble et l'ignoble la nuit sans cesse rétablisse une inavouable communication ?

3. Un déracinement originel

Les questions que la Grèce se pose définissent l'anarchie occidentale. Homère présente ses Achéens, expatriés, agglomérés en un rassemblement débridé, où rien ne fonctionne. Le chef abuse et usurpe. Le héros se retire sous sa tente et fait grève d'héroïsme. Tandis que les rumeurs balaient le camp, les Olympiens s'amusent à peupler de messages ambigus des cervelles trop promptes à conclure. Symétriquement, Troie figure l'ordre. Au sommet Priam, un roi puissant, politique et incontesté. Sous lui, la caste des guerriers incarnée par Hector. Tout autour, luxe, calme et volupté, ô Pâris ! On pourrait aisément retrouver dans la structure de la cité troyenne la tripartition canonique de l'organisation indo-européenne, n'était la discrète paralysie, voire le pourrissement sur pied, qui semble menacer la fabuleuse cité dont rêvent des Achéens opposant à l'ordre les libertés et à la vieillesse leur jeunesse.

Cas unique, dont la radicalité n'a cessé de stupéfier Dumézil, la Grèce, à la différence de l'Inde, de Rome et de tant d'autres cultures, rompt net avec l'idéologie originelle et sa structure trifonctionnelle. Tout se passe comme si la théologie hellène était une antithéologie élaborée sur les ruines des conceptions ancestrales, dont elle ne recueille que des vestiges. La Grèce joue table rase. Elle ne se dresse pas contre les panthéons antérieurs, elle fait mine de les ignorer. Elle médite la puissance d'arrachement qui la projette sans attaches. Les Grecs déracinés, « enfants aux cheveux blancs », larguent les traditions. Même lorsqu'ils partagent avec les peuples voisins l'impression que le temps parcourt des cycles et se répète, ils fantasment la répétition des cataclysmes et des recommencements à zéro. En guise de présentation, Homère décrit ses guerriers achéens échoués sur une plage, perdus, hétéroclites. Thucydide, de même, imagine sa patrie naissant, par hasard, d'une rencontre imprévue de pillards, de fuyards et d'anonymes sur un lambeau de terre désolé et isolé. Qui deviendra... Athènes. Plus tard, les citoyens de la grande cité soignent la belle légende de leur autochtonie ; leurs solennels éloges funèbres en chantent la gloire, mais le ver est dans le fruit, la splendeur des origines et la vertu des sacrifices restent sujettes au doute. Les noces d'Harmonie, fille d'Aphrodite, et d'Arès, la beauté et la guerre, président à la fondation de Thèbes. Derrière ses sept murailles, la cité modèle d'Œdipe se putréfie par trop-plein d'harmonie et d'incestueuse endogamie.

Foncièrement polymorphe, une furia expatriante précipite Achéens, Doriens, Ioniens pêle-mêle dans une histoire qui court toujours. Ne cristallisez pas en une divinité particulière ou une passion unique la force qui déracine. Premier mot du premier livre de l'*Iliade*, Menis — colère ou fureur d'Achille — provoque le séisme. Comme l'*hybris* des Grands ou la « rage », cette « puissance destructrice » qui enflamme les Labacides, Œdipe jusqu'au bout à Colone et, plus sourdement, l'inflexible Antigone [1]. Pareillement, la « folie » d'Ajax et le « délire » des Bacchantes. Aucun Olympien n'est à son tour épargné et ne saurait monopoliser une ivresse terroriste qui les menace tous. Même Zeus, le maître de la foudre. Même Poséidon, l'ébranleur et le roi des tempêtes. Même Apollon qui sème la peste. Hommes et dieux se retrouvent simultanément porteurs et proies d'une Nuit insurmontable. Elle éteint et allume les jours. Elle habite les mortels. Elle hante les immortels.

Tout le dispositif théologique vise à nommer, cerner, quadriller, et si possible contrôler, un fond nocturne, dont ni les terrestres ni les extraterrestres ne sauraient totalement s'émanciper. Au meilleur des cas, les Erinyes, sanguinaires démones de la vendetta, se transforment en favorables Euménides, mais Eschyle prend soin de préciser qu'elles demeurent terribles : « De ces visages effrayants je vois pour ce peuple sortir un splendide avantage. » Devenues déesses de la dissuasion, elles doivent menacer le menaçant et faire mal au mal.

---

1. J. Bollack, « La Rage d'Œdipe », *in Théâtre et Destin*, Champion, 1997.

IV

PLATON EN DÉLIT DE FUITE DEVANT ÉROS

Tous les yeux ne voient pas apparaître les dieux.

Homère, *Odyssée*

Une puissance nocturne attaque l'intérieur et l'extérieur de la cité, elle sévit entre divinités, elle affole l'individu. Aristote, le plus sobre des philosophes, parle alors de *steresis*. Hegel traduit « travail du négatif ».

Le néant n'est pas ceci ou cela. Les Grecs se sont bien gardés de personnifier, ou de chosifier, la force obscure qui les arrache à eux-mêmes et les jette dans l'incertain. Elle n'est ni démon, ni tyran, ni Dieu, ni diable, ni cuvette. Trop ubiquitaire pour être fixée en un seul nom. Trop omniprésente pour n'en point mériter toute une ribambelle. Un vocable pourtant émerge et s'impose, avant de devenir l'enjeu d'une querelle plus platonicienne qu'homérique. C'est « Éros ».

Dans la grande tragédie, qui n'a cessé de fasciner les modernes, l'*Antigone* de Sophocle, le chœur s'exprime à cinq reprises dans un chant nommé « Stasimon ». Le chœur théologise. Il nomme les dieux et plus précisément celui qui intervient à chaque moment critique du drame. Lors du premier stasimon, le plus célèbre, les philosophes repèrent, avec raison, une définition inépuisable de la condition humaine. Le chœur commente la transgression qui a lieu sous ses yeux.

59

Celle d'Antigone qui refuse les ordres de Créon ? Celle de Créon qui abandonne des corps sans sépulture ? Celle plus générale qui permet à l'humanité d'exister en bouleversant, sans cesse, ses conditions d'existence, fût-ce les plus sacrées ?

> « *Multiple est l'inquiétant*
> *mais le plus inquiétant c'est l'homme.* »

1. L'insolence absolue

Moins commenté, plus secret, le troisième stasimon invoque Éros. Pas du tout comme une bénédiction. Antigone se sacrifie par amour de la famille. Hémon aime Antigone et s'apprête à la suivre. Créon aime son fils Hémon... Aucun ne comprend l'amour qui investit et emporte l'objet de son amour. L'équation racinienne de la « passion » suit des rails parallèles : X aime Y qui aime Z... Le chœur du troisième stasimon consacre en Éros le maître de l'universel quiproquo, sa puissance subversive éclaire ce qui précède et annonce ce qui va suivre. En apparence Éros **lie,** Antigone fixe — ensorcelle ? — Hémon. En vérité, Éros **délie,** il est le cheval de Troie qui rend la cité ingouvernable. Il attise le drame et ferme les issues... Les amours d'Hélène et l'*Iliade* déjà signifiaient qu'une histoire de guerre se noue comme un drame passionnel. Sophocle surenchérit, il couronne le désir maître avant Dieu :

LE CHŒUR

Strophe :

> *Éros, invaincu au combat,*
> *Éros, qui tombes sur les troupeaux,*
> *Tu bivouaques la nuit sur les*
> *tendres joues des jeunes femmes.*
> *Tu vas au-delà des mers, et dans*
> *Les étables des champs.*

Il n'est pas d'immortel qui t'échappe,
Personne non plus chez les hommes
D'un jour ; qui te possède, délire[1].

Impossible de réduire l'ébranlement d'Éros aux galipettes des chambres à coucher, dont savaient rire les spectateurs des comédies d'Aristophane et, davantage encore, les témoins olympiens du vaudeville Aphrodite-Arès. Quand une cité, Thèbes, cherche refuge, ordre et harmonie dans l'évocation glorieuse de son passé, elle bute sur Éros et le masque grimaçant de l'inceste. Lorsqu'une cité, Argos, tout entière tournée sur l'avenir, se forge guerrière et conquérante, c'est Éros encore qui, dans les tréfonds du palais, ensanglante tant de rêves épiques. *Les Euménides*, épilogue de l'*Orestie* d'Eschyle, met en scène le crêpage de chignon fameux où le divin Apollon insulte les divines Erinyes qui lui rendent la monnaie. Le ton monte à l'échelle de l'absurdité unidimensionnelle des injures échangées. Le Dieu Soleil en pince pour la loi du Père ; Oreste, qui le venge, est donc innocent. Les Filles de la Nuit plaident pour les Mères, lesquelles donnent une vie qui ne saurait se retourner contre elles. Ce beau brouhaha, aubaine et délice des psychanalystes, sidère les hellénistes : tant de bêtise avec tant d'aplomb laisse perplexe. Commentateur attentif et délicat, K. Reinhardt déclare forfait : « Quelles étranges raisons dans la bouche de ces dieux ! Que d'embarras, que de subtilités ! Faut-il vraiment les prendre au sérieux ? L'argument n'est pas moins spécieux dans un cas que dans l'autre, et plus propre à "épater" un auditeur sans défense qu'à l'instruire. »

L'*Orestie*, cette trilogie tragique, au ton si relevé et religieux, s'achève-t-elle en comédie, voire en farce un tantinet salace ? Quelle gêne ! « Au moment même où nous espérions entendre s'exprimer la plénitude de leur être, les dieux ne songent qu'à faire assaut de ratiocinations théologiques[2]. » Refusant de conclure, avec tant de spécialistes distingués, au « manque de profondeur » du poète tragique, respectons le

---

1. Trad. Jean Bollack, *La Mort d'Antigone*, PUF, 1999, p. 12.
2. K. Reinhardt, *Eschyle*, Minuit, 1972, p. 164.

malaise, tentons d'expliquer pourquoi le spectacle du divin sonne plus ludique que le spectacle de l'humain. Nulle bévue chez Eschyle, l'épate-bourgeois n'est pas son fort.

Tous les Grecs de la bonne époque subodorent que l'immortel, même s'il ne court pas les mêmes dangers, maîtrise aussi mal que le mortel les manigances d'Éros. La scène de charme, où Hestia endort son pataud de mari, Zeus, reste dans les mémoires et vaut son pesant de guerriers grecs massacrés lors du sommeil sacré. Éros tapine dans l'ombre. Pas de défaillance passagère, Eschyle n'est pas en manque de sens mystique quand il décrit la pantomime divine. Éros ridiculise les célestes aussi, qui se retrouvent emberlificotés ni par hasard ni par accident, mais plutôt par essence. Inévitablement. La puissance d'Éros transcende celle des individus qu'elle émancipe, celle des cités qu'elle subvertit et dépasse celle des dieux qu'elle divise. Nulle inadvertance n'est à l'ordre du jour, quand la fin de l'*Orestie* sonne la puissance des origines. Tout tourne autour d'Éros. Eschyle moque l'inaptitude des Olympiens ; il les siffle hors jeu et passe, glorieusement, religieusement, le flambeau à la cité d'Athènes et à son tribunal, installé pour l'occasion. L'occasion c'est Éros, la cité se trouve donc plantée pour toujours face à l'éternité érotique.

ILS FONT L'AMOUR AVEC LA GUERRE !

La belle Aphrodite (Vénus), experte en séduction et relations charnelles, trompe son boiteux d'époux, Héphaïstos (Vulcain), forgeron émérite et quelque peu magicien. Dûment averti par un collègue probablement jaloux (Apollon), le mari outragé piège le dieu de la guerre Arès (Mars) dans les bras d'or de la déesse. Un filet spécialement ourdi pour l'occasion les paralyse en plein vol sur la couche matrimoniale. Convoqués, à grands cris, les Olympiens courent s'esclaffer devant le spectacle torride et de leur groupe montait un rire inextinguible. « Ah ! la belle œuvre d'art de l'habile Héphaïstos ! » (Homère). Arès paie rançon et chacun retourne vaquer à ses spécialités. Aucun autre blâme moral, ni ostracisme, ni suspension ou empêchement ne fut requis en haut lieu contre les bouffons bouffonnés. L'enfant du péché baptisée Harmonie est la lointaine aïeule d'Œdipe et d'Antigone. Ainsi soit-il des tenants et des aboutissants de la fameuse « harmonie grecque » tant célébrée par les doctes qu'aucune débauche n'est censée émouvoir.

Eschyle lance une opération très exactement symétrique de celle entreprise, plus tard, par Platon dans *Le Banquet*. Il sépare au maximum deux versions possibles de notre mot « amour ». En face d'Éros, irréductible hors-la-loi, la cité peut se réclamer d'un *philein* — amour, amitié dans une acception où force reste à la loi. « Le comportement indiqué par *philein* a toujours un caractère obligatoire et implique toujours réciprocité ; c'est l'accomplissement des actes positifs qu'implique le pacte d'hospitalité mutuelle[1]. » Contrat d'alliance entre étrangers, ennemis potentiels ou effectifs, le *philein* peut également régler la différence sexuelle et par conséquent désigner une relation charnelle. D'où le jeu des interférences avec Éros, dont très tôt les Grecs ont fait leur miel (Empédocle). N'empêche que les deux champs sémantiques ne se recouvrent pas et qu'il demeure toujours loisible de jouer sur l'antinomie entre un Éros-séisme sans foi ni loi et un Phileinrapport « d'hospitation », pacte de reconnaissance réciproque propre à désamorcer une hostilité sous-jacente.

Véhiculée par la mythologie, l'épopée, la tragédie et les poètes, la théologie première des Grecs s'organise subrepticement autour d'Éros. Non point pour le déifier à la manière d'un Dyonisos nietzschéen. Non point pour l'anoblir et le civiliser, à la Hegel. Éros demeure Éros, dynamiteur du lien social. Les mythes, qui le content divin, le comptent premier ou dernier-né des dieux, c'est-à-dire excentrique. Manière implicite de l'exclure du club olympique. Au regard de la cité, comme de l'âme qui commence à revendiquer son autonomie,

---

1. E. Benveniste, *Le Vocabulaire des institutions indo-européennes*, t. I, Minuit, 1969, p. 344.

Éros est en deçà ou à côté. Pas au-delà, car il sépare hommes et femmes, oppose bien et mal, délire et raison. Il ne réunit pas. La réconciliation est l'affaire des autres. Il influence Hélène, pas Athéna. Ce charmeur ambigu n'est pas satanique pour autant. Qui entreprend de le diaboliser le flanque illico d'un clone bénéfique[1] : les Grecs sont trop malins pour condamner sans nuances la source de toutes leurs aventures, l'impulsion qui les brise et du même coup les renouvelle. La liberté possède les modernes, remarque Schelling, bien avant que ceux-ci n'entreprennent de la posséder. Elle les projette vers leur bien ou leur mal et place ces tard venus dans l'impossibilité de se retourner sur elle, pour la qualifier tout uniment de bien ou de mal. L'expérience moderne de la liberté recoupe celle, antique, d'Éros, celle d'un arrachement où tout commence et recommence.

Ni intrinsèquement pervers, ni outrageusement civilisateur, le principe érotique focalise une théologie qui se garde de l'encenser sans réticence ou de le condamner sans appel. Les dieux, comme les hommes, se battent contre mais aussi avec Éros. Qui s'affronte à lui guerroie contre soi. Qui entend s'émanciper de son emprise risque fort de s'en retrouver prisonnier. La première théologie des Grecs ignore superbement que religion et lien social c'est du pareil au même. Une certitude d'exister en étant noué par un lien indestructible (évidence d'avant 1914, à peine ébréchée depuis) a rendu inintelligible la part de nuit qui percute les politiques et les religions d'Occident. Nuit retrouvée d'Eschyle et de Sophocle.

> *Celui dont le Dieu conduit la pensée*
> *Vers la tragédie*
> *Croit que le mal est un bien.*
> *Il a très peu de temps pour agir en dehors d'elle...*

---

1. Pausanias, dans *Le Banquet* de Platon, distingue la pure Aphrodite céleste et la moins reluisante Aphrodite « populaire ».

2. Enfin Platon purgea le ciel

Les platoniciens prétendent couper les ponts. Cette expérience religieuse originelle, ils la renvoient côté « poètes ». Face à des fables confuses et immorales, les « mythes », ils dressent leur impératif de piété et de cohérence. La mythologie doit céder devant une « théologie » : on invente le nom pour l'occasion. En fait, la coupure platonicienne ne se contente pas d'insuffler l'esprit critique dans un fouillis de légendes, bien au contraire la nouvelle théologie s'inscrit dans le droit-fil des mises en question permanentes qui gouvernent le rapport d'un Grec à ses dieux. Ébloui mais méfiant, il rectifie depuis toujours ses certitudes souvent trompeuses et ses troubles peut-être outrés. La rencontre complice d'Athéna et d'Ulysse, où chacun, en amicale compétition, épie et ausculte les stratagèmes de l'autre, symbolise à merveille ces relations critiques et autocritiques. Les poètes « instituteurs de la Grèce » ne sont pas des naïfs. Ils se montrent, nous l'avons vu, experts ès ruses du *logos* et capables d'en rajouter. La subtilité de Platon est fille de leur astuce. La scandaleuse innovation qu'introduit la coupure entre l'ancienne théologie (homérique) et la nouvelle (philosophique) ne tient pas à lancer le débat Mortels-Immortels, lequel ne peut être que relancé, mais à vouloir conclure. À charge, une fois pour toutes, de distinguer la part de chacun.

L'axiome autour duquel gravite la nouvelle théologie énonce : Dieu n'est pas la cause du mal. L'affirmation se réclame d'un principe de séparation très général : « Ce qui est bon n'est pas cause de tout ; il est la cause des biens, il n'est pas la cause des maux[1]. » Premier corollaire : Dieu est immuable ; il ne change pas ; il ne joue pas des tours ; il se présente identique à lui-même. Deuxième corollaire : Dieu est véridique ; il ne saurait vouloir mentir. Inutile donc de blasphémer avec les nourrices et les préplatoniciens qui effraient les enfants en leur contant mal à propos que les dieux circulent dans le noir déguisés en étrangers sous mille

---

1. Platon, *La République*, III, 379.

formes diverses. Au regard de la nouvelle doctrine, soigneusement purifiée, l'ancienne paraît accabler les Célestes sous les horreurs et les monstruosités. L'apparente **théologie** des anciens se révèle en vérité une **tératologie**. Platon rappelle à l'envi les postures obscènes et les guerres criminelles où plongèrent les dieux de la Grèce. Une réforme du corpus homérique s'impose ! La censure des poètes et l'expulsion de leurs successeurs hors d'une cité philosophiquement ordonnée suivent tout naturellement.

La purification platonicienne transcende les imprécations pataudes des ligues de vertu. Elle installe une stratégie spirituelle parfaitement retorse, visant à décomposer sa cible — les anciennes théologies. Le nerf de cette grande guerre mentale, on le devine, c'est la puissance d'Éros. Cette énergie d'éternelle dé-liaison sera retournée comme un gant. Diotime couronne Éros lien social et cosmique par excellence ! « Il est le lien qui unit le Tout à lui-même[1]. » Platon devient pour les siècles des siècles le « philosophe de l'amour ». Une aussi prestigieuse promotion camoufle un magnifique tour de passe-passe. La pulsion érotique, dont ni les mortels ni les immortels ne possédaient l'absolu contrôle, déchoit, démon turbulent mais serviable, aimable entremetteur chargé de « combler le vide » entre ciel et terre. Cette édifiante conversion se double d'un coup d'État linguistique. Il synonymise sans scrupule *eros* et *philein*, la passion qui délie et l'alliance qui relie. Par un coup de baguette magique, sans autre explication, *philein* (aimer, au sens de s'allier avec...) est devenu purement et simplement l'action du sujet Éros (désir de...). La conclusion coule de source : aimer, c'est désirer se lier. Le désir animal est un manque, en chasse d'assouvissement. Le désir humain, une imperfection en quête de perfection. Éros jadis ensauvageait le ciel et la terre. Éros désormais incarne le travail de la culture et l'assomption de la civilisation.

Le mariage d'Éros et de Philia passe par la discrète subordination du premier qui se reconnaît en Penia (dénuement, impasse) à la seconde qui devient Poros (ressource, passage). *Le Banquet* célèbre l'ascension canonique du temporel à

---

1. Platon, *Le Banquet*, 202c.

l'éternel : « s'élever continuellement en usant d'échelons, passant d'un seul beau corps à deux, et de deux à tous, puis les beaux corps aux belles occupations, ensuite des occupations aux belles sciences, jusqu'à ce que, partant des sciences, on arrive pour finir à cette science que j'ai dite [...] jusqu'à ce qu'on connaisse à la fin ce qui est beau pour soi seul[1] ». Au départ sont les *erotika* au sens habituel de commerce charnel. À l'arrivée, terre promise de la *theophilia*, nous sommes devenus « chers à la divinité ». À l'élévation prescrite ici par Diotime s'oppose peu après l'ivresse désordonnée, descendante, d'Alcibiade, sa *philerastia*. En traduisant « sa passion d'aimer », on manque le rôle de contre-exemple qu'incarne Alcibiade, inquiétant modèle de l'assujettissement antiphilosophique du Philein à Éros. La séparation platonicienne ne se borne pas à couper l'histoire en deux, elle fracture les cités et casse les âmes individuelles. D'un côté, la cavale noire de la fougueuse colère où l'Éros soumet et dissout Philein. De l'autre, le cheval blanc et le règne du bon cocher, en qui Philein dirige et digère Éros (Phèdre).

3. L'ancienne et la nouvelle catharsis

L'élévation théologique condense le programme d'une éducation — la *paideia* platonicienne — qui se proclame seule issue aux problèmes sans solutions de l'olympe homérique. Lorsque l'efficacité du sacrifice traditionnel s'avère douteuse, lorsque les us et les coutumes laissent perplexes, seuls, selon Platon, peuvent rétablir l'ordre les sages, qui disposent du pouvoir et de l'autorité éclairés par la science. D'où la nécessité de rois philosophes appelés à gouverner une République idéale et d'un Conseil nocturne régissant, dans *Des lois*, une cité moins idéale. Ainsi, la coupure théologique et éthique s'affirme en même temps épistémologique. Au règne des images (mythes) et à l'arbitraire sans cesse menaçant des autorités publiques (*nomos*) s'oppose un *logos* pédagogique, qui seul dispose du droit d'établir des mythes utiles et des lois

---

1. Platon, *Le Banquet*, 211c.

fondées. À juste titre, cette triple révolution dans les affaires du ciel, de la cité et de la pensée peut être baptisée « conversion de l'âme tout entière ». Une pareille *paideia* ne diffuse-t-elle pas la bonne nouvelle de sacrifices dont la réussite sera désormais garantie philosophiquement ? Nous en demeurons, parfois à notre insu, les exécuteurs testamentaires.

Pas question pour Platon de nier l'existence du mal. Sa rencontre est inévitable. Néanmoins, Dieu est hors de cause. Et s'il faut des responsables, cherchons-les sur la terre et en nous. Pas au ciel. La purification platonicienne promeut des zones libérées du pouvoir perturbateur d'Éros... Elle fait école. Les trois régions privilégiées de la théologie chrétienne classique (ou « métaphysique spéciale ») répercutent encore cette libération : Dieu, le Monde (et son essentielle harmonie), Moi (et mon âme immortelle). Même les existentialismes, qui se croient athées, s'accordent, selon les options, sur un indiscutable « être dans le monde » (qui suppose « le » monde imperturbablement « un ») ou sur une « partie saine » du moi, et nagent encore dans le sillage de la théologie platonicienne. On lui doit une inépuisable propension à inventer, à l'intérieur et à l'extérieur de chacun, des « îles bienheureuses », domaines d'authenticité, bulles de pureté supposées hors d'atteinte du changement, des maux et de la tromperie.

> *Fuir ! Là-bas fuir ! Je sens que les oiseaux sont ivres*
> *D'être parmi l'écume inconnue et les cieux !*

(Mallarmé, « Brise marine »).

Dieu n'est pas cause de tout. Entre ce tout, où le mal fixe ses inexorables rendez-vous, et le règne du bien, qui lui échappe puisque Dieu en est la cause, la purification platonicienne fait le pont. Son voyage pour Cythère transite de l'impur (« un beau infecté par des chairs humaines ») au pur sans mélange[1]. Il en va de la catharsis (purification) comme de l'érotique, ce sont des stratégies spirituelles fort anciennes, que le cours nouveau platonicien rend méconnaissables. Lors-

---

1. Katharon, Le Banquet, 211d.

que Aristote, en rupture d'académie, se retourne sur la tragédie, il remet au jour une catharsis toute différente. Il revient aux anciennes théologies qui cultivaient une purification de part en part polémique. La règle du jeu était de ne pas sortir du jeu, ce « tout », *pân*, dont Dieu n'est pas cause. Quitte à devoir opposer la ruse à la ruse, une force à une autre force, les maux aux maux : la tragédie guérit-purifie « les passions par les passions », déclaration aristotélicienne fameuse, dont on cherche le suc à quatorze heures, dès qu'on manque son midi antiplatonicien.

Les purifications des anciennes théologies s'affrontent elles aussi à l'Éros un et indivisible. Elles visent à enserrer ivresses et cruautés dans les rets du *philein*, dont les règles d'alliance n'éliminent pas la flamme qui couve sous elles et en elles. Platon au contraire compte deux. Il fait la part du feu et reconnaît l'inévitabilité d'une discipline corporelle (cuisine) ou spirituelle (sophistique), qui adapte les créatures à la corruption sans cesse menaçante. Au-dessus, il instaure la part de la pureté. Le maître de gymnastique promet aux corps l'éclat incorruptible du beau, comme le maître de vraie philosophie confère aux âmes l'éternité. Peu importe que le voyage aboutisse. L'ironie des dialogues socratiques autorise un doute affectant les heures d'arrivée et les possibilités d'accostage. Seule compte la dérobade, l'enthousiasme de partir, qui ouvre les voyages au long cours des nouvelles croisades. Les Grecs n'ont jamais cessé de considérer religieusement, avec terreur et pitié, fascination et répulsion, crainte, tremblement, ivresse, les folies d'Éros. La tragédie lui lance le bonjour d'une sérénité crispée. Platon, une promesse d'adieu.

Prince des philosophes, l'auteur du *Banquet* et de *La République* essuya en 2 500 années de règne moult reproches. Son idée de l'amour parut indûment idyllique ou désincarnée, son programme politique pas mal intolérant voire totalitaire. Trop doux ? Trop dur ? Les objections fusent, moins contradictoires qu'on croit. Le premier critique, son plus fidèle disciple et son plus intime ennemi, Aristote, relève combien, par hypothèse fondatrice, le platonisme transforme « la symphonie en monophonie et le sens du rythme en marche au pas ». La fusion amoureuse fantasmée par les interlocuteurs du

Banquet est porteuse de mort pour l'un des amants, l'autre ou les deux, tout comme s'avère absurde la communauté radicale des gardiens de la cité abolissant toute propriété privée, sexuelle, familiale. Et l'élève de faire la leçon au Maître : les maux ne proviennent pas de l'absence de communisme, mais de la présence d'une « perversité humaine », quand les belles paroles l'escamotent, elle se venge dans la réalité[1]. Montaigne puis Pascal, à l'encontre des platoniciens renaissants, réitèrent « qui veut faire l'ange fait la bête »[2].

Un formidable principe d'irréalité gouverne la mise en scène des dialogues platoniciens. Ils ont littérairement lieu avant, ils sont rédigés et lus après l'assomption et la chute d'Athènes et de la Grèce, ils mettent hors circuit la guerre du Péloponnèse que Thucydide estimait plus importante et décisive que la guerre de Troie. Cet événement des événements, dont Platon fut témoin et que ses auditeurs ont forcément en tête, se trouve d'emblée exclu du calendrier de la théorie platonicienne. Tout se passe comme si la guerre, la peste, la dictature, les trahisons et les paniques n'avaient pas lieu. Sous-entendu : les catastrophes pourraient nous être épargnées, simulons leur absence, sautons à pieds joints avant et après, n'en soyons jamais contemporains. Le platonisme se veut résolument pré- ou post-historique, évitant avec soin de s'immiscer dans une histoire apparemment sans queue ni tête, cruciale cependant. Platon réfute simultanément les dieux d'Homère et le monde de Thucydide, il survole le naître et le périr propres au temps, il invente l'art subtil de détourner le regard que l'intellectuel occidental lui emprunte trop souvent, dès qu'il bute sur les démentis terre à terre qui abîment ses rêveries visionnaires.

D'où l'hypothèse n° 1, que cet essai entend explorer : la déchristianisation évidente, qui aujourd'hui submerge l'Europe et stupéfie le reste du monde, annonce le retour d'un cruel principe de réalité plutôt qu'une existence « désenchantée », affranchie de tous les sentiments jadis qualifiés de

---

1. Aristote, *Politique*, II, 1262b-1263b.
2. Montaigne, *Essais*, livre III, chapitre XIII ; Pascal, *Pensées*, 358.

religieux. Hypothèse n° 2 : ladite « déchristianisation » ne dissimule-t-elle pas une irrésistible déplatonisation des mœurs, des coutumes et de la civilisation ? Si l'Europe se déchristianise, ne serait-ce point simplement qu'Homère est redevenu plus vrai que Platon ?

V

À MÊME L'ÉCRAN

Je ne vois pas pourquoi on tiendrait l'enfer plus que le ciel pour un simple symbole. Le peuple en tout cas n'en a rien cru. La figure brutale, obscène et humoristique du diable lui a toujours été plus proche que la Majesté d'en haut.

Thomas Mann, *Le Docteur Faustus*

Objection des bons esprits au chapitre qui précède : Homère compte pour du beurre, les ondes hertziennes et les images digitales sont cause de tout. Sans télévision, le souci du Rwanda eût-il éclipsé notre passion pour l'au-delà ? D'où vient que les mauvaises nouvelles chassent les bonnes ? Quelle main invisible met en page les malheurs du monde pour mettre en scène le procès de Dieu ? Tous les soirs à 20 heures, chaque logis d'Occident se branche sur une messe noire. Le petit écran est l'autel de notre incrédulité.

Les notables regrettent, et c'est bien naturel, l'époque pas si lointaine où ils diffusaient, commentaient les nouvelles du monde à des ouailles et à des électeurs dont l'information directe passait rarement les frontières de la paroisse. Les élites déplorent les indiscrétions d'envergure nationale et planétaire touchant des incongruités et des inconséquences auxquelles seuls les salons de jadis faisaient écho. Chose étrange, une grande part des hommes de lettres et d'esprit prêtent leur pensée et leur plume à la condamnation offus-quée des communications de masse. S'il vous plaît, prononcez « mass media » avec condescendance. Chose plus curieuse : la publication d'anathèmes ostracisant l'effroyable « univers médiatique » est assurée par cet univers même. Le « commu-nicateur » répercute les mises au pilori et de la sorte espère s'en exclure, quitte à cafter ses voisins et ses rivaux. L'opinion publique prospère, depuis l'origine des temps, dans la foire sur la place. Son marché de vraies et fausses nouvelles, d'idées niaises ou judicieuses suscite des critiques fondées, que des opinions moins motivées, très vite délirantes, épau-lent inévitablement. Ainsi rebondit l'éternelle pantomime de l'excommunication de masse des communications de masse. Tourne la ronde, depuis quand ?

1. Le péché original « mass-médiatique »

Le docte, qui rouvre périodiquement l'interminable procès de la télévision, n'innove pas. La radio fut logée à semblable enseigne, le cinéma passa pour « école du crime », la presse à grand tirage, fraîchement inventée, essuya les mêmes noms d'oiseau. Remontons le cours du temps. Molière n'eut pas droit aux funérailles chrétiennes. Mozart pourrit dans la fosse commune. François Ier interdit l'imprimerie dans son beau royaume, à charge pour son aimable sœur de l'en dissuader. Grâces soient rendues à Marguerite de Navarre, grande plume s'il en fut, protectrice des arts et des lettres. De proche en proche, nous revoilà chez Platon, dont l'aversion pour la « théâtrocratie », le règne du théâtre, inspire encore, sans même qu'ils le sachent, les critiques savants de la « télécra-tie » d'aujourd'hui.

Comment procèdent, d'après nos parangons d'intellectua-lité vertueuse, les méchants télécrates ? Ils gouvernent l'opi-nion en mélangeant les genres. Ils l'égarent en éclairant à l'identique le vice et la vertu. Ils aplanissent les différences. Ils entretiennent un tohu-bohu qui finit par conférer une importance égale à un massacre de nègres dans un tout petit pays et au Dieu adoré, sous ses multiples apparences, depuis le fond des âges. Pareille confusion des poids et des mesures tombe de licence en transgression : « On refuse de se soumettre aux autorités, puis on se dérobe à la servitude et aux avertissements d'un père, d'une mère, des gens d'âge ; presque au terme de la course, on cherche à ne pas obéir aux lois, et au terme même, on perd le souci des serments, des engagements et en général des dieux[1]... » Platon l'a dit, la critique académique le répète, si vous prétendez maintenir Dieu cause du Bien et mesure des choses, il faut d'un geste auguste expulser Homère de la cité philosophique et fermer la télé.

Qu'y a-t-il de commun entre la poésie très élaborée de l'*Iliade*, de l'*Odyssée*, des théogonies d'un côté et la « sous-culture » médiatique de l'autre ? Rien que ceci : sur les grands et les petits écrans modernes, comme sur la scène athénienne, fait surface le refoulé de Platon, une violence trop fondamentale pour les bonnes pensées, une entredévoration anarchique qui manifeste la barbarie d'Éros et dément nos programmes civilisateurs. Les infos sont **révélantes**, donc comme Homère peu respectueuses. Implacables, elles nous montrent combien la purification platonicienne se fait attendre, elles révèlent comment Éros s'insurge encore contre Philia, tandis que les enfants de Marie, de Diotime et de Lénine prêchent à qui mieux mieux une conversion sublime des mauvais instincts et une pacification universelle qui n'ont pas lieu.

Il faut du courage pour nettoyer les écuries d'Augias ; si les mass media déniaisent les rêves bleus, ils ne démobilisent pas. L'ampleur philosophique de leurs révélations est sous-estimée quand on les réduit à la simple force d'appoint d'un optimisme ou d'un pessimisme préalables. C'est au Rwanda que ça se passe. Au Rwanda le 7 avril, en l'an de grâce 1994. Rwanda, fin fond d'une Afrique oubliée. La couleur locale de l'événement n'induit pas une indifférence de mauvais aloi. C'est bien un génocide qui revient. Ici et maintenant. Un génocide, malgré les serments internationaux. Un génocide après « Jamais plus ! ». Un génocide au Rwanda, sur ton écran. Impensable, indécent, obscène. L'information ponc-

---

1. Platon, *Les Lois*, 701b.

tuelle en dit plus long que sa ponctualité. Elle annonce la persistance du fléau. Elle vérifie Clausewitz, qui souligne, avec exactitude, qu'une fois les tabous levés et les bornes du possible franchies, une cruauté, que son inhumanité rendait inimaginable, rentre dans l'ordre du concevable. Donc du possible. Donc du prévisible. Donc du repérable. Donc du danger contre lequel il faut se prémunir. Le général prussien médite les batailles d'anéantissement, qu'il prévoit réitérables, bien que leur inventeur ait perdu à Waterloo et fini à Sainte-Hélène. Il l'a fait, beaucoup peuvent le refaire. Le téléspectateur médite les massacres de masse, et conclut, de même manière, que le comble ayant été atteint, sa reproduction demeure envisageable, autant qu'effectuable, pour les siècles des siècles. La vision de la télévision transcende la pure circulation des images abruptes et impromptues : Rwanda, l'actualité montre, l'expérience historique sous-titre « Génocide ».

Pareille diplopie, perception double, réception à tiroirs d'une circonstance particulière, ne constitue aucunement l'apanage exclusif du reportage télévisuel. La tragédie classique culminait en deux moments. Celui où, à la surprise générale, contre toute attente officielle, l'imprévu surgit, c'est la péripétie, *peripeteia* : tel meurtre, telle réapparition. Et celui où une illumination sidérante oblige à reconsidérer l'enchaînement des actions, c'est l'instant de dévoilement, de la reconnaissance, *anagnorisis*. Le drame se noue entre les deux instances de la révélation tragique. Les porteurs de l'action et les diseurs de sens diffèrent et s'opposent. Tandis que les héros explicitent, *hic et nunc*, leurs engagements et affrontent la péripétie, les hérauts, qui dévoilent, paraissent parler à contretemps. Ce dernier rôle, celui de la « reconnaissance », est dévolu souvent aux chœurs, parfois aux humbles — nourrice, berger, guetteur — et spécifiquement aux incrédibles prophètes de malheur — Tirésias et Cassandre —, aveugles ou inaudibles. Le décalage entre l'intuition de l'événement et sa compréhension, l'effort, sur scène et dans la tête du spectateur, pour joindre les deux bouts, afin que ce qui, sous nos yeux, crève les yeux, enfin parle, voilà qui définit toute littérature digne de ce nom. Elle déchiffre, dans les entredéchirements pathétiques, dérisoires, mondains des corps et des âmes, « la vraie vie, la vie enfin découverte et éclaircie, la seule vie par conséquence réellement vécue[1] ». Un reportage « médiatique » frappe les esprits, quand il montre à quel point d'insanité, souvent sanglante, le temps échappe et qu'il faut en rendre et s'en rendre compte. Rien là de méprisable. Porté par l'événement, le journaliste, au meilleur de lui-même, part sur les traces de Cassandre et de Proust, à la recherche (*anagnorisis*) du temps perdu (*peripeteia*).

La vérité de l'événement flotte hors d'atteinte, tant que les deux moments phares ne se renvoient pas leur scintillement. Une pure péripétie, si abominable qu'elle irradie, vaticine sans concept, aveugle, shakespearienne histoire sans queue ni tête, « *told by an idiot* ». Une reconnaissance pure, extérieure, étrangère à toute action, titube, concept sans intuition, *flatus vocis*, bavardage. Inutile d'espérer travailler en duo séparé, l'académique se consacrant à la connaissance pure, l'homme de parti à l'effet terre à terre. Tous deux se flattant d'expertiser ce qui n'a pas encore eu lieu, comme Estragon et Vladimir attendent Godot. Plutôt que prétendre préfabriquer les événements, il convient d'anticiper une indépassable surprise et de déchiffrer le sens de leur impact dans le tout soudain de l'impact. Il faut prévoir l'imprévu en tant qu'imprévu. Tout appareil d'information dérange dans la mesure où il fonctionne, car son fonctionnement même s'accomplit en cueillant et accueillant le dérangement. Depuis l'agora jusqu'aux réseaux satellisés, il sera immanquablement reproché à l'information de créer l'événement dont elle parle. S'il y a foule sur la place, c'est la faute à la place ! L'antienne platonicienne court le monde et les ondes, elle réveille en chacun le censeur, gardien de nos sommeils.

Vous ne savez pas ce que vous dites. Tu n'as pas vu ce que tu as vu. L'interpellation est émise par les sources d'information elles-mêmes. Le professeur platonicien se borne à la parasiter[2]. De naissance, l'Européen navigue dans l'incertain.

---

1. Marcel Proust, *À la recherche du temps perdu*, Gallimard, Bibliothèque de la Pléiade, tome III, 1954, p. 895.

2. Marguerite Duras et Alain Resnais, « Tu n'as rien vu à Hiroshima », in *Hiroshima mon amour*.

Lorsque les infos lui font perdre le nord et qu'il se demande où suis-je, la réponse est dans la question : il se trouve confronté à la puissance de déracinement du turbulent Éros préplatonicien, son premier père et sa première mère. On se persuade aisément que les effets de surprise ne durent qu'un instant. Une fois admis qu'il faille d'abord s'étonner pour conquérir une connaissance, on s'empresse de supposer que la quiétude du savoir calme, absorbe, suture, par la suite, l'inquiétude initiale. Les dieux, nous raconte Platon, ne philosophent pas, ils ne cherchent plus, ils ont, depuis toujours, trouvé.

Vouée à la nouveauté, à l'inédit, transitant d'étonnement en étonnement, l'information paraît d'un genre bâtard. Sans cesse, elle promet de combler une ignorance, qu'elle s'acharne en douce à maintenir béante. On aurait tort d'accuser les médias de propager une thèse sceptique, sophiste ou nihiliste (« Rien n'a de sens »), à laquelle il conviendrait d'opposer vertueusement : « Dieu est la mesure de toutes choses[1]. » On l'a vu, l'information n'exclut nullement que l'événement fasse sens ; elle abuserait plutôt de la possibilité kitsch de gonfler l'aura des héros, des sages et des saints du jour. La permanence de l'étonnement n'est pas entretenue malicieusement par de malveillants manitous ; elle tient à la forme et non au contenu des nouvelles, qui par définition se succèdent. La nouvelle nouvelle tue l'ancienne. Le temps arrive et passe, de surprise en surprise. À la différence de ses modernes épigones, Platon savait que la volonté d'éradiquer la pagaille sur l'agora revient à se révolter contre le temps.

2. Fenêtres sur la peste

Une secrète complicité noue les médias, le théâtre et la plus ancienne théologie grecque. Tous trois posent que le temps se laisse voir de l'intérieur, que le temps qui passe nous accorde le temps de voir le temps passer. Il n'est pas indispensable de s'adosser à l'éternel pour observer, de haut ou d'ail-

---

1. Platon, *Les Lois.*

leurs, le temporel. Voir, c'est voir qu'on voit. L'événement de l'événement, selon Homère et Sophocle, c'est la révélation intratemporelle du temps, que Proust baptise « temps retrouvé ».

L'opération ne coule pas de source. Le temps se manifeste dans la crise, qui désaccorde le pathétique de ce qui advient (le *pathein* de la péripétie) et sa lisibilité (le *mathein*, l'*anagnorisis*). L'inquiétude résulte de l'injonction contradictoire d'avoir à faire signifier l'inattendu, qui dément préjugés courants et conceptions préétablies. L'étonnement, source de savoir, ne baigne pas dans les douceurs d'une curiosité de bonne société. Il fait choc. Apparaissant entre la poire et le fromage, les bébés découpés à la machette sur les rives des grands lacs glacent Paris, Rome et Tokyo. Lorsque la télévision révèle qu'un interdit fondamental a été transgressé, elle le révèle comme interdit, même s'il a été levé. Effet de nausée. Mais très vite, inquiète du malaise produit, elle exige qu'avec le poison versé soit administré le contrepoison et que l'analgésique chasse la douleur. Adaptant son offre à la demande pressante, l'information tourne au sédatif. Elle répète la chose et son contraire. Elle assèche les larmes et sourit à une météo favorable. Demain il fera beau. Les nuages se dissipent. La grande famine d'Éthiopie s'éponge dans le show en mondiovision de Wembley. Le meurtre à la machette est occulté par l'opération Turquoise. L'image chasse l'image. On peut reprendre son souffle, mais pour combien de temps ? Mal luné, un parent ultra-autoritaire enjoint à sa douce progéniture : révolte-toi, sois libre ! L'enfant obéissant ne se révolte pas en se révoltant et n'obéit pas s'il ne se révolte pas. Prisonnier d'une double contrainte, *double bind*, il risque la folie. À moins de se retourner sur l'émetteur de la double injonction en lui restituant l'entourloupe perturbatrice.

On tue par amour, on massacre au nom du Bien public. Les contradictions violentes enflamment pêle-mêle nos idéaux, nos dieux, eussent dit les antiques. Les médias n'inventent pas, mais publient le conflit des valeurs. Ce faisant, ils cassent les silences accommodants, qui les rendaient supportables. En présentant l'invisible, la télé déstabilise. En tentant de consoler, elle décervelle. L'abîme qu'elle creuse à l'infini, elle prétend certes le combler par quelques beaux gestes dérisoires et de piteuses bonnes pensées. Trop tard ! Elle a entrebâillé un œil, impossible à verrouiller, sur une entredévoration « érotique », guère civilisée malgré deux millénaires de platonisme. À l'occasion, la communication de masse rend fou. Nullement par calcul, car elle commence par s'affoler elle-même. Un platonicien suggérerait : parce qu'elle témoigne d'horreurs qui font reculer d'horreur. Un cynique répliquerait : parce que loin de faire face, elle s'empresse de transformer le sang en sirop de grenadine. Plus exactement, parce qu'on lui en demande trop. Contrainte de faire paraître les non-sens du sens, elle répare *illico* sa faute de goût par la rédemption d'un « jamais plus », démenti à la prochaine bourrasque et au cyclone suivant. De catastrophes ultimes en assomptions paradisiaques, l'apocalypse cathodique rêve l'écroulement du monde criminel et la descente de la Jérusalem céleste, l'immortalité qu'elle propose sans avant sans après se vit en boucle. « Midi là-haut, midi sans mouvement en soi se pense et convient à soi-même » (Valéry).

Ça va mal, donc c'est insensé. Ça fait sens, donc cela va mieux. L'ambivalence maniaco-dépressive du contemporain soumis aux alternances médiatiques ne diffère guère de l'égarement diagnostiqué chez l'Athénien jadis, victime présumée de la « théâtrocratie ». Les chœurs d'Eschyle, à l'ouverture de l'*Orestie*, hésitent : Agamemnon revient, faut-il le prévenir ? Faut-il se taire ? Faut-il l'informer des crimes tramés au fin fond du palais ? Ou, par prudence, éviter de verser l'huile de la rumeur sur les flammes d'Éros ? Cette vacillation, tout à fait moderne, fut remise en scène dans les costumes du XXe siècle, elle parut, malgré l'anachronisme, « petite-bourgeoise ». En fait, la claudication, qui semble tourner en rond du pour au contre et vice versa, inaugure l'action sans plus. Le temps passe qui presse. Il impose une décision, qu'on le veuille ou pas. Deux méthodes cathartiques peuvent traiter le vertige entre sens et non-sens. Soit on le fuit platoniquement vers un plus-de-sens, qui transmue, théoriquement et pratiquement, les violences violeuses et volatiles d'Éros en révolution permanente et désir du bien. Soit on campe sur place et on aligne passion contre passion, quitte à combattre l'horreur dans l'horreur.

Deux procédures, deux types de catharsis, deux questions, chacune s'estimant plus fondamentale que l'autre. L'une se réclame d'un savoir absolu et demande pourquoi y a-t-il quelque chose plutôt que rien ? Platon répond par son Dieu-cause-des-biens et pose la première pierre du Principe de Raison, noble fondation, principe suprême de la pensée selon Leibniz. L'autre coupe court et demande, avec Eschyle et Sophocle : pourquoi pas rien[1] ? Elle toise les contradictions de la nature et les impératifs antinomiques de la culture pour affirmer, jusque dans la mort, que l'homme peut penser sa duplicité et s'affranchir, sinon des doubles contraintes, du moins de l'aura de folie qu'elles diffusent. L'homme sait dévisager l'aporie comme aporie, en s'étayant du Principe de non-contradiction, qu'Aristote, à l'inverse de Platon et de Leibniz, couronne comme principe suprême. Penser la contradiction n'est pas se contredire. Faire face au mal n'est pas devenir mauvais. Découvrir que le faux est faux, c'est un pas vers la vérité.

Trop facile de cantonner les platonismes, anciens et modernes, avoués et inavoués, dans le primat du sens sur le non-sens. Ils ne s'arrêtent pas là. Contre la place publique, contre les réseaux numériques, ils déploient une très offensive stratégie d'occultation. Ils refusent le « spectacle », en enseignant la nécessité de ne pas voir et en dissertant sur l'impossibilité de voir. On ne voit jamais tout, donc la considération d'un détail ne saurait mettre en cause l'ordre du tout. Le Rwanda, disent-ils, est un accident de l'histoire, laquelle n'est pas concernée dans son sens global. C'est le délire momentané, disent-ils, d'une nation qui ne met pas en cause la sagesse des nations. C'est le crime de quelques prêtres et de quelques instituteurs, disent-ils, qui n'entache pas l'esprit de la civilisation tolérante, laïque et chrétienne. Etc. Etc. Pareille subordination des parties au tout, opposant les points de vue locaux, particuliers, partisans, unilatéraux aux perspectives générales, forcément panoramiques, synoptiques, voilà qui

---

1. Mieux vaudrait peut-être « n'être pas », dit Antigone.

peuple les traités de philosophie avant de fleurir dans les catéchismes du militant discipliné.

Creusons plus avant. Pourquoi jeter un regard pensant sur
le tout impliquerait qu'on doive cesser de penser par soi-
même, partant de son expérience parcellaire ? Parce que ce
lopin d'expérience et l'équation personnelle paraissent
immanquablement coincés dans la singularité d'une vie, qui
n'est pas toutes les vies, dans la singularité d'un instant qui
n'est pas tout le temps, celle d'un être qui n'est pas l'être dans
son ensemble. Un point de vue, perché sur les hauteurs, plus
général, plus universel, est fantasmé, au nom duquel les platoniciens réfutent tous les autres. Même s'ils en ignorent l'accès.

La tragédie, elle aussi, se soucie du tout et ne brade pas
plus que les platoniciens la difficulté de le concevoir. Les
dieux, selon Eschyle et Homère, ne connaissent pas tout du
tout. Prométhée dans les chaînes menace le Zeus tout-puissant de taire le secret qui peut mettre fin à sa toute-puissance.
Pourtant, dans la tragédie, l'individu accède immédiatement
à ce tout inépuisable, donc inconnaissable. Il procède par le
mauvais côté, par sa face obscure et repoussante. Dès les premières pages de l'*Iliade*, la peste décime le camp des Achéens.
Thèbes, la belle cité d'Œdipe, se putréfie. La peste encore.
La mort et la corruption, cette peste plus intérieure, rongent
le palais d'Argos, où revient Agamemnon. Guerre extérieure,
guerre civile, folie intime, par trois voies le mort saisit le vif.

« L'on était plus facilement audacieux pour ce à quoi, auparavant, l'on ne s'adonnait qu'en cachette : on voyait trop de
retournements brusques, faisant que des hommes prospères
mouraient tout à coup et que des hommes sans ressources
héritaient aussitôt de leurs biens. Aussi fallait-il aux gens des
satisfactions rapides, tendant à leur plaisir, car leurs personnes
comme leurs biens étaient, à leurs yeux, sans lendemain. Pei-
ner à l'avance pour un but jugé beau n'inspirait aucun zèle à
personne, car on se disait que l'on ne pouvait savoir si, avant
d'y parvenir, on ne serait pas mort : l'agrément immédiat et
tout ce qui, quelle qu'en fût l'origine, pouvait avantageuse-
ment y contribuer, voilà ce qui prit la place du beau et de

l'utile. Crainte des dieux ou loi des hommes, rien ne les arrêtait : d'une part, on jugeait égal de se montrer pieux ou non, puisque l'on voyait tout le monde périr semblablement, et, en cas d'actes criminels, personne ne s'attendait à vivre assez pour que le jugement ait lieu et qu'on eût à subir sa peine : autrement lourde était la menace de celle à laquelle on était déjà condamné ; et avant de la voir s'abattre, on trouvait bien normal de profiter un peu de la vie. »

Thucydide[1].

Thucydide, dans sa magistrale description, réunit en faisceau les trois faces d'une pathologie unitaire. Ennemi extérieur, ennemi intérieur, délire individuel et familial, les causes sont multiples, mais la résultante unique unifie mortellement la cité en perdition. L'expérience du tout commence par l'expérience de la peste. L'ensemble des êtres se donne comme tout dans l'appréhension de sa disparition possible. Les Achéens ne se rassemblent pas face à un adversaire — Troie —, mais devant une adversité qui les divise plus intensément et les frappe plus radicalement que la lutte des nations ou les conflits de caste et de classe. Thèbes, Argos, Athènes brillent, irremplaçables étoiles d'une pourriture envahissante, où s'antidate leur arrêt de mort. Le fléau n'a pas d'après. Il ferme le ban. Il boucle la scène. Devant, face et contre lui, la communauté des mortels joue son va-tout, comme chaque individu se vit unique, en découvrant qu'il ne disparaît qu'une seule fois.

Que dit-on, quand on affirme que violences, viols et violations déparent Homère, dégoûtent de Shakespeare, affligent chez Racine et nécessitent une censure rigoureuse ? Si le spectacle des cow-boys et des malandrins à la gâchette facile suffisait, par voie imitative, à transformer une société en stand de tir, les parents d'aujourd'hui comme ceux d'hier, si soucieux d'interdits pour leurs chères têtes blondes, seraient depuis longtemps ou tueurs ou tués. Le reproche séculaire,

---

1. « La peste d'Athènes », *La Guerre du Péloponnèse*, livre II, trad. J. de Romilly, Les Belles Lettres, p. 39.

bête à souhait, masque une angoisse inavouée : fictions et actualités raniment, à séquences que veux-tu, l'encombrante évidence de la mortalité.

Malédiction d'une vulnérabilité ! Voilà l'émotion « forte » qu'il faut caviarder. Les grandes consolations d'autrefois ne passent plus la rampe, rien n'apparaît « plus fort que la mort ». Pourtant les exemples édifiants abondent, on se sacrifie autant qu'auparavant, mais autrement. Comme si ce au nom de quoi un homme meurt ne parvenait à lui survivre qu'aléatoirement, jamais à l'éterniser. Le risque de tout perdre travaille. L'espérance d'un monde à gagner endort.

Aucun sombre pessimisme cependant ne conduit la danse. Les connotations gaies ou tristes, roses ou noires, sont laissées à la guise de chacun. Le poids accordé aux êtres et aux choses ne s'évalue plus de haut en bas, en mesurant leur degré d'être à l'aune d'un summum de perfection, qu'ils atteignent, de près, de loin ou qu'ils n'atteignent pas. On jauge à partir du non-être, à partir d'un degré zéro de la perfection. Seule la perspective de la disparition confère un prix, illusoire ou non. « Un seul être vous manque et tout est dépeuplé. » Isolés ou en groupes, les éphémères se mesurent par et à l'éphémère.

3. Sens et télé-non-sens

Vivre sa finitude sans addition idéale parut longtemps immoral, peu sage, mais surtout impossible. Immergez-vous dans le relatif tant qu'il vous plaira, ricanent les doctes, mais quels sont vos repères ? Où brille votre étoile polaire ? Si le présent, en crise, vous refuse un point fixe[1], cherchez ailleurs, fouillez le passé, explorez l'avenir ! les Grecs démontaient de pareilles injonctions : Thèbes chante son passé harmonieux, Argos table sur les solutions futures, mais rien ne leur sert de fuir en avant, en arrière, à la recherche d'une divinité perdue ou à gagner. La tragédie est pareille aux deux bouts. Malheu-

---

1. Pascal : « Il faut avoir un point fixe pour en juger. Le port juge ceux qui sont dans un vaisseau ; mais où prendrons-nous un port dans la morale ? » *Pensées*, 383, Brunschvicg éd.

reusement, le XIXe siècle mental, celui qui surnage encore, tenta de renouveler la vaine quête nostalgique de Thèbes et la fuite en avant d'Argos.

L'argent est roi. La foire est sur la place, le désordre dans les têtes, la guerre aux frontières, les classes hostiles prennent la rue. Le délire gagne. Le désert croît. La crise étale à la une son omniprésence mentale, sociale et psychiatrique. C'est l'âge « métaphysique » selon Auguste Comte, « capitaliste » selon Marx, « nihiliste » pour Nietzsche. Aucune lumière ne rassemble. Les hiérarchies s'effondrent. Tout s'effiloche parce que le tout part en lambeaux. D'affligeantes diasporas, parasites, métèques, médiatiques, étrangères, juives, négroïdes, régissent cette absence de pouvoir et gouvernent l'indécision. La description rebattue de l'horreur économico-philosophique ne persuaderait guère, n'était son corollaire pédagogico-épistémologique : puisque la crise envahit tout, même les âmes, il faut pour la penser avoir la tête ailleurs. On toisera de haut la déréliction présente, en lui opposant une unité originelle — l'âge « théologique », le communisme primitif ou le naturel dionysiaque. On se réfugiera dans une future sortie de crise, qui adule, à la Comte, « un dieu nouveau, le genre humain », le règne de la liberté marxiste ou l'assomption du surhomme.

Par les descriptions ultrafantaisistes qu'elles offrent des étapes canoniques d'une Histoire supposée unique, ces valses à trois temps[1] intéressent peu. Seul compte le dispositif optique que ces penseurs fabriquent. La crise (souvent qualifiée, pour ou contre, « révolutionnaire ») est diagnostiquée en référence aux états de non-crise, antérieurs ou postérieurs. Marx lui-même, qui affirme ne pas faire « bouillir les marmites de l'avenir », qui s'exige scientifique, qui prétend refuser utopie et nostalgie, suppose que le capitalisme produit ses propres fossoyeurs. Il ne déduit pas, sinon très accessoirement, des contradictions qui minent la société la nécessaire apparition du fossoyeur. Il prend d'emblée le point de vue du

---

1. Auguste Comte, la loi des trois états ; K. Marx, la dialectique historique ; Nietzsche, les trois métamorphoses (in *Zarathoustra*).

fossoyeur et décrète que les contradictions du jour font un système. Elles sont insurmontables, irrémédiables, fatales. Le fossoyeur enterre sans s'enterrer. Sa conscience professionnelle met en jeu un savoir d'outre-tombe. De même, la critique n'est ravageuse que parce qu'elle juge et condamne, au nom d'une vérité d'outre-époque, qu'elle reproche à l'actualité d'oublier (Nietzsche) ou de ne pas pressentir (Marx), tout en statuant que cette absence de mémoire et d'anticipation témoigne de l'aliénation radicale où tous les autres marinent.

Le penseur du XIXᵉ est baron de Münchhausen, il tire sur sa solide chevelure pour sortir d'une crise qui fait époque, au point de rendre toute pensée de l'époque et de la crise impensable à l'intérieur de cette crise et de cette époque. S'il théorise, c'est qu'il suppose ne plus ou ne pas encore exister dans son temps. S'il prend une pose distanciée face à la contemporanéité criminelle, c'est qu'au lieu d'y résider en victime, il s'en projette bourreau. Une sorte d'agent secret venu d'ailleurs, un commando spécial parachuté du passé ou de l'avenir. Puisque la crise n'informe pas sur elle-même et que l'information ne fait que propager la crise, les épigones de nos penseurs contemplent d'un œil impavide les petits et les grands Rwanda.

Qui ose s'étonner que notre triste époque produise des fosses, n'est-elle rien d'autre qu'une fosse commune ? N'a-t-elle pas enterré d'entrée de jeu tout sens et tous repères ? À quoi bon s'indigner devant les bébés tranchés ? Que valent cent millions peut-être de morts au Goulag et en révolution culturelle ? La critique savante, ayant inscrit sa propre existence dans la gigantesque tâche aveugle de l'histoire, affirme doctement qu'il n'y a rien à voir, donc elle ferme les yeux. Du haut des pyramides théoriques, des millénaires passés et à venir nous contemplent et se moquent de vos télés, de vos câbles, de vos reporters et de vos commentaires. Vous enquêtez sur le non-sens et dans le non-sens. Votre enquête est un non-sens. En vérité, je vous le dis, la platonicienne Diotime derechef purifie ; devenue marxiste, nietzschéenne ou éclectique, elle s'élève des corps-à-corps sordides de l'histoire profane aux communions célestes d'une pré- ou post-histoire sacrée.

Idéologues et prêcheurs condamnent en bloc et sans appel nos procédures d'information, qu'ils diabolisent en leur attribuant la cohérence redoutable d'un système, le « système médiatique ». Ce dernier témoigne plutôt d'une générale incohérence[1]. Les censeurs, néanmoins, se targuent de détecter avec exactitude l'ordre maléfique, qui souterrainement est censé structurer l'apparent désordre. Ils disposent d'un fil d'Ariane ; ils s'affirment en communication directe avec la pureté, dont ils sont à même de constater le manque, en creux. Un petit coin de paradis mental suffit pour éclairer, *a contrario*, l'intime corruption où se reflète son absence. La condamnation globale et indifférenciée de l'actualité dans son effectivité et son apparaître est émise à partir de la part bénite qui, en nous, comme en l'âge d'or, comme dans l'avenir radieux, comme au ciel étoilé, échappe aux turpitudes du siècle.

Attention, ne pas se méprendre ! La morale des moralisateurs ne constitue qu'un rouage anecdotique et amovible de la platonicienne machine à censurer. Le prêcheur peut glisser au cynique, l'adepte de saint Thomas passer à saint Sade, sans changer de système optique. De la part bénite ou primauté du spirituel, à la part maudite ou souveraineté dans le mal, les couleurs, les nuances de la pureté varient, mais pas la prétention d'atteindre hors du siècle une zone libérée surplombant l'impureté du siècle, « à 6 000 pieds au-dessus de tous les lieux habités » (Nietzsche). Découvrant qu'il badigeonne en noir ce que le christianisme ambiant peint en rose, le transgresseur professionnel se hume en odeur de sainteté, « je me croyais alors, du moins sous une forme paradoxale, amené à fonder une religion[2] ». En apparence les platoniciens opposent le pur comme un bien à l'impur comme un mal. En apparence seulement.

La coupure qui compte est extramorale et métaphysique. Dans les attendus du réquisitoire permanent prononcé à l'encontre des théâtocrates, des télécrates et autres saltimbanques

---

1. Dévergondage « métaphysique » (Comte), « anarchie capitaliste » (Marx), « patrie de tous les pots de peinture » (Nietzsche), bigarrure (Platon)...
2. G. Bataille, *Œuvres complètes*, Gallimard, t. VI, p. 373.

sataniques, l'immoralité importe moins que la profanation. Dans les scènes de violence si souvent condamnées, le pis n'est pas l'hémoglobine versée. L'outrage, à ne pas voir ni faire voir, tient au crime de lèse-supériorité. L'information, à ne pas entendre ni laisser entendre, est celle qui murmure : tout point de vue peut être bousculé, nulle souveraineté n'est à l'abri des corruptions rampantes. Les maux représentés sont chaque fois circonscrits et locaux : tel meurtre, telle faillite... Le message à censurer qu'ils véhiculent insinue que la perturbation peut tourner au fléau et la bavure municipale au désastre universel. Autrement dit : aucun ordre immaculé n'est immaculable, les juges qui s'en réclament ne sont pas protégés des falsifications, il n'est de conception qui ne doive concevoir sa propre déception.

La querelle des ancienne (homérique) et nouvelle (platonicienne) théologies dure encore. Les deux systèmes optiques sous-jacents demeurent aujourd'hui comme hier inconciliables et exclusifs. Soit la religion tire, autant qu'elle peut, sa leçon du mal et de la douleur, part du *pathos* et suit la voie tragique du *pathein* au *mathein*. Soit la religion platonise, juge du mal à partir du bien et jauge l'impur du point de vue d'un îlot d'innocence, donnée préalable aux démentis mondains. Dans ce dernier cas, une vérité inaltérable, égale à elle-même, englobe et domine les zones de trouble. Dans le premier cas, l'expérience tragique montre, au contraire, comment l'harmonie — la cité, l'âme — flotte dans la zone des tempêtes, exposée à l'altération ubiquitaire de la peste.

L'incrédulité qui effare Églises et magazines est avant tout une perception. Une perception qui veut rester telle n'oppose pas à la croyance une anticroyance et n'aligne pas contre les dogmes sacrés son catéchisme théorique et laïque. Elle se contente de donner à voir, sans trier. Dans la liberté de cette vision touche-à-tout disparaît le domaine réservé des bergeries supraterrestres ou extrahistoriques. Incontestablement, l'agora moderne des moyens d'information nourrit et entretient l'incroyance. Elle s'autorise d'une culture du regard — une *theoria* — que le théâtre et la peinture depuis des millénaires explorent, en dotant l'Européen de son troisième œil. « Œdipe, le roi Œdipe a un œil de trop » (Hölderlin).

Le père de Lubac travaillait avec enthousiasme à la préparation et aux réformes de Vatican II. Sa tâche achevée, il laisse percer un discret désappointement. S'il avait conservé en mémoire les pages magnifiques qu'il consacra jadis à Dostoïevski, il eût pu répondre aux questions que le concile n'avait pas osé poser : Qu'est-ce qui produit l'incrédule ? Qu'a-t-il vu ? Sur quoi achoppe sa foi ? Devant quoi la tradition déclare-t-elle forfait ? Qu'ont-ils perçu, Teilhard dans la boue de Douaumont et les simples télespectateurs confrontés aux reportages expédiés du Rwanda ?

Prostré sur le banc du musée, Dostoïevski se tient la tête à deux mains, comme Tirésias ou Cassandre. Il pense l'impensable. Il imagine l'inimaginable. Il ne se demande pas si le Christ est un homme ou un dieu, la querelle ne passionne que l'Intelligence de son temps, pas lui. Il vient de se cogner, de plein fouet, à une image qui ne passe pas. Non pas celle d'un dieu. Non pas celle d'un homme. Celle de la mort. Une mort si générale qu'elle ne laisse rien survivre, qu'elle emporte avec elle et le monde et le je. Qui la regarde ne s'y retrouve plus et ne se retrouve pas. Rien n'a changé cependant. Holbein attend son prochain visiteur. Le musée respecte ses horaires. Mme Dostoïevski explique : « C'est une toile où l'on voit le Christ, qui vient de supporter un martyre inhumain, déjà détaché de la croix et abandonné à la décomposition. » Elle a détourné rapidement le regard. « Mais mon mari semblait anéanti. Quand je revins au bout de vingt minutes, il était encore là, à la même place, enchaîné[1]. »

Devant le crucifié gisant, comme face aux photographies de l'enfant rwandais mutilé, tout bascule dans une brusque mutation de la façon d'envisager et de dévisager ce qui advient. Cinq minutes avant, les événements, même très cruels, coulaient encore des jours heureux, comme pris dans un tissu d'habitudes ; ils apparaissaient pour illustrer, confirmer, infirmer une attente familière ; ils disparaissaient sans dissoudre l'ensemble, qu'à l'occasion ils endeuillaient. Revigorante ou triste, chaque heure de la vie surgissait dans le

---

1. Cité par de Lubac, *Le Drame de l'humanisme athée*, Spes, 1945, p. 301. Cerf, 1999.

confort stable de l'être-dans-le-monde. Nous savions, il savait ce que parler et souffrir veut dire. Tout à coup nous ne savons plus, il ne sait plus. Un tableau, une actualité coupent le souffle, s'incrustent, refusent de retourner à la place que leur prédestinent nos conceptions et nos préjugés.

L'événement provocateur ne tient pas en place. Il déplace l'univers habituel. Il inverse le rapport perceptif de la forme et du fond. Il y a quelques instants, les êtres et les choses se succédaient platoniquement, sur fond d'ordre sinon d'harmonie. Nous nous vivions comme être-dans-le-cosmos[1]. Et voilà que le rapport forme-fond culbute ; l'ordre règne encore, mais ne gouverne plus les fractures qui annoncent sa fin possible, voire prochaine. Un événement peut gommer le firmament ; un détail mettre à mal l'ensemble, la partie dévorer le tout. La révélation qui glace l'ancien locataire de la Maison des Morts rattrape Teilhard et Jünger dans les tranchées sanglantes de 14-18. « Il ne faut pas dormir pendant ce temps-là », dit Pascal.

Voit-on vraiment un être en train de mourir ? On le distingue avec assurance ou vivant ou mort, tandis que l'entre-deux se prête à l'escamotage. Entre le pas encore et le déjà plus, il est aisé de faire disparaître le mouvement du disparaître. Le paradoxe d'Épicure se laisse conjuguer à toutes les personnes : lorsque je suis, la mort n'est pas, lorsque la mort est, je ne suis plus. Il en va de même pour toi, pour il, pour nous, pour vous. Nul ne coïncide avec sa propre disparition et le moment de la mort, qui par essence échappe, éponge, gracieusement, le mouvement du mourir, qui trop inquiète. L'audace d'Holbein n'est pas de montrer un cadavre, fût-ce celui de Dieu. L'audace d'Holbein, plus radicale, découvre non pas le mort, mais la mort en acte.

Si douloureux qu'il paraisse, le travail du deuil apaise. Il transforme l'événement en souvenir, reconduit la révélation de la mort à l'évocation d'un disparu, dont l'absence, même abominable et poignante, demeure circonscrite. La mort

---

1. Platon, *Gorgias*, 508a : « Le tout, l'ensemble des êtres fut nommé "Cosmos", ordre et beauté, pour rappeler combien le ciel et la terre, les dieux et les hommes sont liés par l'amitié, le goût de l'ordre, le bon sens et la justice. »

enclenchait une hémorragie de l'existence, potentiellement sans limites. Le mort, pleuré et enterré, réemprisonne la destruction qui débordait. Jamais ne nous est refusée la réconfortante possibilité d'oublier la mort universelle dans un mort particulier. L'éternelle tentation guette de revenir aux platoniques sublimations, en plantant là Dostoïevski sur son banc et le Tutsi sous les machettes. Il suffit de fermer la télé, d'éviter les musées et de rêver à l'ombre des palétuviers.

VI

LA FOI DES INCROYANTS

> *La preuve ontologique passe de la notion de Dieu à son existence. Les Anciens ne connaissaient pas ce passage... de la notion elle-même doit être tirée, en quelque sorte par les cheveux, la réalité.*

> Hegel, *Philosophie de la religion*

L'effet Rwanda, censé faire perdre Dieu à ceux qu'il irradie, serait-il moins implacable ou invincible qu'il ne paraît ? Il perturbe, c'est incontestable, mais pour combien de temps et selon quelle profondeur ? Ne suscite-t-il pas des contre-offensives rapides et anesthésiantes ? Toute société qui se respecte s'emploie à effacer les pénibles démentis infligés à la très haute idée qu'elle se fait d'elle-même. À charge pour le souvenir des effondrements de s'effondrer à son tour dans les trous de mémoire subtilement aménagés. Renan écrit : « L'oubli, et je dirais même l'erreur historique, sont un facteur essentiel de la création d'une nation[1]. »

Les experts parfois relativisent le trouble des populations, ils assurent que les spectacles d'horreur, comme les peines de cœur, ne durent qu'un moment. Ils rassurent les élites démocratiques, dont l'inactivité sera rarement sanctionnée. Loin des yeux, loin du cœur. En quelques semaines, l'abomination

---

1. E. Renan, *Qu'est-ce qu'une nation ?* (1882), Presses Pocket (1992), p. 41.

d'un massacre déserte les écrans et, suppose-t-on, l'esprit de l'électeur. D'aussi péremptoires minimisations témoignent pour la candeur des spécialistes en opinion qui mesurent l'impact immédiat d'une scène atroce, tel marché bombardé à Sarajevo, telle lapidation à Kaboul. Ils négligent les répétitions, ils manquent l'effet de rémanence. L'exode forcé des Kosovars rappelle à l'Européen les expulsions et les déportations subies dans un passé pas très lointain. Le Rwanda ravive la mauvaise conscience d'avoir laissé perpétrer autrefois d'autres atrocités. Les massacres guerriers se commentent les uns les autres et suggèrent combien, l'histoire refusant de passer, le Moloch découvert en 14-18 ne chôme guère depuis ce temps-là.

1. L'expérience de l'impossible

Une conscience trouée ne se raccommode pas aussi aisément qu'une chaussette, remarquait Hegel. L'art d'oublier exige que la mémoire joue avec et contre elle-même. Sans se contenter de somnoler avec le regard bovin accroché aux titres et aux trains, qui vont et viennent. Après la formidable épreuve de sa (première) grande guerre, l'Europe pensante, orante et agissante s'est évertuée, un siècle durant, à « fermer la parenthèse ». Elle réhabilita d'infinies tactiques d'évitement et de contournement. Elle inventa d'inédites stratégies d'occultation. Elle rétablit par instant l'ordre dans les têtes et les cœurs, sans contenir la récurrence du trauma.

Très tôt des esprits vigilants perçurent que l'événement débordait son époque. Rien d'habituel. Pas une guerre comme tant d'autres. Pas un séisme sans lendemain. Pas une discorde de têtes couronnées. Pas une explosion locale de haines ancestrales. La civilisation, qui s'autoproclamait la plus haute, la meilleure, voire l'Unique, entre en insurrection contre elle-même. Le jeune Einstein, TristanTzara, poète roumain promoteur de Dada, donc de toutes les avant-gardes, Lénine, révolutionnaire russe encore peu connu, tous se croisent en Suisse, espace neutre, « Montagne magique », promontoire ou arche d'où contempler un naufrage sans retour.

Très vite l'abîme observé n'autorise plus les tergiversations. À chacun de laisser le passé s'enterrer dans le passé, l'incendie gagne. À chacun de rompre avec ses conceptions, son entourage et lui-même sous peine de sombrer avec ses concepts et son entourage.

Premier entre les premiers, K. Barth anticipe un bilan que le siècle s'épuisera à scotomiser :

« Nous voilà au tout début d'un temps de guerre. Et ce temps de guerre est un des plus graves de l'histoire du monde. Que sont toutes les guerres passées au regard de celle qui se déchaîne aujourd'hui ? Que sont même les campagnes de Napoléon ou la guerre de Trente Ans en Allemagne comparées à ce formidable choc des peuples qui se prépare maintenant ?... Ce qui vient de se passer n'est que prémices insignifiantes, mais elles sont propres à nous faire imaginer ce qui va arriver. Jamais le meurtre et la destruction n'ont été organisés avec une telle précision technique, commerciale et planifiée. Un gigantesque travail intellectuel prépare et dirige les armées surpuissantes et leurs moyens d'action. La mort se réserve une moisson que l'humanité européenne n'aura jamais connue. Suivra une fantastique régression mentale et morale, tous ceux qui prennent part à la guerre font lever les passions nationalistes, le fanatisme d'une conscience barbare : Nous Allemands ! Nous Français ! Tandis que la grande vérité "tous les hommes sont frères" flotte en vain comme un brouillard inutile. Tous prient, mais pourquoi ? Pour la victoire de LEUR peuple. Pour la sanctification de LEURS armes. Chacun prie pour les siens. Qu'arriverait-il si Dieu se comportait comme ces chrétiens le lui demandent ? Que dirait Jésus s'il revenait maintenant et retrouvait ses disciples adonnés à ces prières guerrières ? La guerre que nous vivons représente le jugement de Dieu SUR NOUS. Nous autres Européens, nous nous pensions sur la bonne voie. Il paraissait aller de soi que nous étions au sommet de l'humanité, ses plus beaux fleurons. Consciencieusement nous travaillions à l'amélioration de notre bien-être et de notre bonne conduite. Nous avions de loin dépassé nos pères et nos grands-pères, nous avons mis au point un système social si sage... Et voilà qu'aujourd'hui Dieu intervient. Il nous dit brutalement, sans ménagement : Non, vous n'êtes pas sur la bonne voie ! Il nous envoie sa cavale rouge montée par un cavalier impitoyable, le voilà qui de sa grosse épée éradique la paix de cette terre. Dieu nous dit : Non ! et la guerre tombe. Elle ne tombe pas des étoiles. Tout inattendue et fantomatique que cette guerre paraisse, elle vient de nous, comme une suite naturelle de ce que nous fîmes et de ce que nous fûmes. Maintenant vient l'addition et ça ne sent pas bon. Oui, nous sommes plus intelligents et plus puissants que les sauvages primitifs et que nos aïeux, mais toute notre culture n'avait rien à voir avec la fraternité, chacun cultivait l'envie, l'égoïsme [...] jusqu'à ce qu'arrive la nécessaire explosion du mal. Notre monde ne pouvait terminer autrement que par la guerre et le meurtre réciproque. Et si nous devons, une fois les combats finis, persévérer comme auparavant, d'autres événements viendront nous rappeler qu'il n'y a, sur de telles voies, rien à espérer. Le jugement, c'est tous les signes par lesquels Dieu nous dit : vos voies ne sont pas mes voies, et vos pensées ne sont pas mes pensées. »

Karl Barth,
prédication du 23 août 1914[1].

Aujourd'hui, quatre fois vingt ans après, l'éblouissement qui saisit l'apprenti théologue, son chemin de Damas à rebours, où fulgure l'omniprésence de l'irréligion, restent à demi incompris. Bien des décennies plus tard, François Furet fit sensation dans son milieu lorsqu'il expliqua aux historiens que l'épidémie des totalitarismes qui submergèrent la planète n'aurait jamais pris son envol sans la guerre de 14, ébranlement source de tous les autres. Ce point d'histoire risque de demeurer obscur et impensé, enkysté dans une relation factuelle et extrinsèque : telle cause, tel effet, d'abord la grande guerre, puis Hitler et Staline, leurs rejetons et leurs succédanés. Les faits se suivent, certes, mais en quoi, pourquoi se ressemblent-ils ? En quoi,

---

1. K. Barth, *Nachlass hrsg, v. Jochen Fähler*, Zurich, 1974 ; trad. A. Glucksmann.

pourquoi se répondent-ils ? La suite des événements — *post hoc ergo propter hoc* — ne rend pas compte de la suite dans les idées. Les grandes révolutions continuent la grande guerre, personne n'en disconvient. Mais dès qu'il faut définir l'héritage commun, que les unes et les autres assument et font fructifier, les experts s'embourbent. Tant qu'on se borne à compter le nombre de morts, de peuples mobilisés, de civils massacrés, de mensonges diffusés, la grandeur des grandes guerres et des grandes révolutions clignote quantitative, sa qualité n'apparaît pas.

À tenter d'établir à la décimale près les records respectifs des tueurs de gauche et de droite, quitte à pondérer les additions par les aléas du temps et de l'espace, on manque l'essentiel. Pour que des forfaits si hallucinants fussent commis par les uns et, par tous les autres, admis, il fallut qu'un invariant réglât les élans antagoniques, rivaux en inhumanité. Le secret, tapi au fond des douloureuses expériences du siècle passé et vraisemblablement du siècle à venir, est d'une simplicité totale. À ce titre difficilement audible et encore moins facilement articulable. Pour tuer, il faut beaucoup d'**enthousiasme**, au sens ordinaire comme au sens étymologique — s'éprouver investi par la divinité. Pour massacrer par millions, il faut une idéologie de fer qui se réclame de la race, de la classe, d'une Nation au-dessus de tout, d'un Livre qui ait réponse à tout — Bible, Coran, *Capital*. Il faut se sentir possédé par une force infaillible et incorruptible, c'est-à-dire entrer dans les transes de ce qu'on appelait jadis religion. 14-18 et la suite sont aventures religieuses et furent massivement vécues comme telles, dussent les prêtres et les professeurs d'histoire y perdre leur latin.

Sonne l'heure de la Révolution russe. Son aurore de février 1917 rayonne démocratique, œcuménique, baignée d'intentions pures et d'initiatives saintes. La société entière entre en extase.

« Un songe merveilleux ! Qui vengeait tous les martyrs de la liberté. À certains arrêts, des meetings se formaient autour des tramways, retardant leur circulation. Puis ils repartaient et la foule se dispersait. Il était attendrissant d'observer l'ordre et la conscience civique, de voir la foule entière, militaires compris, obéir docilement aux miliciens, parfois tout jeunes, rien des chiens repus de l'ancien régime. Les gens se coulaient en longue file et tous montaient par la plate-forme arrière, nul ne jouait des coudes, nul ne grimpait à l'avant, — ce n'était que bienveillante solidarité, joie collective où tous s'aiment : l'esprit de la révolution ! Voila pourquoi tout allait si bien, ce que jamais aucune contrainte, sous l'ancien régime, n'eût pu produire. Déjà s'instaurait la fraternité universelle !

[...] Les deux sœurs marchaient d'un bon pas, obligées parfois de suivre le rythme de la musique. Était-il possible que cela se fût accompli. Ce mot : « accompli ! » — il était de toutes les proclamations, dans tous les journaux, l'air en était imprégné. Un mot tonitruant, mais comment le dire autrement ? La révolution a vaincu ! ! ! Comprenez donc, frères, elle a triomphé ! Le régime de caserne des anciens ordres sociaux s'est effondré ! Que n'y avait-il, jusqu'alors, pour écraser l'individu ? — tribus, clans, castes, ordres sociaux, Église, famille, État, nationalités. Mais tout cela à présent était tombé ! Et l'individu émergeait des ruines, libéré de ces chaînes ! »

Alexandre Soljenitsyne [1].

N'allons pas imaginer qu'avec l'extinction des feux illusoires de l'aube, le halo extatique nimbant la grande révolution se dissipe. Le sentiment religieux se dramatise, tourne à l'aigre, mais hante sans discontinuer les profondeurs, qu'il est convenu de nommer « âme populaire ». Kravchenko, dans ses Mémoires, relate une scène significative. Dans un wagon bondé, il se retrouve, seul jeune communiste, parmi des voyageurs encombrés des volailles destinées au marché. À cette époque, les langues n'étaient pas encore liées, un musicien lâche : « Faut-il donc que nous devenions des machines sans âme ? » « **Les âmes ont été supprimées !** » rétorque un autre. Le jeune cadre fait la leçon à tous et se donne le dernier mot. « Tout le monde fut visiblement très impressionné

---

1. *La Roue rouge*, t. III, Fayard, 1998, p. 502-503.

par mes paroles. Je n'avais pas eu besoin de dire que j'appartenais à l'élite : on l'avait compris à l'autorité qui résonnait dans ma voix. Une douzaine d'autres questions furent examinées avant l'arrivée à Yekaterinoslav — maintenant baptisée Dniepropetrovsk — et je les tranchai toutes sans appel. Peut-être ceux qui n'étaient pas de mon avis préféraient-ils se taire par prudence : à quoi bon discuter avec un Komsomol ? »[1].

De l'âme supprimée ou non, il ne sera pas question. Seul tranche l'homme de fer qui trempe son caractère dans l'épreuve d'une fracture absolue. Kravchenko s'inscrit athée militant. Barth croit plus fort que jamais. Tous deux concluent : après 1918, impossible de penser et de croire comme avant, sauf à disparaître.

Ils communient dans cet esprit de radicale rupture qui gouverne la suite des événements. Ils se veulent l'un et l'autre, dans des sphères différentes, « révolutionnaires ». Au vocable, promis à des records d'audience et autres hit-parades historico-planétaires, ils confèrent une acception que les générations antérieures ne soupçonnaient pas.

« L'Europe ressemble à une maison de fous et au premier abord, il semble que ses habitants eux-mêmes ne savent pas une demi-heure à l'avance qui ils vont tuer et avec qui ils fraterniseront. Néanmoins une constatation se dégage obstinément des vagues brumeuses de ce chaos — la responsabilité criminelle du monde bourgeois... La monarchie, l'aristocratie, le clergé, la bureaucratie, la bourgeoisie, l'intelligentsia professionnelle, les maîtres des richesses et les détenteurs du pouvoir — ce sont eux qui sans relâche ont préparé les événements incroyables qui font qu'aujourd'hui, la vieille Europe "cultivée", "chrétienne", ressemble tellement à un asile de fous. »

Léon Trotski[2] (1919).

---

1. V.A. Kravchenko, *J'ai choisi la liberté*, Self, 1947, p. 66.
2. *Écrits militaires*, L'Herne, 1967, p. 454.

Un événement qui perturbe au point de passer « jugement de Dieu », aux yeux de l'athée comme à l'âme du croyant, démonétise forcément les anciens clivages. Il en instaure d'imprévus. Les chrétiens s'opposent aux chrétiens, K. Barth vomit le protestantisme libéral, qui concilie, sans sourciller, la prédication évangélique et l'apologie de la modernité bourgeoise. Les socialistes, eux, se déchirent, Lénine-Caïn invective Kautsky-Abel, les papes de la IIe et IIIe Internationale s'excommunient sans ménagement. Breton et Aragon enterreront Anatole France sous les crachats révolutionnaires ; la « révolution surréaliste » règle à son tour le compte de l'académisme littéraire, ce réformisme des honnêtes gens. Culture, politique, intimité. La révolutionnarisation des manières d'être et de sentir ajoute à la confusion initiale. Les diverses écoles de vie et de pensée s'opposent, s'allient, se dénigrent dans un tourbillon dément. Toutes portent les stigmates de leur commune origine.

2. Les tronçonneuses de l'histoire

Le radicalisme de la rupture, la volonté de casser « jusqu'au bout », est la marque de fabrique qui ne trompe pas. Lorsque, dans une controverse fameuse, Heidegger, alors star montante de la philosophie, apostrophe les étoiles finissantes du kantisme, il lance « la destruction de la métaphysique ». Le mot d'ordre fit florès. Cette passion de détruire (souvent minimisée comme dialectique négative, démystification, désenchantement, déconstruction...) différencie les pulsions réformatrices qui animaient les idéologies des siècles passés et la pratique révolutionnaire qui propulse les chefs-d'œuvre du xxe siècle.

Le protestant K. Barth et le communiste Kravchenko ont beau faire fonctionner le principe de réalité (la grande crise révolutionnaro-guerrière) en sens inverse, ils tiennent le même raisonnement. Instaurant tous deux la Grande Guerre jugement de Dieu, l'un interprète le génitif « de » objectivement : c'est Dieu qui juge et condamne la réalité mondaine. L'autre interprète subjectivement : c'est la réalité dans son chaos qui juge Dieu et le condamne. Les deux vouent aux gémonies la « trahison » (chrétienne ou socialiste) qui prolonge la survie d'un vieux monde, irréductiblement corrompu. Les deux déduisent l'inexistence de Dieu. En nous seulement, dit le croyant ; en soi, proclame l'athée. Les deux constatent que le rapport homme-Dieu est rompu. Les deux concluent que la rupture est irrécupérable, qu'il faut trancher les liens que l'Europe traditionnelle noue entre le ciel et la terre.

Cette complicité inavouée se cristallise dans l'âme religieuse, qui se retourne violemment contre une terre où Dieu n'existe pas. Sans le savoir, le militant athée emprunte la même perspective ; il ne règle plus ses comptes avec le ciel, comme les socialistes et les républicains d'antan. C'est dans la réalité profane qu'il invite à profaner les autorités ; l'éradication du faux frère réformiste, pourtant laïc aussi, lui permet de « dépouiller le vieil homme ». K. Barth proclame signe des temps le fait que parole divine et parole mondaine s'excluent absolument. Troquez les Évangiles et *Le Manifeste communiste*. Misez sur Marx à la place de Dieu. La différence s'évanouit entre le théologien protestant et le prédicateur bolchevique. Tous deux dressés contre le « système » du vieux monde, ils lui promettent une élimination totale, sans nuances et sans attendus. Le mal révélé par 14-18 est trop absolu pour cohabiter avec lui. C'est lui ou c'est nous. Barth et Lénine, tant d'autres avec eux, entament le grand récitatif du tout ou rien.

Table rase et rompons les rangs ! Querelles littéraires, bouleversements sociaux, séismes politiques, innovations publicitaires, nos infinies révolutions décalquent à répétition la « conversion de l'âme tout entière », par laquelle le platonicien s'évadait du tombeau terrestre et volait vers l'azur. Si les retombées de l'élan révolutionnaire ont parfois déçu, la récurrence de son énergie cataclysmique prouve combien la considération sage, raisonnable et déflationniste de ses tristes résultats manque l'essentiel. La révolution moderne jouit d'elle-même. Elle ne s'acharne pas à produire des œuvres éternelles. Elle ne vise pas à se rendre utile. Elle s'intronise.

Elle se couronne. Elle se goûte, à la manière du sentiment esthétique selon Kant, comme une finalité sans fin. Une bonne voiture est une chose profane, dont les caractéristiques techniques permettent d'évaluer la fiabilité, la consommation, le rapport qualité-prix, selon une échelle objective des mondaines perfections. Une voiture révolutionnaire, par contre, est une *praxis* sacrée, elle change la vie, vous dépouille des conduites passées, vous introduit dans un jamais-vu, peuplé d'hommes admirables et de femmes divinement belles. La vieille auto passe aux poubelles. Peu importe qui prend le relais, tramway électrique, bolide inouï, bicyclette écologique, dès que le fossoyeur fossoie, une révolution s'accomplit. Les conversions d'autrefois se voulaient conversion à... Le mécréant sur son lit d'agonie découvrait qu'il avait raté sa vie, en manquant la lumière qui éclairait le monde entier sauf lui. Son dernier quart d'heure lui ouvrait les yeux à... Les révolutions ne se soucient plus de conversion à quelque lumière préexistante. Les présences d'un Dieu ou d'une Nature tutélaire dans le monde hostile étant exclues d'office, elles travaillent à la conversion de... Le champ de bataille du révolutionnaire est devenu le révolutionnaire lui-même. Il s'épluche comme un oignon. Il ne cesse d'éradiquer, au tréfonds de ses entrailles, les « vieilleries ». Il devient sa propre flèche et sa propre cible. Il s'arrache *in infinitum* à ce qu'il est.

Foi, engagement, vocation, espoir, révolte, autant de signifiants concurrents, pour un semblable désir de se rendre insupportable à un monde insupportable. Derrière la valse des étiquettes, seule une identité de structure explique les souplesses d'un catholicisme passant du Christ-Roi aux théologies de la révolution, les variations d'un protestantisme majoritairement adapté sous Hitler, longtemps complice de l'Allemagne stalinienne et s'exhibant culte contestataire quand l'occasion se présente. Les autres grandes religions du Livre ne manifestent pas moins de laxisme à l'égard des délires passés, présents et à venir. Force est d'interroger, dans le pot-pourri des injonctions catégoriques, le rapport nouveau (« révolutionnaire ») de l'homme contemporain au monde actuel, impliqué par toutes ses prises de position, mais résumé par aucune. Cette faculté d'assumer des engagements souvent contradictoires, ce ressort de toutes les révoltes, est serrée au plus près sous le nom de « foi ».

Comme la plupart des catégories maîtresses de la vie religieuse, la notion de foi fonctionne à la manière d'une auberge espagnole. Entre la *pistis* grecque, la *fides* romaine, la foi des *auto-da-fe* et l'auto-institution que vise Barth, les différences priment sur les ressemblances. Passons. Lorsque Barth entreprend de restituer l'argument de saint Anselme (mort en 1109), son exigence laisse pantois n'importe quel érudit soucieux d'acribie et de fidélité aux textes. Pris en revanche comme un écrit portant moins sur Anselme que sur le concept de foi, après 1914, ce petit volume recèle un des plus intimes, discrets et percutants manifestes de la subjectivité moderne, athée ou non. Érigeant la « foi » en « preuve ontologique », le théologien nous révèle rien moins que l'alpha et l'oméga des religions révolutionnaires et des révolutions religieuses, qui n'ont pas fini de couper et redécouper la planète.

La foi barthienne commence en désespérant du monde. En se donnant pour mission de désespérer le monde. Sa piste d'envol, c'est la révélation de la non-existence de Dieu, eu égard au chaos terrestre. Son point d'atterrissage, c'est l'annihilation de ce monde, qui fit à Dieu l'injure suprême de l'empêcher d'exister. L'angle de la perspective, biblique comme il se doit, n'est pas choisi au hasard. Le Déluge et ses récurrences valent comme références *princeps*. Saint Paul devient un nouveau Noé, confronté à la noyade générale de la loi juive, de la loi romaine et des œuvres qu'elles légitimaient. Face à l'absolu naufrage des vérités mondainement établies s'impose une évidence : seule la foi sauve. Car le monde est un Verdun universel et permanent, le désert d'un non-lieu divin. L'homme, nouveau souverain de la lutte finale, se fait non-lieu de ce non-lieu. Faute de vrai Dieu, il invente, il honore de faux dieux et s'immole aux idoles, État, Parti, Église. La foi (la vraie) ne se heurte pas à l'incrédulité, elle affronte d'autres fois (inauthentiques). Ciel et terre irrémédiablement scindés, aucun cosmos extérieur ne chante plus aux mortels la gloire supracéleste. Seul le combat de la conscience avec elle-même, foi contre foi, prouve que Dieu n'est pas mort. La foi décide de tout, du tout et d'elle-même, elle s'affirme désormais mesure des choses.

La foi ne fait plus lien entre un bien relatif et un Bien absolu, comme jadis la preuve « physico-théologique » — ou le réformisme social — rêvait et programmait l'ordre suprême à partir d'attendrissantes harmonies locales et municipales. Il n'y a plus d'échelle de Jacob, les félicités finies tournent dans le cercle d'un monde pervers ; leur allusion à l'au-delà est une illusion d'ici-bas. La théologie « dialectique » de Barth ne connaît pas de synthèses. Elle affronte thèse et antithèse, mauvaise et bonne foi sans les réconcilier dans une vue panoramique tierce (la dialectique négative d'Adorno et Horckheimer structure la « sociologie » de l'école de Francfort, selon un schéma semblable). Les exemples édifiants, dont les siècles passés faisaient si grand cas, deviennent équivoques et les chemins qui mènent à Rome n'ouvrent pas le paradis. La route du ciel est coupée. Sauf à témoigner. Sauf si le rejet absolu du monde met à mort la mort et rétablit l'absolu absolument autre. Tel est le miracle que Barth demande à la foi, Adorno à l'Art, Lénine à la Révolution, l'homme de la rue, en 1950, à une voiture neuve, et l'innocent consommateur des *speak-easy* au coup de foudre de 3 heures du matin. « Je t'ai donné la place réservée à Dieu », dit Aragon à Elsa, si chère et si haïe[1].

Cette foi qui anime l'orant, l'activiste et le consommateur, c'est Éros repeint aux couleurs du jour. La foi moderne n'est plus fondée sur un savoir préalable et infaillible. Nue, elle doit accepter son dénuement. Ses ancrages antédiluviens ont lâché. Elle ne loge pas « la partie saine du moi ». Finies les mélodies célestes, vomies en fanfares guerrières ! Elles ont présidé aux massacres, à moins que, roucoulées en berceuses sulpiciennes, elles n'en favorisent l'oubli. Il revient à la foi de garantir ce qu'elle baptise Dieu. Formidable retournement ! Avant notre déluge, on jugeait de Dieu par le monde, son œuvre. La création conservait quelques traces de son créateur ; les imperfections des créatures témoignaient de la perfection du maître de séant.

---

1. Aragon, *Le Fou d'Elsa*, Gallimard, 1963, p. 219.

« Il est un Dieu ; les herbes de la vallée et les cèdres de la montagne le bénissent, l'insecte bourdonne ses louanges, l'éléphant le salue au lever du jour, l'oiseau chante dans le feuillage, la foudre fait éclater sa puissance, et l'Océan le déclare son immensité. L'homme seul a dit : il n'y a point de Dieu.

Il n'a donc jamais celui-là, dans ses infortunes, levé les yeux vers le ciel, ou dans son bonheur, abaissé ses regards vers la terre ? La nature est-elle si loin de lui, qu'il ne l'ait pu contempler, ou la croit-il le simple résultat du hasard ? mais quel hasard a pu contraindre une matière désordonnée et rebelle à s'arranger dans un ordre si parfait[1] ? »

Pour les gueules cassées et les âmes brisées par un déluge de fer et de feu, un tel chant à la gloire du « spectacle général de l'univers » n'est plus audible, n'est plus dicible. Lorsque la boue juge Dieu, elle lui lance : « Tu n'existes pas. » Seul recours théologique : inverser le système optique de 180°. Dieu juge le monde et lui dit : « Tu ne mérites pas d'exister. » Dieu ne juge pas en détail. Il n'est pas prêt à faire la part des choses, comme l'espéraient les ancêtres. Dieu juge le monde en bloc et Dieu le vomit. Dieu le noie.

14-18 (en attendant les hécatombes suivantes), déchiffré bibliquement, comme un déluge, crie la colère d'un Dieu qui n'admet pas que les mortels manifestent son inexistence. En apparence, Barth renvoie la balle aux créatures — elles sont punies par où elles ont péché. À force de faire inexister le Très-Haut, elles finissent par s'interdire d'exister. En vérité, le raisonnement est plus retors : il part de l'intuition du chaos historico-mondial, accepte l'évidence inhumaine, sanglante, irréfutable comme la cruauté, de l'inexistence divine. Du coup, Dieu ne s'offre que par défaut, il est prouvé *in absentia* : la foi, abandonnée à elle-même par un être dont tout l'univers clame qu'il n'est pas, tranche dans la solitude la plus extrême. La situation se révèle tout autant dramatique du côté des engagements terrestres. La faillite des progressismes, qui réforment à petits pas et rénovent par touches discrètes,

---

1. Chateaubriand, *Le Génie du christianisme*, Gallimard, Bibliothèque de la Pléiade, 1978, p. 588.

prohibe les compromis avec un système hostile, lequel interdit toute échappatoire et porte la guerre comme la nuée l'orage. Les politiques d'avant le déluge s'autorisaient mille accommodements ; pour réaliser leurs idéaux, ils idéalisaient le réel. Les révolutionnaires d'après le déluge dénoncent ces trahisons, prônent la rupture et se découvrent aussi seuls au monde dans leur désir de changer le monde que le croyant dans sa foi.

L'horreur théologique suscitée par « les grands cimetières sous la lune » dévoile un monde-monstre. Les laïques s'échinent à séculariser les termes du diagnostic sacré, dont la radicalité enthousiasme. Horreur économique, horreur écologique, horreur technocratique ou bureaucratique, destin exterminateur de la raison occidentale, triomphe catastrophique de la métaphysique, déclin et fureurs des civilisations... Plus l'effet est sans remèdes, plus la cause alléguée du désastre est cooptée au panthéon des explications définitives. Les analyses économiques de Lénine n'auraient guère grisé l'oreille des doctes, si sa théorie de « l'impérialisme » n'avait prétendu rendre compte — après coup, à la va-vite, mais qu'importe — de la fournaise encore chaude. Le prophétisme à rebours, la déduction rétrospective séduisent car ils traduisent un tourment subi dans une stupéfaction muette. Multiples et contradictoires, les explications canalisent l'angoisse. On ne remarque pas combien l'horreur, qu'elles prétendent expliquer, explique, en vérité, le succès ininterrompu de la valse des rationalisations réduites au slogan. Seule l'évidence première du monde-monstre entraîne la ronde des exégètes ; laïcisée ou pas, l'horreur théologique conduit le bal.

Et ainsi de suite. La foi, réponse première à une horreur première, explique les explications, au lieu de se laisser expliquer par elles, et postule Dieu avant de le rencontrer. Du reste, où lui fixerait-elle rendez-vous ? Pas à l'extérieur livré aux monstres. À l'intérieur donc, mais à la condition stricte d'y faire le vide. Une intimité, qui se découvre capable de faillites et de trahisons, s'interdit de ne pas douter de ce qui lui paraît indubitable. Face à tant d'inexistence intérieure et extérieure, la foi n'a qu'une issue, elle décrète que l'exigence de Dieu fonde Dieu. Il ne faut plus demander s'Il est « donné », s'Il existe vraiment — la réponse risquerait d'être non —, mais si je L'exige vraiment — la réponse peut être : oui. Comment saurai-je si vraiment je L'exige ? Par voie négative, en refusant, en récusant tout ce qu'Il n'est pas, le monde, ses pompes et ses œuvres. Par quelle prestidigitation, cette pure négation du non-divin se transmue-t-elle en affirmation du divin ? Moins arbitrairement, souligne Barth, qu'un sceptique indélicat se plaît à l'imaginer. C'est notre capacité de nier le monde qui dévoile Dieu en nous. Lui seul nous dote du regard que Noé jette sur les eaux. C'est en référence implicite à Lui que nous concevons le désastre comme total et que nous enfermons le monde dans le système hermétique de son autoanéantissement. D'où statuons-nous une aussi radicale condamnation de ce qui a été, est et sera ? D'où contemplons-nous l'irréversible déréliction ? Réponse : d'un ailleurs qui nous installe d'ores et déjà au sein du Tout-Autre. Dieu ne s'ajoute pas comme un supplément d'âme à la négation du monde. Il habite le regard noir fixé sur le déluge. Il est l'œil qui perçoit, constate, conçoit et condamne sans limites. Contester le monde revient à l'attester, Lui.

Théologies et philosophies d'antan bâtissaient, sur l'argument d'Anselme, l'hypothèse qu'il est possible de déduire de l'idée de Dieu la nécessité de son existence. Résumé classique : la preuve ontologique part de l'essence et conclut à l'existence. En confiant à la foi la responsabilité du saut périlleux, qui franchit l'abîme creusé entre l'idée et l'être, Barth explicite l'opération qui sous-tend les premières réactions au cataclysme mondial. La civilisation européenne vient de se découvrir mortelle, elle s'estime néanmoins pourvue d'une « idée de l'homme », d'une théorie du socialisme, « invincible parce que vrai »[1]. Race, Classe, État, Ordre souhaitable, Anarchie édénique, l'Europe d'après 14-18 a perdu son éternité, mais pas son stock d'Idées et d'Idéaux. Ce petit cap de l'Asie a foi en ses fois et renonce moins que jamais à éclairer et enflammer la planète. La foi peut sauter de l'exigence à l'existence et de l'idée à l'être, parce qu'elle n'a jamais perdu foi en ses exigences. Aussi fièrement qu'elle revendique sa

---

1. Lénine.

rupture avec le passé, il ne s'agit jamais que d'une demi-rupture. Existentiellement, rien ne demeure. Essentiellement, rien n'est changé. Lorsque Sartre, tellement plus tard, affirme : « L'existence précède l'essence », sa théorie de l'engagement se borne à plagier Barth. L'engagement fait exister une idée de l'humanité, comme l'acte de foi une idée de Dieu. Dans les deux cas, les grandes idées flottent sans tâche au sein des catastrophes comme l'Esprit au-dessus des eaux.

3. Fonctionnaires du déluge

14-18, Rwanda et autres délicatesses fonctionnent comme « jugement de Dieu ». Premier temps, Dieu est jugé, le ciel tombe sur nos têtes, preuve de la non-existence du Très-Haut. Deuxième temps, c'est Dieu qui juge un très-bas condamné à disparaître. Troisième temps, notre foi exécute le jugement divin, elle fait exister des dieux dont l'idée ou l'essence nourrit la radicalité des anathèmes jetés à tous vents.

La foi est rupture, négativité. Elle scie les socles des vieilles idoles. La foi est affirmation ontologique. Elle déploie son tapis rouge sous les pas des divinités qu'elle élit. Elle décide de faire exister ou pas des vérités, qu'elle puise dans une topique — un fouillis de lieux communs — léguée par la tradition. Son activisme bouleverse le monde de part en part, il s'accroche à la fixité des idées qui la guident. Sa critique porte sur les moyens, pas sur les fins qu'elle emprunte sans sourciller aux maîtres d'autrefois. Ses espoirs volent d'idéaux en idéaux, sans que les incessants démentis de sa pratique terre à terre la poussent à questionner son inaltérée, inaltérable soif d'idéal. À peine l'État communiste disparu, les enseignants d'Allemagne de l'Est se lamentèrent : « Après Marx qui ? » Quelle idéologie insuffler désormais aux écoliers ? Quelle raison de vivre, d'adorer et de sacrifier ? Une place à prendre s'offre à la foi la plus entreprenante. En termes boursiers : la foi lance une OPA sur les divinités passées et à venir. En termes philosophiques : elle s'affirme preuve *a priori* et conclut à partir d'essences ou d'idées, qu'elle avoue, ce faisant, intouchées, hors critique. En termes platoniciens : la foi est organisatrice de catharsis, elle fait venir à l'être une pureté, postulée comme lieu du Bien, « au-delà de l'être ». En marxisme subtil : elle procède à « la négation intramondaine du Monde ». En existentialisme courant, elle se bat contre elle-même et pose « dans son être la question de son être en tant que cet être implique un autre être que lui ». Virant au structuralisme, elle glisse de la conscience à l'inconscient et se déploie comme un mana moderne. La foi, ce maître Jacques de l'actualité sonnante et trébuchante, se prête à tous les emplois, à condition d'être seule à les élire.

À quoi bon centrer son attention sur l'aspect religieux d'une foi si polymorphe et touche-à-tout ? La foi du charbonnier inclinerait plutôt le populiste à vanter les antiques valeurs du camarade mineur, tandis que le nationaliste glorifierait l'engagement patriotique du producteur citoyen. Si la foi fructifie sous toutes les idéologies, pourquoi la coincer dans sa flagrance théologique, plutôt que dans les mille et une ruses dont elle use, à l'heure des grandes soldes, du départ en vacances ou des grèves générales ? Rappelons que la foi d'aujourd'hui naît dans le dénuement et le déracinement, sur les rivages de l'effroi. Effroi théologique, vertigineusement orphelin, en éclipse de Dieu. Partant, les interprétations économiques, politiques et diversement séculières se bornent à rationaliser, à recadrer le cul-de-sac cosmique, où erre et se perd l'amateur de savants commentaires, parachutés après coup. Réciproquement, l'expérience de l'abîme, pour théologique qu'elle se donne, met en crise la théologie, le partage du religieux et du non-religieux devenant plus trouble que ne l'ont soupçonné les siècles passés.

Le sentiment « antédiluvien » d'une Europe pensante, pas encore éclairée par sa guerre, se voit résumé par Durkheim avec l'aplomb d'un jeune sociologue, qui se croit neutre et scientifique. Il y a d'un côté le profane, de l'autre le sacré. Cette différence supposée claire et sans appel vaut pour toutes les relations sociales. Parmi les profanes, on classe les relations d'échange. Parmi les sacrées, les relations de communion. Toute religion est communion, mais toute communion n'est pas intrinsèquement religieuse (manifestations politiques, fêtes de famille, etc.). « Toute communion de conscience ne produit pas du religieux. Il faut de plus qu'elle remplisse certaines conditions particulières. Il faut notamment qu'elle ait un certain degré d'unité et que les forces qu'elle dégage soient assez intenses pour tirer l'individu hors de lui-même et l'élever à une vie supérieure. Il faut aussi que les sentiments ainsi suscités se fixent sur un objet ou des objets concrets qui les symbolisent[1]. » En somme, le religieux, c'est la communion qui dure, c'est le lien social par excellence, c'est du platonisme réalisé.

Des idées aussi simples tournaient aux poteaux indicateurs « Ici le profane », « Attention vous entrez en zone sacrée », et ne choquaient aucune confession. Elles résumaient leur commune certitude de cohabiter avec le divin :

« Je passe, et refroidi sous ce soleil joyeux,
Je m'en irai bientôt au milieu de la fête,
Sans que rien ne manque au monde immense et radieux[2]. »

Une élite européenne, qui s'imagine collectivement immortelle, tranche, avec bonne conscience, un peu vite, en faveur d'une des deux acceptions canoniques du mot religion. Ou bien lien, ligature (*religare*). Ou bien recueillement, scrupule, lecture (*relegere*). Déjà les Romains disputaient des deux étymologies. Et pas innocemment, comme le prouve l'art consommé d'un Cicéron jouant sur les deux tableaux. D'une part, lui-même pontife, il proclame haut et fort l'impérieuse nécessité des cultes et des rites traditionnels (*mos majorum*) qui bétonnent la société romaine. De l'autre, il ironise, se méfie des superstitions et invite à garder une distance respectueuse.

La querelle linguistique, toujours ouverte, compte moins que cette permanente polarité, qui gouverne depuis Rome les options religieuses de l'Occident. L'Europe antédiluvienne entend produire du lien social, incontestable, définitif, elle promeut des religions-ligatures. Après chaque déluge, le choix s'inverse : Dieu n'habite chez nous que par sa colère,

---

1. Émile Durkheim, *Bulletin de la Société française de philosophie*, février 1913.
2. Victor Hugo, *Feuilles d'automne*, dans *Poésies*, Le Seuil, 1971.

le croyant se dégage d'un monde en délire et d'une société qu'il abhorre. Il suit Dieu dans sa retraite, en protégeant cette retraite par l'exercice tous azimuts d'une religion critique, qui oppose l'arme du scrupule aux armées sans scrupules. De la foi qui lie à la foi qui délie, le retournement est total.

Dans la mesure où les vieilles catégories à la Durkheim continuent de régler les discours savants, l'expérience religieuse nouvelle ne passe pas pour religieuse. L'exercice du scrupule est supposé a-théologique ou anti-théologique. On feint d'ignorer que la misère de l'homme sans Dieu ne se révèle qu'à des hommes qui prennent le point de vue de Dieu pour évaluer leur misère et la conclure absolue.

Le plus banal des reproches adressés à la foi d'aujourd'hui épingle son « subjectivisme ». À tort. Le regard qui dénonce « le système » est « subjectif » certes, comme toute prise de vue, sauf que l'œil qui dévisage et pense le monde en tant que monstre n'appartient qu'à Dieu. Adorno argumente à la manière de Karl Barth, lorsqu'il tente de récupérer Kafka. Ce monde, que l'École de Francfort théorise, aliéné, réifié et déshumanisé, Kafka spontanément est censé le montrer. L'écrivain chausserait les mêmes lunettes que les doctes sociologues. Il contemplerait des personnages du « point de vue de la Rédemption », qui leur est refusée. Le tour est joué, la foi se manifeste même en l'absolue incroyance, seul Dieu sait diagnostiquer la mort de Dieu. Touchant Kafka, autrement retors et subtil, l'analyse laisse à désirer. En revanche, elle convient parfaitement à la foi nouvelle, athée ou non, qui défraie les chroniques d'après Déluge : pour soutenir une horreur théologique, théologiquement économique, théologiquement écologique, bref absolue, il faut procéder comme si Dieu existait. Mais comme si seulement. Il suffit que son œil existe et son œil, c'est le regard fou de colère de notre homme de foi.

On comprend pourquoi de très hautes autorités en ces matières s'inquiètent parfois, non d'un manque de foi, mais d'un trop de foi. L'encyclique *Fides et ratio* juge indispensable de citer Augustin : « Si la foi n'est pas pensée, la foi n'est rien. » Elle insiste dramatiquement, avec angoisse, sur la rupture entre la foi et la raison, au point qu'un théologien professionnel remarque : « L'encyclique de Jean-Paul II présage, à force de la conjurer, la fin du christianisme[1]. » Il n'est jamais trop tard pour percevoir que la machine de guerre, qui menace les religions établies, est elle-même une expérience religieuse.

La critique des fois contemporaines commence tout juste. Elle ne gagne rien à déléguer aux fois elles-mêmes le soin de se démystifier. Les bouquets d'imprécations et d'anathèmes qu'elles s'expédient traduisent leur rivalité davantage que leur intelligence. Elles se disputent la première place, qu'elles idolâtrent, avec un aveuglement partagé. La critique ne gagne pas plus à prôner un retour au *statu quo ante*, où une raison ancienne rétablirait les croyances anciennes sur un trône stable comme toujours. Il ne faut jamais sous-estimer l'adversaire. La foi contemporaine souffle sur les brasiers de la modernité. Elle irradie et incendie. Elle renaît tel un phénix des fournaises qu'elle allume. Inutile de vouloir la contenir. Inutile de l'assagir par les leçons d'un passé, dont elle signifie justement l'effondrement. La force de la foi moderne est d'oser penser et proclamer que rien ne sera comme avant. Sa faiblesse est de confirmer cet axiome fondateur par les calamités, que ses propres fantasmes fanatiques déclenchent : la série Verdun-Rwanda est infinie. Une humanité, qui se découvre et sans cesse se redécouvre mortelle, s'épuise à cultiver les idées fixes d'une civilisation qui s'est crue immortelle.

Les croyances « antédiluviennes » assuraient le croyant d'une immortalité, parfois individuelle — l'âme, la résurrection — et toujours générique. La simple créature pouvait périr, mais pas la Création, la vie, le genre humain, la nature. L'éphémère s'inscrivait dans l'éternel, le citoyen se sacrifiait à la nation, aussi naturellement que le savant se vouait au savoir, quitte à ce que l'université et l'armée s'apostrophent,

---

1. Joseph Moingt, *in Esprit*, février 1999. Il précise : (...) « la fin du christia- nisme, tel qu'il [Jean-Paul II] entend celui-ci assurément, c'est-à-dire comme sys- tème de pensée élaboré et unifié au moyen de la philosophie gréco-latine, comme une institution de sens qui a construit son histoire en recueillant cet héritage et en le transmettant comme patrimoine, et qui se trouve donc en perte d'identité une fois rompues les amarres avec la tradition ».

au nom de leurs éternités respectives, infaillibles l'une et l'autre. La foi évacue la croyance, comme l'ère des guerres et des révolutions a fait oublier la Belle Époque. La foi pense et agit dans l'horizon d'une mortalité, non plus seulement individuelle, mais potentiellement générale, dont la croyance d'antan n'avait pas soupçon. La foi vit « en agonie ». Toute critique bien intentionnée, qui néglige cette illumination négative jaillie des charniers du siècle, est impuissante et non avenue.

Délicate et difficile, la critique de la foi n'en devient que plus nécessaire et urgente. À condition de concentrer le feu sur l'unique point d'appui, qui permit à la foi de soulever le monde. Lorsque la foi médite la fin de toutes choses, elle a raison. Lorsqu'elle se veut engagement de mortels dévisageant leur mortalité annoncée, elle ne manque pas d'authenticité. Reste à déceler le défaut de cette cuirasse. Et plutôt que de reprocher à l'engagement contemporain de se laisser obnubiler par les malheurs du monde, lui objecter qu'il s'en affranchit à trop bon compte.

Lorsque l'homme de foi se révolte contre le monde, ses cris et sa fureur suggèrent *mezza voce* : « Je ne mérite pas ça. » Ses ruptures ont beau se vouloir radicales, plus il dépouille l'homme ancien, plus il se mortifie, et plus énorme est la mise qu'il empoche. À travers lui, Dieu contemple et ne se reconnaît pas. « Me faire ça à moi ! », le militant de la foi ne parvient à toiser l'actualité sauvage qu'en la tenant pour une injure personnelle. Son exaspération portée au rouge témoigne de l'attentat commis contre sa pureté. Il s'institue rage d'un Dieu qui se mire dans la triste réalité et s'émeut de son image inversée. Renversée.

La foi ne s'arrête pas aux faits, elle vitupère un système maléfique — le « monde », le « *Kapital* », le « consumérisme », la « mondialisation ». La foi s'exclut de ce qu'elle dénonce, elle transforme les cimetières, qu'elle contribue à remplir, en miroirs négatifs d'un Être suprême, dont elle se proclame la voix et la conscience. Sa critique ne se postule absolue que sur un fond de narcissisme encore plus absolu.

L'exaspération de l'homme de foi semble moins motivée par le côté sanglant des grandes tueries que par leur irruption.

Le fait qu'elles soient possibles scandalise davantage que leur réalité. L'homme de foi est un platonicien malheureux, il cultive la nostalgie d'un univers où le mal n'a pas droit d'exister. Il ne réclame pas que la peste soit combattue, il se proclame citoyen d'un monde où elle serait interdite de séjour.

L'homme de foi ne se résigne pas à la révélation de sa propre mortalité, et faillibilité, et vulnérabilité. Certes, il a pris le deuil des croyances ancestrales ; l'immortalité, sous ses parures diverses, n'est plus pour lui une assurance tous risques, gage de son intégration dans un ordre cosmique imputrescible. Néanmoins, la mort n'est pas plus « vraie » aujourd'hui que ne l'était l'immortalité hier. Elle révulse ; elle n'est pas un fait, tout juste une option. Est « mort » celui qui accepte de mourir, c'est-à-dire qui s'abandonne à un monde dont les maléfices le condamnent. Seul vit celui qui voit la mort avec l'œil d'un Dieu et réduit la menace de ne plus exister à une machination ennemie. En fin de compte, la révélation de la mort universelle, que la foi brandissait contre la croyance, se retrouve derechef platoniquement éradiquée. Périr et faire périr ne sont pas des opérations qui relèvent de l'humaine condition, ce ne sont que les sordides complots d'un « système » hostile. Donc la mort n'est pas un destin, mais un choix auquel la foi oppose son contre-choix.

En Occident, dans les années 80, un grand débat divisa les autorités morales et intellectuelles. Il touchait la légitimité relative ou l'injustice et l'illégalité totales de la dissuasion nucléaire. Un État, ou un ensemble d'États, est-il autorisé à se protéger en menaçant préventivement de l'arme absolue, exterminatrice ? A-t-on le droit de risquer la fin du monde ? Karl Barth, en théologien pacifiste, répondit carrément non ! À ses yeux, celui qui brandit la menace de détruire l'humanité ne se borne pas à transgresser les limites habituelles des conflits, il casse la règle du jeu et la possibilité de toute règle, il se révèle satanique. Karl Barth, avec tant d'autres, feignait l'innocence. Comme si ces armes une fois excommuniées, disparaissaient exterminations et capacités de génocide ! Comme si l'humanité, redevenue prénucléaire donc éternelle, ne pouvait se déchiqueter, plus probablement encore, morceau après morceau, par la grâce des machettes, des famines programmées et des fours à pain !

À la fin de sa vie, K. Barth demeurait dans le droit-fil de sa réaction première. Il avait eu le courage précoce de dévisager l'abîme creusé en 14. Il avait rejeté en bloc et l'abîme et la réalité, où de tels abîmes sont possibles. Il s'était institué procureur, héraut du « jugement de Dieu », porte-parole d'un univers céleste où pareilles abominations sont exclues. Une aussi inconditionnelle volonté d'éradiquer non pas un mal mais le Mal, une aussi irréductible conviction de pouvoir esquiver non tel péril mortel, mais la mortalité en général, cette certitude d'abattre le « système » en visant le cœur (« le nucléaire », « l'exploitation », l'ennemi héréditaire, l'incroyance des uns et le fanatisme des autres), voilà qui assure à la foi et à ses transes un avenir redoutable, révolutionnaire et religieux.

VII

LE GÉNIE DU COMMUNISME

> *Le régime communiste est condamné. Mais cette dernière constatation ne doit pas engendrer un optimisme facile. Le poison risque de survivre à la bête : l'héritage d'un tel régime peut se révéler plus redoutable que son règne.*

> Simon Leys, *Essais sur la Chine*[1]

Lénine n'est pas un homme de foi, il est l'homme de la foi. Sa révolution, qu'il croit avec naïveté inspirée par les idéologies du XIXᵉ siècle, organise en fait la réponse fidéiste au déluge de 1914. Car la foi milite. Lénine relit Marx, lit Hegel et découvre Clausewitz, il quête des « guides pour l'action ». Peu lui importent nuances et ambiguïtés, il glisse sur les impasses et les difficultés, sa lecture est militante. Il ne peaufine pas d'interminables exégèses, il bâtit un programme. Il cite Danton : « On fonce et puis après on voit. » Il se veut documenté comme un docte, mais il aiguise ses concepts en homme d'action. La foi n'ayant d'yeux que pour la foi, Lénine divise les grands auteurs. Il distingue deux « lignes ». D'un côté le compromis « réformiste », « idéaliste », « métaphysique », « obscurantiste » et « clérical. » De l'autre, l'élan révolutionnaire, « matérialiste », « dialectique », « sans compromis ». La fameuse antinomie Ami-Ennemi, à laquelle C. Schmitt réduit

---

1. Robert Laffont, 1998, p. 803.

l'authenticité spécifique du politique, n'est que l'ombre portée théorique du bolchevisme spirituel élaboré par Lénine et ses adeptes. Toute foi s'engage et tranche. Prendre parti, c'est prendre un autre à partie.

Lénine inaugure un rapport nouveau à la pensée et à l'action. La seconde devient guide de son guide et oriente la première. Même dans les régions bourgeoisement tempérées, une utilisation aussi cavalière des idées et des idéaux propage ses ravages : « L'existentialisme, au moins dans sa version française, est d'abord un abandon des embarras de la philosophie moderne pour l'engagement sans réserve dans l'action[1]. » Avec Platon l'immortalité offrit la chance de supporter des apories insolubles ici-bas. La révolution reprend « le rôle que joua jadis la vie éternelle ». Elle « sauve ceux qui la font[2] ». Quant à ceux qui ne la font pas, elle les juge, quand ils ne se jugent pas en et par elle. « L'anticommuniste est un chien », ose Sartre. Mais le scandale qu'il soulève est mince, car l'écrivain se borne à expliciter le rapport du militant au militant, dans lequel l'homme de foi enferme la substantifique moelle des rapports humains. La foi se méfie autant d'elle-même que des autres. Elle ne se trouve, ne se vérifie qu'à l'instant de la décision. Avant, comme après, sa propre mauvaise foi la menace. Dans l'imminence du choix, elle se prouve et s'éprouve. Son faire lui accorde un minimum d'être — ici mes amis, là-bas mes ennemis. Acte de foi, acte de choix, acte de naissance coïncident en l'heure H, auparavant l'inexistence porteuse de l'extinction générale réglait le spectacle.

La foi moderne entend partir de rien. Au commencement est la table rase d'un Verdun rwandais, chinois ou latino. La révolution ne sera pas populiste, pas même au sens généreux du printemps des peuples de 1848. Elle ne se soucie pas, sauf à jouer la démagogue en cas d'extrême nécessité, de majorités préalables. Lénine disperse sans scrupules l'Assemblée constituante librement élue, Hitler gagne par le feu au Reichstag. Le mépris des dictatures révolutionnaires pour la croyance sécu-

---

1. Hannah Arendt, *La Crise de la culture*, Gallimard, coll. « Folio-essais », 1989, p. 17.
2. André Malraux, *L'Espoir*, Gallimard, 1996.

laire des masses dépasse les excès ordinaires et extraordinaires des têtes brûlées antérieures. Témoin Gorki, chantre de la haine bolchevique pour les moujiks (90 % de la population russe). Témoin, quand il consent à s'exprimer, Hitler et son mépris du christianisme (90 % de la population allemande), même quand ses hommes de main entreprennent de le germaniser, à l'aide d'un bric-à-brac folklorique guère plus estimé. La foi n'a pas d'avant, elle dispose de l'après. Elle ne gouverne pas d'en bas, portée par une tradition populaire. Elle ne règne pas d'en haut, à la manière du despote éclairé diffusant les lumières de l'avenir sur l'obscurantisme du jour.

Indifférente aux garants tutélaires et aux soutiens externes, la foi prend grand soin de se suffire à elle-même. Hegel reconnaîtrait dans une aussi agressive volonté d'autonomie bien des traits de son *Geist*, cet esprit qui se fait sujet et objet de sa propre production. Un linguiste verrait dans ce décisionnisme abrupt le moment performatif du langage, quand dire c'est faire, quand en prêtant serment — tu es ma femme —, mon engagement entraîne l'existence de la relation qu'il prononce, du seul fait qu'il la prononce [1]. Le juriste et le sociologue, Carl Schmitt et dans la foulée Georges Bataille, baptiseront d'un signifiant ancien la toute neuve prétention de décider, *in extremis*, de tout en tout. « Est souverain... celui qui décide de la situation exceptionnelle [2]. »

Non sans retard et tergiversation, le bon sens décèle la dictature totalitaire qui s'avance tapie dans ces souverains maîtres **avant** Dieu ou en Dieu et non plus maîtres **après** Dieu avec la modestie des monarques « absolus ». Carl Schmitt dissimule l'inédit de la décision totalitaire sous d'abusives références à Bodin ou à Hobbes. Le monarque, comme le dictateur romain, décidait de tout **dans** des circonstances exceptionnelles, mais en droit il ne décidait pas **de** ces circonstances. Leur caractère exceptionnel était laissé à l'appréciation de la raison, via les conseillers, les ordres privilégiés,

---

1. J.L. Austin, *Quand dire c'est faire*, Le Seuil, 1970.
2. Carl Schmitt, *Théologie politique*, Gallimard, 1988, p. 15. « *Souverain ist, wer über den Aussnahmezustand entscheidet.* » Qui décide **de** et non pas qui décide **dans**, tout le problème est là, note avec justesse le traducteur.

les sénats, les parlements, qui représentaient peu ou prou l'opinion publique. Dictateur à l'intérieur de circonstances circonscrites ? Rien de nouveau. Dictature sur les circonstances et leur définition ? Du jamais-vu ! La foi n'arbitre pas entre des réalités extérieures plus ou moins probables, entre des perfections plus ou moins souhaitables. Son arbitraire ne s'adapte pas aux réalités, il les programme et les crée. Il ne teste pas une perfection préalable. Il l'invente performativement. Il la tire du néant. Jadis seul le Dieu de Descartes, et non son roi, jouissait de l'étonnant privilège de créer des vérités éternelles !

À l'assaut !

« À bas le ciel !... Au fond Hegel a entièrement raison contre Kant... Kant abaisse la science, pour frayer le chemin de la foi : Hegel élève la science, nous assurant que la connaissance c'est la connaissance de Dieu. Le matérialiste approfondit la connaissance de la matière, de la nature, renvoyant Dieu et les canailles philosophiques qui le défendent dans la fosse aux ordures. »

Lénine[1].

Lénine ouvre la voie et les vannes. Les clones caricaturaux vont se multiplier, le génie en moins. Les décisions, à commencer par les siennes, ne sont pas inspirées par la base — « le socialisme vient au peuple de l'extérieur ». Elles ne descendent pas non plus d'un ciel d'idées. On connaît la piètre estime du révolutionnaire pour les discussions « académiques », la recherche « désintéressée » et l'intelligentsia « sans attaches ». La foi n'attend ses inspirations ni du passé ni du futur, ni des sommets de l'esprit éthéré ni des profondeurs d'une sentimentalité enracinée. Elle décide en elle et par elle. Elle adoube le « révolutionnaire professionnel »,

---

1. *In Cahiers sur la dialectique*, de Hegel (sept.-déc. 1914), NRF, 1938.

ersatz d'une élite bâillonnée, cafouilleuse et moribonde, porte-parole d'un peuple promis *manu militari* au dressage et aux mobilisations. Hitler liquide les SA trop spontanés et populistes. Staline nettoie les états-majors techniques, scientifiques, militaires et politiques qui eussent pu le contredire. Arbitraires, permanentes, ubiquitaires, les purges inaugurées par Lénine, avant même sa prise de pouvoir, atteindront après sa mort une dimension cosmique imprévue. N'empêche, la clé qui libéra les monstres fut taillée et limée par lui. L'esprit qui présida aux tueries futures est le fruit de studieuses études, conduites dans la sérénité feutrée des bibliothèques suisses... alors que l'Europe prenait feu.

Clausewitz ne vient pas par hasard étoffer l'enquête que Lénine poursuit sur l'illimitation de la violence. Le souci majeur du général prussien touchait l'équilibre stratégique européen. Peu enclin à partager l'optimisme d'une Sainte-Alliance victorieuse, il avait médité, dès 1830, le retour possible des batailles d'anéantissement et calculé les moyens de les contenir, de les prévenir et, en cas de malheur, de les soutenir. Napoléon est mort. Pas sa guerre. Entre les grands États-nations, rivaux et suspicieux, comment éviter la montée aux extrêmes ? Ne misant que très modestement sur la sagesse et la prudence des dirigeants politiques, l'auteur de *De la guerre* définit une raison extrapolitique, proprement militaire, de se tenir tranquille : le privilège stratégique de la défensive sur l'offensive. Un État suffisamment grand, ou une alliance d'États, ne doit pas craindre une attaque surprise, qui mette K.O. dès le premier round. L'échec de Napoléon, ce « Dieu de la guerre », en Espagne et en Russie, prouve l'impuissance des offensives éclairs, même devant un adversaire imprévoyant. Le fameux « miracle de la Marne », qui stoppe l'agression allemande initiale, illustre le bien-fondé du principe clausewitzien de la « supériorité de la défensive » ; Lénine l'évoque pour tenir bon, après avoir cédé un tiers de la Russie à l'Allemagne, lors de la paix de Brest-Litovsk. Mais encore sur la touche, le réfugié, révolutionnaire au chômage, inverse question et solution. Il se demande : qu'est-ce qui a craqué dans la construction clausewitzienne ? Il s'interroge :

d'où vient que l'équilibre se rompe et que les États précipitent leurs armées les unes sur les autres sans réticence ?

La balance des forces, qui assure la stabilité et la paix (relative) du continent pendant un siècle (1815-1914), suppose que les États maîtrisent le jeu. Deux conditions, montre Clausewitz, sont requises à cet effet. À l'intérieur, chaque nation majeure doit avoir canalisé la violence populaire induite par la Révolution française, le « monopole de la violence légitime » (Max Weber) redevenant l'apanage des grandes puissances de l'Europe moderne. À l'extérieur, le concert des nations module alliances et contre-alliances, afin d'écarter la menaçante hégémonie d'un seul. Le prudent Clausewitz ne tenait pas cet équilibre pour infaillible. Lénine, à bon droit, l'ausculte à nouveau pour mettre au jour le ver dans le fruit et dégager la faille, qui provoque la montée aux extrêmes. À la lumière du stratège prussien, Lénine découvre comment l'ensemble du système post-révolutionnaire entre en crise ; il avait permis aux élites d'imposer à l'ébranlement de 1789 d'innombrables crans d'arrêt, lesquels, en 1914, sautent l'un après l'autre.

Les États foncent, tête baissée, dans l'ascension aux extrêmes pour trois raisons principales. Premièrement, ils s'adonnent avec enthousiasme à l'**idéologisation** de la violence. Chacun croit incarner « la » civilisation face à l'autre, « le barbare ». La nouvelle guerre civile européenne retrouve ainsi la fougue et la flamme révolutionnaire dont Clausewitz avait souligné l'importance stratégique : « ... la guerre se déchaîna alors avec toute sa force naturelle. La cause en fut dans la participation des peuples à ce grand intérêt des États, et cette participation provient en partie des changements intérieurs que la Révolution française amena dans les États, en partie du danger dont le peuple français menaçait tous les autres peuples[1]. »

Deuxièmement : l'illimitation des fins est corrélative d'une **mobilisation matérielle** inouïe des moyens. Populations, économies, rien n'est épargné pour étendre le recrutement et

---

1. Lénine, « Cahiers sur Clausewitz », *in Fondements de la guerre et de la paix en URSS*, Paris, 1945. La citation recopiée par Lénine est extraite de *De la guerre*, livre VIII.

l'extension de la nouvelle guerre industrielle. Pareil élargissement avait été esquissé, constate Lénine à la lecture de Clausewitz, par la levée en masse de 1793 et la centralisation
économique et administrative décrétée par Napoléon.

Troisièmement : les conventions **opérationnelles** sautent.
La neutralité des Belges n'est pas respectée, la différence
entre le front et l'arrière s'amenuise, les cibles s'élargissent,
la cathédrale de Reims est canonnée, les populations civiles
prises en otages, les universités caporalisées ou crétinisées, les
relations commerciales et les industries deviennent objectifs
par excellence des frappes militaires. Sans limites dans ses
fins, dans ses moyens et dans ses cibles, la guerre devient
« totale » (Ludendorff) ou « intégrale » (Léon Daudet).

Lénine lit et relit Clausewitz sans nostalgie. Et le tord avec
délectation. Les freins ont lâché, que la bonne époque du
passé voulait garantir éternels, *va bene* ! Le fleuve à nouveau
est sorti de son lit. L'énergie idéologique et révolutionnaire
déborde les autorités qui, des décennies durant, se crurent à
l'abri. *Va bene*, deux fois ! Les États s'excommunient à qui
mieux mieux ; ils se condamnent mutuellement à mort et
assurent plus difficilement que jamais leur monopole de violence. Quoi de plus réjouissant ? *Va bene*, trois fois. Finis les
calculs sereins des chancelleries, formées à la diplomatie
secrète. Adieu les états-majors empesés ! L'histoire redevient
sauvage. Les masses renouent avec les passions. Le moral des
troupes réclame des convictions neuves et tranchantes. Avec
acribie et subtilité, Lénine déchiffre Clausewitz à rebours. Le
général souhaitait voir la raison vaincre les passions, il espérait que la considération froide des rapports de force, dont il
disséquait les principes, gouvernât les élans militaires et
populaires, car il détectait la braise sous les cendres de Napoléon. L'intellectuel, lui, s'entraîne à souffler sur les flammes.
Il reprend les analyses du général, et les oblige à marcher sur
la tête. Plus fondamentaux que les rapports de force, il
découvre les rapports de foi. Les premiers ne contrôlent plus
les seconds, qui désormais dominent. Les idées deviennent
forces matérielles lorsqu'elles s'emparent des masses, répète
Lénine. Il veut dire : une idée qui s'empare des masses, c'est
une « ligne », une « foi ».

Tandis qu'il convoque le « réaliste » Clausewitz, afin de programmer la foi comme ressort de l'histoire et moteur des hostilités stratégiques, Lénine demande à l'« idéaliste » Hegel une leçon de... réalisme révolutionnaire. Puisque les affrontements armée contre armée, peuple contre peuple, classe contre classe sont des rapports de force animés, sous cape, par des rapports de foi, quelle pratique stratégique détermine la victoire dans ces guerres de la foi contre la foi ? Hegel offre deux réponses possibles. La première tresse la couronne de l'hégélianisme officiel, du « système », vitupère Lénine, elle vole au secours du victorieux : si le plus fort gagne, c'est qu'en vérité, sur la longue distance, le plus fort est le plus rationnel et le plus civilisé. Telle est la « ruse de la raison ». Celle qui, au prix de massacres sans raisons ni motifs, fait triompher la Grèce sur la Perse, Rome sur la Grèce, le christianisme sur la romanité et les Temps modernes sur le Moyen Âge. La seconde, celle de la « méthode » contre le système, celle des hégéliens de gauche contre les penseurs établis, consacre le pouvoir destructeur de la « négativité » : gagne le plus radical, celui qui se bat jusqu'au bout et ne descend plus dans l'arène dans le seul but de sauvegarder et le *statu quo* et ses propres armes. Les armées de l'Ancien Régime manœuvraient, elles luttaient pour sauver la face, elles ambitionnaient (déjà !) zéro mort dans leurs rangs. Les armées révolutionnaires jouent le tout pour le tout, clament la liberté ou la mort et visent l'anéantissement de l'adversaire. L'audace d'aller aux extrêmes devient en elle-même et par elle-même signe de bon droit. Lénine ne tarit pas d'éloges sur les exploits d'une violence qu'il qualifie, selon ses humeurs, de plébéienne ou scientifique. Au robespierrisme encore bardé de vertus et d'interdits, donc hésitant, et finalement brisé par ses hésitations, Lénine oppose sa franche dictature — baptisée prolétarienne —, celle d'une foi qui soulève les montagnes, sans souci du qu'en-dira-t-on et des retombées.

Le Hegel libéral-conservateur est l'homme de la *Aufhebung*, un dépassement qui supprime et conserve, organise la continuité dans la discontinuité. La *Aufhebung* promet un travail de deuil réussi. La partie saine du passé est intégrée au programme de l'avenir. Le sens rétrospectif de l'histoire unifie ce qui a été, ce qui est et ce qui sera. Le Hegel libertaire-révolutionnaire s'attarde davantage sur les détours, les bavures et les bas-côtés. L'histoire n'avance pas de façon rectiligne comme la perspective Nevski, aime à préciser Vladimir Ilitch, dont la foi tient d'elle-même, plus que des réminiscences du passé ou des utopies futuristes. La stratégie (réformiste) du dépassement-*Aufhebung* cède le terrain à la stratégie (révolutionnaire) de la transgression. Victoire pour celui qui ose tout. Bousculer les tabous, ne rien respecter devient en soi un témoignage de force.

De la dialectique hégélienne, Lénine retient l'art d'approfondir les contradictions jusqu'à l'explosion. Pour lui, comme pour Karl Barth, Adorno, Brecht ou Mao, l'apport essentiel du maître de Iéna est la procédure d'opposition thèse-antithèse, sans demi-teintes et demi-mesures. Penser, c'est rompre. Une fois la fameuse « synthèse » reléguée dans les poubelles de l'idéalisme, la dialectique résolument négative devient la grande méthode du conflit spirituel. Le coup de génie proprement léniniste transmue la négativité mentale en puissance de faire l'histoire. Et pour commencer, de défaire le monde. Le futur dictateur tire de Hegel une règle tactique, qu'il eût pu, plus nettement, extraire de Nietzsche : tout ce qui vacille doit être jeté bas, tout ce qui tremble doit tomber. Car derrière Hegel, Lénine a trouvé Sade, sans le savoir : ses héros s'ingénient à prouver leur force dans un jeu de massacre mental et physique. Ils cassent à l'infini. Sauf que Sade désespère : les victimes, Justine, ne sont pas convaincues, les fidèles désertent, la Société des amis du crime s'entre-déchire, l'appel aux Français, « Encore un effort pour être républicains », tombe à plat. Dans la fiction, comme dans la réalité, le héros sadien vit et meurt enfermé. Châteaux des supplices, prison de la Bastille, asile de Charenton, la solitude guette qui veut prouver sa toute-puissance par la toute-destruction. Quand 1914 renverse l'horizon, la moisson de morts, dont rêvait, dans ses geôles, le divin marquis, devient un objectif à portée de main pour qui calcule sans fausses (« petites-bourgeoises ») pudeurs.

« Si Dieu est mort, tout est permis », la formule, qui paniqua légion de bien-pensants, n'est, à mieux regarder, qu'un pieux non-sens. Réfléchissons : si Dieu est mort, il n'est pas éternel. Donc ceux qui l'adorent décédé adorent une illusion, et ceux qui le croient éternel ne le croient pas mort. Zéro à zéro, match nul. Si une illusion est morte, pas de quoi fouetter un chat. Les croyants d'antan se trompaient-ils sur l'Éternel ? Celui-ci les a-t-il abusés ? Ou bien n'était-ce qu'un fantasme désormais dissipé ? Rien là qui permette de conclure que « tout est permis ». Celui qui s'éveille d'un rêve se frotte les yeux, les pose sur une réalité faste et néfaste, idyllique ou périlleuse, il ne trouve là aucun motif d'exulter : je ne rêve plus, donc plus d'interdits ! Renversez la formule, difficile de résister à son évidence : si tout est permis, Dieu est mort. Quand des individus, ou des collectivités, naviguent par-delà le bien et le mal, quand ils se permettent de tout se permettre, alors les Êtres Suprêmes, les instituteurs ou les garants d'interdits « éternels », essuient un coup fatal et tombent en désuétude. De la toute-permissivité, on peut déduire l'inutilité et la mort des dieux. Pas l'inverse.

Voilà par où Lénine triomphe. Voilà le scandale. Il se permet n'importe quoi. Il n'ergote pas sur le créateur du Bien et du Mal, du Vrai et du Faux, du Beau et du Laid. Il en conquiert la place. Il lève les interdits, « à la guerre comme à la guerre », il s'affirme par la négative plus capable d'autorité que les anciennes autorités. Il ment. Il casse. Il détruit pour le bien de sa cause. Plus il démolit, plus il trouve sa foi renforcée, donc bonne. La gloire de la transgression, la force morale qu'elle procure n'étaient pas inconnues des subversions d'antan, le procès de Louis XVI et son exécution en témoignent. Mais il fut réservé à Lénine de rassembler ces éclairs éphémères en foudre permanente. L'art de transgresser pose l'alpha et l'oméga des nouvelles révolutions. Seul Dostoïevski avait subodoré la formidable puissance de chambardement social et mental prête à jaillir de l'esprit qui nie. Et il écrit *Les Possédés*, ou *Les Démons*.

Plongé dans la méditation du déluge, Lénine invoque son troisième saint. Après le stratège des stratèges et le penseur des penseurs, l'infaillible patron du socialisme européen est cité à la barre. Pour devenir l'apôtre du léninisme, Marx doit être redécouvert, entendons redécoupé. Cette fois, ce serait blasphème que de vouloir scinder un « bon » et un « mauvais » profil du référent suprême. S'acharnant à mobiliser les marxistes contre les marxistes, Lénine évite cependant d'opposer Marx à Marx. Seuls les sociaux-traîtres d'en face sont « révisionnistes », lui se revendique disciple fidèle, voire unique, de l'immaculé concepteur. Il lui faut révérer l'Ancêtre en bloc. Les textes du Maître sont cités comme parole d'évangile, seule leur exégèse prête à débat, donc à d'irréversibles ruptures. Préparant et légitimant son offensive éclair contre Karl Kautsky, pape en titre du marxisme européen, et contre son Église, la IIᵉ Internationale, le bolchevique se décharge sur le cours du temps de l'opération parricide, qu'il refuse d'assumer. Il y aura bien deux Marx, celui d'avant et celui d'après 14. La vérité marxiste est éternelle, mais les temps changent, *Times are changing*, et sortent de leurs gonds. Ainsi Lénine lance-t-il la crise de « l'impérialisme », ce « stade suprême du capitalisme », que Marx ne saurait concevoir que *post mortem*.

Si Marx, à quelques retouches près, peut passer pour le Lénine du capitalisme florissant, Lénine se présente, sans barguigner, comme le Marx du capitalisme pourrissant. En chevalier de la foi, c'est-à-dire en bon platonicien qui s'ignore, il dénonce le temporel comme une injure contre l'éternité. Et Lénine de penser : si la prédication marxiste, « toute-puissante parce que vraie », a tout faux, si elle n'a prévu ni le carnaval sanglant ni l'art de l'interrompre, c'est la faute non à la théorie du père fondateur, mais aux pépins d'une réalité qui pousse l'insolence jusqu'à le démentir. Au fond, appuie Lénine, Marx avait encore plus raison qu'il ne le pensait : le système capitaliste est condamné. Il ne peut plus se développer. Il « pourrit », donc les marxistes réformistes sont coupables, qui n'ont eu ni l'énergie ni la foi d'assumer la succession et d'instaurer, quoi qu'il en coûte, le communisme. Au fond, le seul événement que Marx n'ait pas prévu et prévenu, c'est la forfaiture de ceux qui se réclamaient de lui et les conséquences inouïes d'une si grave trahison. Abandonné à lui-même par la couardise des fossoyeurs professionnels, le capitalisme tourne au monstre absolu. En phase terminale,

« impérialiste », il ouvre béante la première grande boucherie mondiale.

Pareil ajustement se révèle moins bénin qu'on ne croit. Lénine ne se contente pas d'éclairer de nouvelles réalités par des catégories éternelles cueillies dans sa bible, *Le Capital*. Il modifie insidieusement, sans trop s'en apercevoir, les catégories elles-mêmes. La formidable promotion du vocable « pourri », à la fois concept et injure, en témoigne. Le socialiste d'avant 14 pensait et militait dans le cadre d'alternatives simples, héritées des lumières : éduqué/non-éduqué, nature/culture, cru/cuit... Le capitalisme avait imposé sa civilisation aux barbaries des temps anciens, le prolétariat élevait la sienne sur la barbarie capitaliste. Lénine reprend l'antienne, à un détail près. La partie à deux devient jeu à trois. Les pontes du mouvement social hésitaient : La situation est-elle « mûre » ? Pas encore ? Le prolétariat est-il prêt ? Ou manque-t-il de formation ? La perspective léniniste du « pourri » change les termes du calcul, il ne suffit plus de se demander si les temps sont venus, ou s'il faut attendre, le risque le plus grave est de laisser passer l'occasion, car le temps qu'on ne gagne pas se perd et s'installe corruption.

Les précurseurs (anglais) de Lénine avaient inventé la notion d'impérialisme en toute innocence philosophique. Ils complétaient les étapes canoniques du développement capitaliste et, historiens ou journalistes, ils adaptaient la théorie aux nouveautés du jour. La vision léniniste est autrement renversante. Le système capitaliste ne se borne pas à promouvoir ses propres fossoyeurs, il produit ses propres tombes, il se produit cimetière universel. Dernière étape certes, mais surtout suprême aboutissement, l'impérialisme dévoile rétrospectivement la face obscure d'un système bien plus pestilentiel qu'il n'avait été pressenti. Loin de travailler, bon gré mal gré, à son propre dépassement, la dynamique capitaliste s'avère hantée par un mauvais démiurge, si assoiffé de sang et d'argent, qu'il manigance une fin du monde. La chenille capitaliste n'a pas éclos papillon socialiste, mais serpent impérialiste.

L'obsession du pourri traduit la lassitude et la répulsion qui s'emparent des gueules cassées. Elle modifie de surcroît les constantes d'une pensée progressiste et socialiste, qui postulait, histoire à l'appui, que les forces productives finissent toujours par l'emporter. Sous forme naïve, on chantait le progrès technique. Sous forme épique, on glorifie l'énergie humaine : « La bourgeoisie... la première a montré ce dont l'activité humaine était capable. Elle a créé de tout autres merveilles que les pyramides d'Égypte, les aqueducs de Rome, les cathédrales gothiques ; elle a mené à bien de tout autres expéditions que les invasions et les croisades[1]. »

L'impérialisme selon Lénine renverse les préséances. Les rapports de production engendrent les rapports de destruction et s'y soumettent. Les intérêts capitalistes allument, entretiennent et attisent les conflits exterminateurs. Au cœur de l'actualité, le primat des forces destructives sur les forces productives appelle un revirement de l'âme et une conversion du sujet de l'histoire. Le passé n'a plus cours, l'avenir est en suspens, aux croyances marxistes doivent succéder la foi et la militance léninistes.

La transformation conceptuelle induite par la prise en compte de l'impérialisme aboutit à un marxisme manichéen. Le monde est mauvais. Le système, infernal. La gangrène gagne même ceux qui luttent. Le soupçon est partout. Une discipline de fer et une résolution sans faille doivent cuirasser le révolutionnaire. Un pas en arrière, deux pas en avant, nos œuvres participent de la corruption mondaine. Nos mains sont sales. Seule la foi sauve. Reste pour guider nos pas le miroir noir et répulsif d'un système intégralement pervers, contre lequel tous les moyens sont bons. Cette opposition absolue entre ami et ennemi ne constitue pas l'exclusivité léniniste, marxiste ou progressiste ; à droite comme à gauche, dans les hautes sphères comme dans les bas-fonds, en Asie, en Afrique, en Russie ou en France, l'inclination dominante est identique : tous les maux du monde sont ourdis par un système unique, œuvre d'un principe maléfique qu'il convient d'éradiquer. La bonne entente régnera dès qu'avec « le système », impérialiste, technocratique, eurocentrique, métaphysique, impie, subjectiviste, etc., sera éliminée la main invisible,

---

1. Karl Marx, *Manifeste du Parti communiste*, 10/18, p. 23.

FMI, Wall Street, Hollywood, Mondialisation, source de tous les maux. Lénine n'est évidemment pas responsable de la renaissance stupide et planétaire d'une religiosité manichéenne, qui, dans les premiers siècles du christianisme, s'était répandue comme traînée de poudre de la Mauritanie au Sin-kiang. Un seul cri d'exaspération et de haine, au sortir de 14-18, gonflait les poitrines européennes. Le fondateur de la IIIe Internationale sut le traduire avec son brio particulier : À bas l'impérialisme !

Cinq années après ses doctes études, Lénine rafle tous les pouvoirs en Russie, mais voit son rêve mégalomane de révolution mondiale tenu en échec. Il n'a pas réussi à bolcheviser l'Allemagne, en passant le relais au prolétariat organisé et éclairé d'Occident. Le nouveau pape du marxisme se retrouve à la tête d'un pays économiquement arriéré, bien incapable en apparence de servir de guide et de modèle. Et pourtant les léninistes ne rendent pas les armes, ils affichent une foi intacte, le programme élaboré sous le patronage auguste de Hegel, Clausewitz et Marx leur tient lieu de passeport pour l'avenir. Contre l'ennemi unique, le système impérialiste, ils vont mobiliser sans scrupules tous les adversaires imaginables. État-major revanchard allemand, muftis anti-occidentaux, bourgeois vénaux et asociaux, nul n'est exclu d'avance.

Se pâmer devant le flair tactique et politique d'un Lénine, qui certes n'en manquait pas, serait par trop naïf. Si ce diable d'homme s'autorise des anticipations rarissimes en matière de subversion planétaire, il doit ses dons de prémonition à sa témérité intellectuelle. Il ne recule devant aucun tabou. Contre son ennemi par excellence, le « système », il fraternise avec des « obscurantistes » qu'il méprise et des culottes de peau qu'il abhorre. De telles alliances ne paraissent contre nature qu'aux croyants d'ancien régime. Elles ne troublent pas l'homme de foi, qui découvre que le monde actuel est tout entier contre nature, donc que rien n'est négligeable pour le détruire. S'ils ne brillent guère par leur intelligence, les renversements cyniques d'alliance, coutumiers à Staline et consorts, prolongent la même foi. Il convient encore moins de réduire le génie prophétique de Lénine à un trait de caractère. Certes, l'individu n'était guère aimable, Soljenitsyne le dépeint sectaire, acrimonieux, rancunier et peu enclin à la générosité. Ces mauvaises façons sont le lot de beaucoup, qui ne deviennent pas Lénine pour autant. L'originalité du personnage loge dans cet art de transformer ses mauvaises pensées en destin de la pensée et ses mauvais sentiments en guides pour une action mondiale. Un fondateur de religion, l'homme d'une foi neuve n'a pas moins de travers psychologiques que tout un chacun, mais chacun ne parvient pas à universaliser ses défauts personnels pour fonder une foi si contagieuse.

La stratégie mentale léniniste innove. Elle donne son congé définitif au douillet Cosmos, dont nos belles époques s'imaginent locataires permanents. Elle ne croit plus avec la tradition que fatalement l'amour est plus fort que la mort, la construction que la destruction, la création que l'annihilation. Mais la foi nouvelle reste une foi ; elle découvre dans tout malheur, dans tout désastre, la main de l'Ennemi. Elle s'autoproclame toute bonne et pure face au système du tout-mauvais, dans lequel elle contemple son image inversée. Elle se veut plaque tournante du destin planétaire. Au croisement où se décide l'ascension ou la chute, à l'instant du choix, le salut paraît une dernière fois possible : même si hors la foi, tout est pourriture. « Aujourd'hui on ne peut caresser personne : on vous dévorerait la main, il faut taper sur les têtes, taper impitoyablement, bien que dans l'idéal nous soyons opposés à toute violence. Hum, Hum, quel métier infernalement difficile », confie Lénine à Gorki[1]. Le dispositif optique de la négativité dialectique, selon Barth et Adorno, trouve son efficacité et sa vérité dans la machine de guerre manichéenne assemblée par Lénine.

« Dieu c'est moi », suggéraient des Césars à la foi autocrates et théocrates. « Ou Dieu, ou moi », contrechantèrent les léninistes. Le double héritage est assumé sans excès d'embarras par foison de successeurs : il faut et il suffit que le bon peuple respecte un pouvoir suprême, identique à... ou *alter ego* de... l'Être suprême.

---

1. M. Gorki, *Lénine et le paysan russe*, Gallimard, 1924, p. 16.

Des macaroniques prétentions léninistes à légiférer en matière d'épistémologie, de littérature, d'analyse économique ou de bonnes mœurs, il ne reste quasiment rien, sauf le principal : la mentalité binaire. Qui n'est pas avec moi est contre moi, réitère à chaque grande et petite occasion le cassant Vladimir. Il réussit à séculariser et moderniser l'esprit des guerres de religion, en l'élevant religion de la guerre. L'emprise du communisme, de ses succédanés et de ses héritiers ne tient nullement au charme désuet d'utopies péniblement rafistolées. Les masses et les intellectuels empruntent à Lénine, non point une manière simplette de rêver, mais une méthode pour se battre, simplificatrice elle aussi et par là même redoutablement efficace. Après l'effondrement du régime soviétique, son fondateur conserve une autorité spirituelle, discrète mais décisive ; **à ses concitoyens comme aux grands de ce monde, il aura enseigné à compter jusqu'à deux, et jamais au-delà.**

Si pas Hitler, donc Staline. Il faut choisir son camp, l'un ou l'autre. Ou bien l'islamisme, ou bien l'armée russe anéantissant villes, villages et habitants. Les fanions fanent, les idéaux s'affaissent, les slogans s'inversent, seul demeure l'art de ranger les contemporains en ordre de bataille, de transfigurer chaque débat en combat et tout combat en duel à mort, sans pitié, ni tabous, ni frontières. La victoire posthume de Lénine se célèbre, de Guernica à Grozny, dans la tête de ses successeurs apostats et de ses adversaires mimétiques, lorsqu'ils sacrifient allégrement les civils au binarisme réducteur des expéditions exterminatrices.

VIII

LA RÉVOLUTION SPIRITUELLE

> *Oui, du moment qu'on sait pourquoi tout*
> *devient facile, une simple question de magie.*
> *Connaître le saint tout est là, n'importe quel*
> *con peut s'y vouer.*

S. Beckett, *Molloy*

Les cendres d'un écrivain, fussent-elles logées, en grande cérémonie, sous la coupole du Panthéon, ne sauraient le protéger contre des prophéties attribuées à titre posthume. Malraux n'a jamais commis la platitude d'écrire : « Le XXIᵉ siècle sera religieux. » Loin de consoler du siècle passé et d'inviter au soleil des temps nouveaux, une telle annonce l'eût plutôt inquiété. Le XXᵉ siècle fut-il aussi désenchanté et mécréant qu'on se plaît à le croire ? N'a-t-il pas, au contraire, ouvert l'âge du « fondamental », où des hommes radicaux, armés de fois inébranlables, entreprirent de rompre avec le « vieux monde », comme jamais les confessions officielles ne l'avaient tenté ? Le XXᵉ siècle fut religieux de part en part. Pas de quoi se réjouir, mais plutôt frémir, si le suivant l'imite.

1. Repartir de zéro

Puisque 1914 inaugura, à grand fracas, un chapelet d'écroulements de mondes. Puisque les croyances, les familles, le travail, les patries n'ont pas échappé à l'ébranlement général des us et des lois, force reste à la foi. Sous des accoutrements ondoyants et divers, partout est requise une conviction, qui se veut « fondamentale ». À ne pas douter d'elle-même, la foi s'impose fondement. Si elle se retourne sur soi, c'est afin de confirmer sa puissance. Si elle se méfie d'elle-même, c'est pour n'être pas assez affirmative, sans jamais éprouver le regret de l'avoir été trop. Et si elle se permet d'invraisemblables tête-à-queue, c'est qu'elle glisse, sans aucune réticence, d'une conviction usée, « mauvaise », à une conviction neuve, qu'elle jure encore plus définitive que l'ancienne. La foi, qui se pose principe, ne peut sortir d'elle-même. Elle forme un « cercle rigoureusement fermé[1] ». Tellement clos qu'il lui est impossible de se fonder en arrière dans quelque généalogie qui l'étaierait, ou de bondir en avant happée par l'attirance magique d'une utopie irrésistible. Elle décide, ici et maintenant, d'elle-même. Donc de son passé. Donc de son futur. Voilà pourquoi l'acte de foi s'élève au-dessus de la croyance qui, elle, se réclame d'une tradition, d'une science ou d'expériences intimes. L'acte de foi est l'autocréation d'un homme nouveau. Il ne se laisse précéder par aucune donnée sensible ou intelligible. L'acte de foi est rapport premier et direct entre le créateur et la créature. Il est « preuve (ou plus exactement épreuve[2]) ontologique », premier et dernier pont entre l'être fini et le Dieu infini, rapport absolu à l'absolu.

Son commerce avec l'Être suprême, la foi ne peut plus le vivre sur le mode de l'approximation réformiste ou dans le dépassement progressiste, que chérissaient les théologies éclairées qui la précédèrent. Harnack, pontife de la science religieuse allemande, proteste-t-il, au nom de la « science » et de la « civilisation », contre ce fidéisme incendiaire, « érostratique »[3] ? K. Barth lui réplique vertement que « le chemin de

---

1. K. Barth : *Saint Anselme, Fides quaerens intellectum*, Labor et Fides, Genève, 1985, p. 143.
2. *Ibid.*, p. 12-14.
3. K. Barth, *Genèse et réception de la théologie*, Labor et Fides, p. 107 sq., Érostrate pour s'immortaliser incendia le célèbre temple d'Artémis à Éphèse, en 356 av. J.-C.

l'ancien au nouveau monde n'est pas un chemin fait d'étapes... mais une nouvelle naissance ». En religion, comme en politique, l'alternative est analogue : rompre ou démissionner. Révolution ou vaines réformes. Le radicalisme théologique de Barth et le radicalisme politico-social de Lénine en appellent, tous deux, à une foi qui prouve sa puissance dans la dé-liaison. La connivence pourrait n'être que factuelle : Barth milita un temps au parti social-démocrate suisse, fut dénoncé comme « le pasteur rouge », puis se consacra à la recherche spéculative, sans jamais céder sur les nécessités d'une lutte politique et sans concessions contre Hitler. Si les engagements pratiques de la théologie dialectique et du matérialisme dialectique ne se recouvrent qu'en cas d'exception, leur parenté n'en est que plus ardente et inquiétante, quant à la manière d'assumer et de résoudre les paradoxes de la nouvelle foi.

Face à l'Événement-déluge qui engloutit le monde « d'avant », la foi aligne son anti-événement, une Révolution théologique et « christologique », ou bien une Révolution politique, « prolétarienne », « populaire ». Dans les deux cas, l'éclair jaillit des textes les plus sacrés, la Bible ou Karl Marx, confrontés à l'actualité profane et nue. J'avance la Bible dans une main et les journaux dans l'autre, ose K. Barth. Dans les deux cas, la réalité décape (« les faits sont têtus », dit Lénine). Elle dépouille les textes augustes de leurs gloses. Elle oblige à lire avec des yeux neufs. Connaître, *intellegere*, c'est redécouvrir ce qui a été écrit, c'est re-penser[1]. Dans les deux cas, l'engagement de la foi reste le moteur de la recherche, la connaissance suit. Telle est du moins l'interprétation offerte par K. Barth du célèbre « *fides quaerens intellectum* », la foi en quête de la connaissance. Telle est aussi l'exigence de la prise de parti, de la position de classe, qui, selon Lénine, décide de tout. Une foi qui s'arrache au monde s'émancipe des savoirs mondains. Elle est « vide » comme un « trou d'obus ». On n'a pas la foi, c'est elle qui nous possède. « Jamais achevée, jamais donnée, jamais assurée ; du point de vue

---

1. K. Barth, *Saint Anselme*, *op. cit.*, p. 36.

psychologique, elle est toujours et toujours de nouveau le saut dans l'incertain, dans le noir, dans l'air vide[1] ».

La foi paradoxalement se vit limpide et ontologique (le militant inflexible trouve son modèle dans l'homme d'acier) mais existe comme un néant en permanent vertige (l'humilité du militant frôle sans cesse la servilité). Son divorce est un acte d'autant plus positif (affirmatif) qu'il est plus négatif, c'est-à-dire qu'il éradique toute possibilité de complicité avec la souillure extérieure. La foi se révèle à elle-même par sa capacité de destruction, « révolutionnaire ». Elle entend se débarrasser d'un alentour pourri. Elle se veut négation d'une négation première, celle du monde : son acte de naissance est l'affirmation d'une négativité. Marteau idéologique ou politique, elle frappe et fracasse le désordre établi. Il lui revient, quand elle se retourne sur elle-même, de ne pas se croire arrivée. Puisqu'elle participe de l'univers, sur lequel elle s'acharne, elle ne peut échapper aux coups qu'elle lui porte. La conscience religieuse, sans cesse, refait le vide en elle et le militant s'autocritique *ad nauseam*.

Pareille tension, pareil combat contre les autres et contre soi, n'est supportable que si la foi sait découvrir qu'elle obéit à plus fort qu'elle. Sa négation du monde est intégrale, et parce qu'elle ne lui appartient pas et parce qu'elle se dévoile affirmation d'un Tout Autre (le Dieu de Barth, l'Histoire et les rapports de production de Lénine). Tout autre que quoi ? Tout autre que la foi ? Certainement pas. Tout autre que le Mal, dont le monde est infecté. La négation produite par la foi est exhaustive et totale, dans la mesure où elle dénonce un mal *sub specie boni*, pour autant qu'elle travaille à éradiquer un mal absolu au nom d'un bien absolu. L'homme de foi n'a pas la connaissance du bien, puisqu'il le cherche. Mais sa recherche est orientée par une révélation (la parole biblique ou l'instinct de classe), sans quoi toute cette belle construction s'effondre : il dit et réaffirme qu'il n'y a de mal absolu qu'au regard d'un bien impeccable. La foi peut s'affirmer négation et révolte tant qu'elle le veut, elle n'échappe à la dispersion de ses engagements et à la multiplicité de ses

---

1. K. Barth, *L'Épître aux Romains*, Labor et Fides, 1972, p. 97.

écœurements qu'une fois dressée sur une hauteur qui lui permette d'embrasser toute l'abjection d'un seul regard Et ce
regard, c'est le regard de Dieu, le regard de l'Histoire, le
regard de l'Humanité. À des années-lumière au-dessus des
habitations ordinaires, une divinité, un homme, une collectivité élue par le destin résout le mystère d'une histoire, sans
quoi le noir est total.

L'homme de foi court-il le risque de s'armer d'un concept
vide et d'agir à l'aveuglette ? Il s'en accommode. Les Maîtres
de foi sont-ils rivaux ? Peu importe. Lénine vitupère les
« constructeurs de dieu », qui entendent allier christianisme
et marxisme, puis en enrôle bon nombre dans ses rangs. Karl
Barth ironise sur les révolutions païennes et « les exercices
pratiqués dans le couvent bénédictin jusqu'au cercle philosophique de la Maison social-démocrate[1] ». Figure universelle,
l'homme de foi convertit la planète à ses révolutions spirituelles et sociales. Il intériorise la rivalité. Il transforme l'accablante tension interne en dynamisme proliférant. Naufragé
volontaire de la tourmente universelle, il renvoie les ondes de
choc décuplées à ses proches et ses lointains. Il vit lui-même
dans un balancement perpétuel entre l'objectif et le subjectif.

D'un côté la vérité l'illumine d'une révélation venue d'ailleurs. De l'autre une soif inextinguible, son néant intérieur,
le mine. Sans qu'il y ait de cesse, la confusion des deux
sources le guette. Il risque le nihilisme à trop se pencher sur
son propre vide. Il tombe dans le fondamentalisme, dès qu'il
accapare une lumière qui ne lui appartient pas. Les deux
reproches furent adressés à K. Barth. Lénine et ses apôtres
oscillaient, en permanence, entre l'aventurisme ultra-bolchevique et une adaptation, non moins cruelle, mais opportuniste, aux réalités du moment. Les « grands tournants » des
chefs révolutionnaires, et les disputes plus comiques qu'homériques des intellectuels français, au sortir de la Seconde
Guerre mondiale, prouvent combien le partage entre le Trèsnous et le Tout-Autre, entre les Masses et le Parti, entre la
négation absolue du terrestre et l'affirmation absolue du
céleste, ne trouve de solution que dans les crêpages de chi-

---

1. K. Barth, *Épître...*, *op. cit.*, p. 389.

gnon ou dans les bains de sang. Et pourtant elle tourne, la machine de guerre de l'homme de foi !

Et elle fait des petits. Son dispositif, structure optique et guide pour l'action, tient bon, bien huilé, sans se disloquer dans le pêle-mêle des contradictions qu'il noue. Le Dieu « qui a besoin des hommes » (Barth) s'extériorise pour nous et s'aliène par nous. On retrouve ici, sans peine, une antinomie qui a ponctué tous les déchirements de l'hégélianisme[1]. On la repère encore dans les conflits entre opportunistes et extrémistes, « *realos* » et « *fundis* », tant dans l'histoire du mouvement ouvrier européen que dans le schisme Sartre-Merleau-Ponty, les querelles à pots de peinture chez les verts allemands ou à coup de cadavres dans les deux lignes du PC chinois... On progresse dans l'entre-deux, de revirements douloureux en revirements déboussolés, jusqu'à l'effondrement final d'une foi, qui dure et endure, stupéfiant le pékin par sa mystérieuse longévité. Par quelle incroyable entourloupe la dynamite que véhicule le militant de la foi s'impose-t-elle dynamique pour tous ?

2. Actualité de Dostoïevski

La légende du Grand Inquisiteur[2] propose le premier mode d'emploi visant à préserver la foi des destructions qu'elle exige et suscite. Dès la prise du palais d'Hiver, laudateurs cultivés et complaisants (Ehrenbourg) ou adversaires lucides (Zamiatine) reconnurent dans l'épopée bolchevique la forme enfin trouvée de la prophétie dostoïevskienne[3]. L'argumentaire prêté au cardinal inquisiteur de Séville était suffisamment tordu pour séduire amis et ennemis. Ne met-il pas le Christ au pied du mur ? Ne brise-t-il pas, par le fer et le feu, les tabous du christianisme, au nom des idéaux du christianisme ? Ne programme-t-il pas, tout à trac, des valeurs prêchées

---

1. K. Barth, *Genèse et réception, op. cit.*, p. 266.

2. Fedor Dostoïevski, *Les Frères Karamazov*, livre V, chap. v. Je cite l'édition de la Pléiade.

3. M. Heller, « Quand le grand inquisiteur quitte la légende », *in Dostoïevski, Cahiers de la nuit surveillée*, Verdier, 1983, p. 114-122.

en vain des millénaires durant ? Il semble contredire la douceur évangélique, mais il prend le Christ au mot et les évangiles à la lettre. Il transforme le monde à leur lumière, et s'il le faut salement, durement. L'inquisiteur entend apporter à ses ouailles le pain, la liberté, la paix, pétition éternelle de toutes les idéologies à venir, planification dont les doctes théologiens, tour à tour, s'émerveillent et se scandalisent, détectant une « sécularisation » profane de leurs convictions sacrées.

L'inquisiteur s'amuse. « Ne dis rien, tais-toi. D'ailleurs que pourrais-tu dire ? » Il prend un plaisir malin à faire chanter un Christ muré dans son silence : tu as promis l'éradication du mal, je m'y emploie. Ne me reproche donc pas de tout faire pour tenir ta parole. Moi, je ne te pardonne pas d'avoir, par trois fois, récusé les passages à l'acte. Tu as refusé de transformer les pierres en pain, alors qu'« il n'y a pas de crimes... il n'y a que des affamés [1] ». Tu ne t'es pas précipité dans le vide pour montrer *de visu* comment Dieu sauve les purs. Tu n'as pas saisi le glaive de César, ni accepté sa pourpre pour assurer la concorde aux faibles créatures et leur offrir « un bonheur doux et humble ». Par amour pour elles, nous ne rééditerons pas tes erreurs au désert. Nous céderons aux trois tentations. Nous invoquons les miracles « économiques » pour mettre fin à l'horreur économique. Nous cultivons les mystères, afin de consoler les hommes et les libérer de la crainte. Nous usons de violence pour instaurer la paix.

L'inquisiteur incarne-t-il l'Antéchrist ? Ou demeure-t-il fidèle, fervent, incorruptible ? Dostoïevski laisse l'énigme en plan. Son Christ silencieux clôt le procès univoque, « tout à coup le prisonnier s'approche en silence du nonagénaire et baise ses lèvres exsangues. C'est toute la réponse »... Reconnaissance ? Pardon ? De même Aliocha, le pieux, embrasse-t-il son frère, le nihiliste Ivan. « Aliocha vint à lui et le baisa doucement sur les lèvres. » De même les Églises hésitent-elles devant les dictatures terribles, tantôt accusées de perversion satanique, tantôt excusées pour plagiats intempestifs d'une sainteté hors d'atteinte. Les commentateurs négligent souvent

---

1. Dostoïevski, *op. cit.*, p. 273.

l'ambivalence finale, soulignée par deux fois, Christ et inquisiteur, Aliocha et Ivan. Tout à l'admiration de la prescience de l'écrivain, ils croient l'inquisiteur condamné sans appel. Dostoïevski, lui-même, les a aiguillés sur cette pente facile. Dans ses commentaires extralittéraires, il désigne un peu vite des cibles prosaïques : le pape (dont l'infaillibilité vient d'être proclamée), les jésuites (entre lesquels il place son Grand Inquisiteur, alors que la vérité historique l'exigerait dominicain), le socialisme européen, le nihilisme russe, l'athéisme en général. Beaucoup de choses et le tout en vrac. « Le pape à la tête du communisme », jette le romancier dans ses « carnets de travail ». En apparence le prêtre repoussant incarne une religion dévoyée. Vouée aux égouts de la création, si l'on repère son péché d'origine. Oui, mais lequel ?

La faute de l'inquisiteur saute aux yeux. Reste à savoir si nos yeux voient juste. Jésus rejette le secours des miracles, il repousse le recours au mystère et au glaive. Il court le risque de préserver la liberté. Il ne choisit pas la contrainte. Il veut se faire élire par une foi capable de lui tourner le dos. L'inquisiteur choisit la solution inverse. Il ne recule pas devant la dictature. Il conduit les hommes au but, fût-ce contre leur gré, quitte à les abuser et à les violenter. L'inquisiteur anesthésie, il infantilise les foules sciemment. Il consacre la voie de l'autoritarisme. Face à lui, rebelle à une organisation totalitaire du bonheur commun, la vraie foi incarne la voie libertaire — quoi qu'il arrive l'autonomie du choix doit être sauvée. Ou bien le bonheur dans la servitude. Ou bien la liberté, son anarchie et sa misère. Les commentateurs érudits[1] martèlent cette conclusion. La piste fut ouverte par l'auteur. Fausse piste peut-être.

Un grand écrivain excelle à égarer son lecteur. Il met en scène des drames trop complexes pour des thèses trop simples. Bien entendu Dostoïevski oppose terme à terme l'incroyance d'Ivan et de l'inquisiteur à la croyance d'Aliocha et de son starets (mi-gourou mi-juste). La symétrie est à ce point appuyée et parfaite qu'on se prend à suspecter des images en miroir. Plongé dans cette équivalence, qui déborde du roman

---

1. J. Catteau, H. de Lubac.

jusque dans la réalité révolutionnaire, Berdiaev écrivait inquiet : « Entre le principe antichrétien du mal et le principe chrétien du bien, il y a une ressemblance, d'où le danger d'une confusion et d'une substitution. L'image du bien commence à se dédoubler. L'image du Christ cesse d'être clairement perçue, elle tend à se confondre avec l'image de l'Antéchrist. Des hommes apparaissent aux pensées doubles[1]. »

C'est à tort qu'on extrait « La légende du Grand Inquisiteur » du roman, où elle est enchâssée. Aucune inadvertance ne saurait expliquer le soin mis par l'auteur à souligner l'extrême collusion entre l'inquisiteur de Séville et le starets Zosime. L'un et l'autre se réclament d'une obéissance inconditionnelle. « Le starets, c'est celui qui absorbe votre âme et votre volonté dans les siennes. Ayant choisi un starets, vous abdiquez votre volonté et vous la lui remettez en toute obéissance, avec une entière résignation. Le pénitent subit volontairement cette épreuve, ce dur apprentissage, dans l'espoir, après un long stage, de se vaincre lui-même, de se dominer au point d'atteindre enfin, après avoir obéi toute sa vie, à la liberté parfaite, c'est-à-dire à la liberté vis-à-vis de soi-même, et d'éviter le sort de ceux qui ont vécu sans se trouver eux-mêmes[2]. » Pour le starets, comme pour l'inquisiteur, le chemin de la liberté est semé d'épines. Il nécessite le passage par son contraire, la servitude. L'assujettissement, une discipline de fer doivent libérer la liberté. C'est-à-dire l'émanciper du mal. L'inquisiteur comme le starets prétendent à une « bonne » liberté, qu'ils ne placent pas face au mal, donc encore sous son emprise, mais au-delà du mal. Ou bien l'amour selon le starets n'est pas aussi libertaire qu'il semblait, ou bien l'inquisiteur souscrit à plus de liberté qu'il ne le laisse entendre. Ne relâche-t-il pas le Christ au lieu de le brûler ? Les émules politiques, qu'il suscite dans l'avenir, l'imitent au départ, au départ seulement, en prônant le dépérissement de l'État (Lénine) et la communauté de principe avec l'anarchisme (Staline). Dostoïevski érige le court-circuit en axiome : « Je

---

1. N. Berdiaev, *L'Esprit de Dostoïevski*, Saint-Michel, 1929.
2. Dostoïevski, *op. cit.*, p. 26 s.

suis parti de la liberté absolue et j'ai abouti au despotisme absolu. »

Entre la foi nihiliste de l'inquisiteur et celle, portée aux nues, du starets, soumission et liberté ne s'opposent pas. Toutes deux sacrifient à une autorité absolue, qu'elles personnifient en deux puissances rivales. Le pieux starets s'accorde avec Ivan le nihiliste pour déclarer absurde toute tentative libérale ou athée de séparer l'Église et l'État. Tandis que l'inquisiteur transforme son Église en État, en la dotant des moyens sanglants qui sont d'ordinaire l'apanage du dernier, le starets vise l'absorption symétrique : « Ce n'est pas l'Église qui se convertit en État, notez-le bien, cela c'est Rome et son rêve, c'est la troisième tentation diabolique. Au contraire, c'est l'État qui se convertit en Église, qui s'élève jusqu'à elle et devient une Église sur la terre entière, ce qui est diamétralement opposé à Rome, à l'ultramontanisme, à votre interprétation et n'est que la mission sublime réservée à l'orthodoxie dans le monde[1]. » Images en miroir, volontés en miroir : face à la solution occidentale, politico-théologique, d'Ivan et de l'inquisiteur, il y a la « solution orientale », théologico-politique, la « vraie » foi du starets.

Et si le starets jouait le rôle d'un Grand Inquisiteur *bis* ? La question parcourt en filigrane tout le roman. Elle perce à la mort de l'ermite sanctifié, quand la Mauvaise Nouvelle panique les fidèles : le Saint pue ! Jamais corps ne s'est décomposé à si grande vitesse. « L'idée qu'un tel mort pût se corrompre et sentir mauvais parut absurde et fâcheuse. » La foi d'Aliocha vacille. La putréfaction de la dépouille adorée le désarçonne. Se pourrait-il que le starets ait usurpé son aura ? Comme l'inquisiteur ? Davantage que de la pestilence du cadavre, Aliocha s'angoisse du doute et des médisances qu'elle soulève. Cristallisant le désarroi général, l'hystérique père Théraponte ne se retient plus : « Maintenant lui-même empeste. Nous voyons là un sérieux avertissement du Seigneur. » Disant cela, face contre terre et bras en croix, le « vieux fanatique » pousse des cris de forcené. Mais loin de choquer, il est ovationné par la foule, qui veut aussitôt l'élire

---

1. Dostoïevski, *ibid.*, p. 70.

nouveau starets. Le fou remplace le saint. Aliocha l'angélique quitte l'ermitage, sans un mot, muré dans son trouble et sa douleur. Offensé, il s'irrite de voir le Juste entre les justes livré aux railleries malveillantes d'une bande frivole. « Qu'aucun miracle n'ait eu lieu, que l'attente générale eût été déçue, passe encore ! Mais pourquoi cette honte, cette décomposition hâtive qui "devançait la nature" comme disaient les méchants moines ? Pourquoi cet "avertissement" dont ils triomphaient avec le père Théraponte, pourquoi s'y croyaient-ils autorisés ? Où était donc la providence[1] ? » La communauté ecclésiale de l'inquisiteur était fondée sur l'illusion. La communauté monastique se retrouve à son tour au bord de l'abîme. L'autorité politico-théologique occidentale et la discipline théologico-politique « orientale » ont beau se cuirasser dans leurs différences de méthode, elles ouvrent sur la même impasse.

À l'orée du XXe siècle, le théologien Soloviev propose une suite à la Légende du Grand Inquisiteur. Il ne situe pas sa fiction dans un passé andalou, mais dans l'Europe du XXIe siècle, tout juste libérée d'une invasion « mongole », moderne comme il se doit[2]. Ce monde, en attente de sauveur, se soumet à un messie, digne descendant du Grand Inquisiteur, dont il reprend les objectifs, pain, paix, liberté. Sauf qu'à la contrainte violente, il substitue la douce persuasion, et à la poigne de fer la magie de l'amour. Ayant, de la sorte, résolu la question politique, installé la paix universelle et l'état mondial, *panem et circenses*, le messie s'attelle à la question religieuse. Il entreprend de rassembler les trois grandes confessions chrétiennes. Son projet œcuménique s'impose. Il isole les rares récalcitrants, réunit un concile interconfessionnel qui, en fin de compte, lui confie les pleins pouvoirs. Nullement hostile aux Églises d'Occident, Soloviev a voulu composer une réplique à « la légende » de Dostoïevski. Il le réfute moins qu'il ne le complète. Son faux Messie emprunte autant au starets qu'à l'inquisiteur. Du dernier il réitère le machiavélisme trompeur. Du premier il imite l'art de conqué-

---

1. Dostoïevski, *ibid.*, p. 366.
2. Soloviev, *Trois entretiens*, O.E.I.L., 1984, p. 190-191.

rir les consciences. Fin de partie : le messie empereur produit un clone, un pape thaumaturge. L'autorité politico-théologique s'accomplit théologico-politique. La boucle se ferme. En mettant à nu la parenté structurale qui régit les digestions rivales de l'Église par l'État ou de l'État par l'Église, Soloviev croyait dépasser Dostoïevski. En fait, il cédait au mouvement général des *Frères Karamazov* et confirmait la concurrence mimétique du starets et de l'inquisiteur.

3. La foi transfigurée

L'inquisiteur s'élit maître par la force matérielle, c'est un spécialiste des bûchers. Le messie nouveau mise sur le pouvoir spirituel. Il écrit un livre phare et s'adjoint les services d'un magicien, usant des ressources imprévues de la technologie moderne. Il capte les esprits pour posséder les corps, au lieu de torturer les corps pour prendre les esprits. Il transforme le monde de haut en bas et non plus de bas en haut comme l'inquisiteur. La méthode « matérialiste » prophétisée par Dostoïevski et la procédure « idéaliste » annoncée par Soloviev ont toutes deux trouvé leur répondant dans l'histoire. Saint Lénine, priez pour nous. L'homme « nouveau » fut tour à tour traité par en bas, roué, affamé, martyrisé, et détruit par le haut, cerveau lessivé, repères mentaux abolis. Les deux méthodes sont complémentaires, quand bien même l'une ou l'autre l'emporte. Les intégrismes religieux accordent généralement un primat au déboussolement spirituel. Les totalitarismes profanes tablent davantage sur le primat des armes, sans négliger les armes de l'idéologie. Les experts à courte vue croient pouvoir impunément jouer l'une contre l'autre ces deux stratégies totalitaires. Ainsi, les États-Unis ont financé l'intégrisme islamiste pour contrer le totalitarisme soviétique. Ils s'aperçoivent, trop tard, qu'ils portèrent au pinacle un monstre aussi hideux et dangereux que celui qu'ils combattaient. Réciproquement, les épigones de Staline se croient en droit de ressusciter les lubies du père fondateur pour mater, sur le pourtour de l'empire, les nouveaux fous de Dieu. Et chacun de choisir son camp, sans déceler que ces frères ennemis échangent techniques et émotions, finissant par se ressembler, foi contre foi, aussi fort qu'ils se massacrent.

Le don prophétique de Soloviev est à la hauteur de celui qu'il accorde à son maître romancier. Lorsque Michel Foucault, un instant ébloui par les foules immenses qui s'emparent de l'Iran, forge le concept de « révolution spirituelle », il raconte une histoire que Soloviev avait écrite soixante-quinze ans plus tôt. À Téhéran, Foucault n'est pas seulement le témoin attentif qui suit, au jour le jour, un soulèvement et se brûle à l'ardeur populaire. Il déchiffre en observateur érudit qui a bien lu Corbin et ne peut ignorer l'horizon mystique des manifestants insurgés. Loin de se tromper en tout, il tire, d'une intuition profonde, des conclusions erronées. Aujourd'hui ses zélotes comme ses pourfendeurs se concentrent sur l'absurdité du diagnostic, soit pour détourner le regard, soit pour anathémiser le propos. Ils passent tous à côté du noyau rationnel d'une analyse qui s'égare.

Quelle est la thèse de Foucault en 1978 ? La « révolution islamique » est bien une révolution. Fort originale, car elle se révèle de part en part, en ses fins comme en ses moyens, « spirituelle ». Après les soulèvements « bourgeois » des siècles derniers — au nom des droits de l'homme — puis ceux du XXe siècle, qui se réclament de l'Histoire — au nom de la race ou de la classe —, voici un peuple « aux mains nues » qui renverse, « au nom de Dieu », l'autorité séculière et bien armée. Cette révolution du troisième type prend ainsi le relais des anciennes stratégies insurrectionnelles, marxistes et anticolonialistes. Elle hérite en contestant l'héritage, et remplace, en changeant place, enjeux et méthodes. « En se soulevant les Iraniens se disaient — et c'est peut-être cela l'âme du soulèvement : il nous faut changer bien sûr de régime et nous débarrasser de cet homme [le Shah], il nous faut changer ce personnel corrompu, il nous faut changer tout dans ce pays, l'organisation politique, le système économique, la politique étrangère. Mais surtout, il faut nous changer nous-mêmes. Il faut que notre manière d'être, notre rapport aux autres, aux choses, à l'éternité, à Dieu, etc., soient complètement changés, il n'y aura de révolution réelle qu'à la condition de ce changement radical dans notre expérience. Je crois que c'est là où l'islam a joué un rôle[1]. »

La rencontre impromptue des deux « masses critiques », la Révolution et la Révélation, constitue l'arme absolue contre l'Amérique et le communisme, annonce l'ayatollah. Elle est la forme enfin trouvée de l'unanimité, propose l'intellectuel séduit. « La volonté collective on ne l'a jamais vue, et personnellement je pensais que la volonté collective, c'était comme Dieu, comme l'âme, ça ne se rencontrait jamais [...] Nous avons rencontré à Téhéran et dans tout l'Iran la volonté collective d'un peuple [...] Ça se salue, ça n'arrive pas tous les jours. » À vrai dire, si. Cela arrive tous les jours, tous les premiers jours des grandes révolutions. Cela arrive dans ces moments où « tout est possible » (Michelet), dans une extase millénariste, souligne Soljenitsyne non sans ironie, quand le caractère religieusement apocalyptique du soulèvement échappe aux militants athées un instant illuminés.

La mobilisation religieuse est appelée à succéder aux sacerdoces marxistes qu'elle pousse dans la tombe. La CIA n'a pas calculé autrement. Déplorant avoir « raté » l'instant inaugural iranien, l'Amérique arme aveuglément les intégrismes sunnites contre le communisme sénile et s'exerce à concurrencer Téhéran, nouveau centre de la révolution mondiale. Révolution-ersatz, le substitut devient très vite *alter ego*, en matière de pathologie criminelle. Foucault, esprit solitaire et critique, est désenchanté en deux mois. On attendra plus d'une décennie pour que les États-Unis se soupçonnent apprentis sorciers. Combien faudra-t-il d'ambassades dynamitées, de femmes martyrisées et de gosses cassés pour constater, sous toutes les latitudes, l'inaltérable aptitude des « révolutions spirituelles » à enfanter des monstres[2] ?

Qui saisit le fil qui relie les trois incendies planétaires qui désolèrent le XXe siècle doit se remémorer la période inaugurale. Pour les bolcheviks, 1917 ne déclenchait que le détona-

---

1. Michel Foucault, *Dits et écrits*, tome III (1976-1979), Gallimard, 1994, p. 701 s.

2. Michael Barry, fin lettré, grand initié ès langues persanes afghanes et indiennes, ami de « Médecins du Monde », a très tôt attiré mon attention sur les périls d'un « fascisme brandissant le Coran ». Toute ma gratitude.

teur. À charge pour les « prolétariats » occidentaux d'achever l'hydre capitaliste et impérialiste. Lénine comprend vite qu'il est seul. Les ouvriers français et anglais ne bougent pas. La tentative allemande est écrasée dans l'œuf, l'Armée rouge, stoppée à Varsovie, reflue. Notre dictateur révolutionnaire brandit alors deux cartes. Nouveau coup de génie maléfique.

La première est abattue à Berlin, par Radek, sur ordre de la IIIᵉ Internationale : il souffle à l'état-major de la Reichswehr (Ludendorff) le projet d'une alliance germano-russe — la nation allemande, opprimée par le traité de Versailles, doit se reconnaître comme nation prolétaire et s'inventer un avenir « national-communiste ». Brun-rouge, ainsi l'aventure ne date pas d'aujourd'hui, elle ouvre et ponctue le siècle, elle fera de nombreux enfants.

La deuxième est abattue à Bakou, au premier Congrès des peuples d'Orient, 1920. Devant un parterre de représentants essentiellement musulmans, 235 Turcs et 192 Iraniens (ce sont les délégations les plus importantes), les ténors communistes de la tribune, Zinoviev, Béla Kun et le même Radek, appellent les peuples opprimés à « la guerre sainte contre l'impérialisme anglais ». À l'occasion, la salle enthousiaste clame « Allah est grand ! », tandis que les doctrinaires athées de la IIIᵉ Internationale hésitent entre la dénonciation classique des « mollahs exploiteurs » alliés objectifs du diable capitaliste et la promotion de l'islam inventeur d'un « communisme religieux »[1]. Les « démons » matérialistes apprennent à faire copain-copain avec les fous de Dieu.

Les aléas de la Realpolitik ont brouillé ces cartes, qui tombèrent des mains d'un Lénine agonisant. N'empêche que ce parfait stratège de la subversion anticipa avec précision la parenté secrète des trois vagues totalitaires du XXᵉ siècle. Communisme, fascisme, islamisme se concurrencent et se relaient. Ils s'autorisent d'identiques diabolisations pour propager, sous des étiquettes antinomiques, l'effrayante monotonie des méthodes de quadrillage, d'oppression et, le moment venu, d'extermination. Les populations civiles sont poussées

---

1. Lorraine Rondeau, « Les Relations entre la Russie et l'Iran », mémoire de maîtrise, Paris I, 1997.

à sacrifier les autres, quand elles ne sont pas vouées à se sacrifier elle-mêmes. Attention ! Comparer n'est pas amalgamer. Bien au contraire. À les frotter l'une contre l'autre, la mobilisation spirituelle dévoile la pointe cachée de l'enthousiasme marxiste, religieux à son insu, tandis que la théorie et la pratique du maniement matérialiste des masses se prolongent sous l'idéalisme des fanatiques de Dieu. Chacune complémentaire de l'autre, la face profane et la face sacrée de nos révolutions contemporaines impliquent une origine commune et perdue.

On exotise à tort. Pour s'affirmer anti-occidentaux, par leurs slogans et leurs imprécations, les mouvements totalitaires empruntent à la culture occidentale non seulement ses techniques de propagande et d'armement, mais aussi ses idées et ses idéologies. Ni l'Iran ni la Russie, pas plus que l'Allemagne, ne témoignent pour je ne sais quel tiers-monde supposé arriéré et pervers ou pur et préservé. L'Iran, ses néoplatoniciens et sa métaphysique religieuse sont bien de chez nous. L'anti-occidentalisme n'est qu'une occidentalisation accélérée, dont la forme brutale et sauvage n'a rien qui doivent étonner outre mesure les amateurs d'histoire européenne. Les guerres de religion, les croisades ethniques, on s'en souvient. Elles se rappellent à nous. La double qualité céleste et terrestre du concept de « révolution » est originelle.

Libre à chacun de professer doctement que les Groupes islamistes armés, qui terrorisèrent l'Algérie, n'ont rien à voir avec la révolution iranienne, bien qu'ils soient nés dans l'enthousiasme qu'elle leva, dans les années 80. Convient-il de négliger les intégristes afghans, les Taliban, tout à la fois imitateurs et concurrents ? Faut-il oublier que la lutte pour la possession des lieux saints, en Arabie saoudite, a été inaugurée par Téhéran, avec le fracas que l'on sait autour de la Kaaba ? C'était bien avant que Saddam Hussein, Ousana Ben Laden, d'autres clans et d'autres puissances n'entrent dans la danse. La tentation d'exporter la révolution sur la tombe du prophète, la tentative d'annexer le Koweit en appelant au *djihad*, l'essai d'organisation d'une Internationale terroriste anti-occidentale sont autant d'offensives visant Riyad et son gouvernement vieilli, chancelant, en perte d'hégémonie religieuse. La révolution islamique ébranle les frontières, fût-ce malgré et contre ses inventeurs.

L'ouragan soufflé au nom de la foi ne limite pas ses ravages à la sphère d'influence musulmane. Il est simultanément le ressort et le symptôme d'un renouveau, qui affecte toutes les confessions de la planète. En premier lieu, celles du Livre. L'intégrisme religieux, en Israël, témoigne de l'ubiquité de cette épidémie. Aux États-Unis, le pouvoir croissant du « politiquement correct » camoufle l'exigence d'un « religieusement correct ». L'idée simplette, autant khomeyniste que communiste, d'un Grand Satan américain voué au pragmatisme, au matérialisme et à la rentabilité égoïste a fait long feu. Les élites américaines — presse libérale et conservatrice confondues — se sont acharnées, un an durant, sur la conduite sexuelle du président Clinton, sans trop se soucier des crises boursières et économiques, ni du chaos mondial, en Russie, en Afrique, en Extrême-Orient... En fait, l'oncle Sam est malade d'angélisme. À l'occasion, il peut envisager de sacrifier les intérêts du capital à la loi de sa foi et mettre en péril son portefeuille d'actions afin de moraliser les locataires de la Maison-Blanche. Périssent banques et crédits pourvu que le sperme présidentiel ne macule plus la robe bleue d'une stagiaire ! Existe-t-il, par-delà le comique de l'affaire, meilleure preuve de l'emprise de l'idéalisme sur le réalisme ? Des maîtres prêcheurs de diverses obédiences tentent planétairement, à Washington et à Kaboul, de monopoliser le pouvoir. Dieu soit loué, les méthodes diffèrent ! Par le succès posthume, Khomeiny menace de conquérir son ennemi juré... de l'intérieur. Au vu de la farce et de la tragédie, suivant les latitudes, il paraît absurde de circonscrire la révolution religieuse à sa terre d'origine. Parti d'Iran, le séisme de 1978 a submergé la terre. Il fut et il demeure un événement mondial. À penser comme tel.

4. L'éternel retour du charbonnier

Autour de la légende du Grand Inquisiteur gravitent, explicitement ou implicitement, les débats de plusieurs générations. Elle semble interroger : « Comment prendre la place de Dieu ? », et de répondre : « En se proclamant Grand Inquisiteur. » Plus sourdement, elle agite une seconde question, que Soloviev formule : « Que se passe-t-il quand Dieu prend la place du Grand Inquisiteur et que les saints s'emparent du pouvoir ? » La question n° 2, celle du Messie moderne, propage une angoisse au carré. Elle laisse soupçonner un énorme quiproquo : quand l'homme de foi tue et meurt en criant « Tous pouvoirs aux Soviets » ou « Tous pouvoirs à Dieu », ne sacrifie-t-il pas avec le même aveuglement à la même divinité aveugle ?

Dans les années 20, Karl Barth rédige son manifeste fondateur, un commentaire de l'épître aux Romains ; son texte n'est en substance qu'une longue reprise de la « légende » mise en scène par Dostoïevski. Le monde est une geôle où l'inquisiteur enferme le Christ captif[1]. Les inquisitions manifestent, de manière protéiforme, le « titanisme » de la société moderne. Elles usurpent le rôle de Dieu et souscrivent aux tentations, c'est-à-dire à une volonté de puissance en son fond satanique. Sous les multiples variantes d'un mal ainsi isolé, unifié, condensé, diabolisé — homme-titan, homme faustien (Spengler), règne de la technique (Heidegger), règne de la raison réifiante (Adorno) — la silhouette, reconnue ou pas, du Grand Inquisiteur brandit les clés du mystère et l'explication de notre déréliction. Au monde titanisé, Karl Barth oppose l'autre règne : « Nous sommes aussi au centre du royaume des Karamazov où de telles possibilités entrent en considération[2]. » Quelle « autre » possibilité ? Celle d'Aliocha contre Ivan. Tout le propos théologique de Barth tourne dans cette dualité. Et il tranche : l'homme de foi offre forcément tout pouvoir au starets, s'il ne veut pas accorder tout pouvoir au titanisme de l'inquisiteur.

Deux royaumes, tout le mal d'un côté, tout le bien de l'autre, cette théorie règle les engagements de l'homme de foi moderne. Voila pourquoi Karl Barth reste insensible à la parenté structurale du gouvernement par le starets et du

---

1. *L'Épître aux Romains*, *op. cit.*, p. 475.
2. *Ibid.*, p. 472.

gouvernement par l'inquisiteur. La confusion des deux royaumes est pour lui impensable. Dostoïevski la suggérait. Soloviev l'explicitait. Le théologien l'ignore. Ce qu'on ne conçoit pas, on le subit : faute de penser le piège, l'homme de foi y tombe. Il achoppe sur la fraternité occultée saint/titan, starets/inquisiteur. Dans les révolutions sociales et politiques, c'est le doublon de sa révolution religieuse que le théologien reconnaît et condamne, non point parce qu'elles s'avèrent cruelles, mais parce qu'elles sont concurrentes. Rivale, d'autant plus perverse qu'indistinguable, la fougue révolutionnaire risque sans cesse de s'identifier à la vérité de Dieu. « Le titanisme révolutionnaire étant par son origine tellement plus proche de la vérité est d'autant plus dangereux, et d'autant plus impie que le titanisme réactionnaire. Donc dans tous les cas, l'homme réactionnaire constitue pour nous le danger moindre, et son frère rouge le grand danger. » Pareil choix politique, en Allemagne des années 20, ne brille pas par sa prévoyance[1]. Mais l'option est plus fondamentale, il s'agit d'une lutte de clones. Le « rouge » est un homme de foi tout comme le révolutionnaire théologique, donc il doit être « abattu »[2]. Pourtant la lutte starets-inquisiteur oppose, en pratique comme en théorie, le pareil au même.

LA TENTATION « CONCORDATAIRE »

« Nous assistons en Serbie à la mise en place de quelques nouvelles alliances entre le trône du pouvoir communiste et l'autel de l'Église orthodoxe... Même les gens profondément voués à la vérité du nom du Christ, même les chrétiens attestés placent souvent la nation avant la foi. C'est pour cela qu'on rencontre en grande quantité le péché et l'hérésie dits "filétisme" (définition de l'Église sur la base ethnique politique ou culturelle, collusion de l'Église et de la nation). J'avoue que dans les premiers temps, chez nous en Serbie, le péché et l'hérésie du

---

1. Dès l'accession de Hitler au pouvoir, Barth rectifie le tir et tente courageusement d'organiser la résistance de l'« Église confessante » (voir D. Cornu, *K. Barth et la politique*, Labor et Fides, 1968).
2. *Épître aux Romains, op. cit.*, p. 451.

filétisme pèsent lourd sur la conscience des chrétiens. Cela provient du provincialisme confessionnel, mais les moments actuels le nourrissent aussi. Le filétisme chez nous est un système de pensée, un mode de vie, une théorie et une pratique, c'est une maladie contagieuse, un aimant qui attire les semi-intellectuels. Nous voilà dans la situation très difficile. Le déclin des religions, le drame de l'athéisation se font au profit d'une religiosité diffuse, nationaliste. »

Djordjevic[1].

Une « inquiétante proximité[2] » surgit dans le réel et accable une théorie qui s'acharne à l'exclure. Est-ce le militant politique qui imite caricaturalement le militant religieux, ou vice versa ? Qui choisirait entre eux alors qu'ils se font écho et que chacun reçoit de l'autre son propre message sous une forme inversée ? Il faudrait convaincre le révolutionnaire profane « qu'il n'est pas le Christ qui fait face au grand inquisiteur mais au contraire, à l'inverse, qu'il ne cesse d'être et qu'il est plus que jamais le grand inquisiteur qui fait face au Christ[3] ». Nous sommes au rouet, comment distinguer ? Les faits ne permettent pas de trancher. Les crimes de celui qui agit, la complicité criminelle de celui qui n'agit pas, mais laisse faire, font autant d'arguments, qui alimentent des controverses interminables. Mains sales, mains pures ? Mains propres parce que salies contre le mal ? Mains sales parce que leur blancheur exhibe un choix d'impuissance ? Les hommes de foi se renvoient la balle sans espoir de se convaincre, car les uns comme les autres tournent dans « le cercle rigoureusement fermé » de leurs convictions. Les faits ne leur parlent que dûment interprétés : « Ce n'est qu'en partant de la Rédemption que l'homme peut se saisir lui-même dans son état de non-Rédemption. Ce n'est qu'en partant de la justice qu'il peut se saisir comme pécheur. Ce n'est qu'en partant de

---

1. M. Djordjevic, *La Voix d'une autre Serbie*, Parole et Silence, 1999.
2. *Épître aux Romains, op. cit.*, p. 453, 446.
3. *Ibid.*, p. 453.

la vie qu'on peut se saisir comme mort. Ce n'est qu'au contact de Dieu que l'homme peut voler en éclats[1]... » Certes, mais chaque idéologie brandit sa Vie, sa Rédemption, son Dieu censés clore le débat, qui de plus belle relance le combat.

Aucun homme de foi ne s'avise pourtant de mettre en question les postulats supposés évidents, sur lesquels il fonde ses appareils, ses Églises et ses communautés. Il répertorie maux et réalités *sub specie boni*, et les classe selon un Bien qu'il prétend inébranlable, « point de mire vers lequel tous regardent et d'où tous sont vus[2] ». Entre hommes de foi, la discussion est close avant de s'ouvrir. Tous s'enferment dans la sphère de leurs engouements spécifiques. À chacun son Bien. À chacun sa preuve ontologique. J'agis, la révolution accouche d'une humanité réconciliée. J'agis, un Dieu m'habite[3]. Quand deux prêcheurs se rencontrent, ils ne convainquent que les convaincus, l'un paraît grand inquisiteur de l'autre, et réciproquement.

Nés d'une secousse tellurique mère et de ses incessantes répliques, de 1914 au Rwanda et la suite, les militants de la foi réussissent, et c'est paradoxal, à reconstituer des mondes séparés sans portes ni fenêtres. Ils ne se croisent que pour s'entrechoquer. Au départ ils étaient d'accord sur l'instant déclencheur : la faille était trop béante pour penser, vivre et croire comme « avant ». Le constat de la non-existence de Dieu dans le monde était unanimement reçu. Par quel surprenant roulé-boulé ce consensus initial se perd-il en cours de route, au point que tout échange devient stérile, puis inconcevable ? Tenant d'une main sa gazette du matin et de l'autre le Livre — la Bible, *Das Kapital*, le Coran ou les partitions de Wagner —, le militant a entrepris de re-lire, à la lumière de l'actualité nue et dure. Mais il ne joue pas franc jeu, il ne tient pas balance égale, il finit toujours, on l'a pris sur le fait, par soumettre l'actualité aux rayons intemporels des textes sacrés. Quelle que soit sa foi, l'homme de foi est un platoni-

---

1. *Épître aux Romains, op. cit.*, p. 275.
2. *Ibid.*, p. 274.
3. Toute autorité humaine est mesurée à un Dieu qui est « son commencement et sa fin, sa justification et sa condamnation, son oui et son non ». *Épître aux Romains, op. cit.*, p. 45.

cien malheureux. Il avoue ne plus pouvoir s'élever par degrés, comme Diotime, des choses de ce monde jusqu'aux idées célestes, mais il persiste à vouloir juger du temporel par l'éternel. Pareil entêtement alimente la rivalité des tribunaux ultimes, les uns pas moins « derniers » que les autres : Dieu jugera, l'Histoire jugera. La cacophonie s'installe. Le platonicien malheureux finit platonicien sauvage.

La foi moderne hérite des qualités canoniques de Dieu, selon Platon : elle ne change pas, elle ne ment pas, elle ne se trompe pas. De quoi la rendre parfaitement insupportable à ses voisines, qui s'estiment tout aussi impeccables. Pluralité des platonismes vaut guerre. Le charivari théorique et pratique des engagements est inévitable, tant qu'on ne remet pas en cause l'appareil optique qui les guide. Par quel tour de magie passe-t-on de la révélation que Dieu-n'existe-pas-dans-le-monde à la révélation de la révélation que, seul, Dieu permet de juger de son absence ? Ou que, seul, l'horizon d'un bienheureux socialisme permet l'analyse des crises présentes ? Ou encore que, seule, la fin d'une Histoire réconciliée avec elle-même éclaire des folies qui en font perdre le fil ? Ce tour de passe-passe conclut du mal au bien, sous prétexte que la connaissance du bien précède et conditionne la perception d'un mal. « Si soupirant après la délivrance, l'homme n'était pas déjà délivré, déjà sauvé, comment en viendrait-il à soupirer[1] ? »

Tiens donc ! Si par grande canicule, soupirant après une canette de bière, je n'étais pas d'ores et déjà désaltéré, il me serait impossible de chercher un bistrot ! Belle logique. Drôle de soupirant délivré et sauvé du fait même qu'il soupire. Voilà qui annule toutes les peines de cœur. Le mal d'amour est une maladie mentale. Signifiez illico à l'impétrant qu'il s'ignore heureux et comblé, c'est là son seul malheur. Tant de niaiserie théologienne à la rescousse des engagements les plus grandiloquents signale le retour offensif des transports euphémiques de Diotime. Mais au lieu de progresser des petites beautés à la beauté en soi et du terrestre au céleste, il nous faut désormais bondir du mal qui nous entoure au bien

---

1. *Épître aux Romains, op. cit,* p. 275.

qui nous échappe. Convenait-il qu'un si périlleux saut existentiel se justifiât par une si indécente cabriole logique ?

En un sens l'homme de foi a tout perdu. Il admet avec le Grand Inquisiteur que le monde ne reflète plus la présence divine. De même, le peuple, le prolétariat, la communauté raciale et tous les autres sujets de l'Histoire s'exhibent trop aliénés, trop disloqués, trop dégénérés pour incarner l'avenir de la promesse. Dans un autre sens, d'accord avec le starets, il n'a rien perdu. Le stock de vérités indestructibles qui faisaient les délices des ancêtres reste à sa disposition. Il entend préserver la référence d'une pureté historique ou suprahistorique, à l'abri de la pourriture présente. Sous les phares d'un Bien purement bien, le mal s'affiche extérieur, fermé sur lui, tout d'un bloc à sa manière également « pur ». Ayant ainsi rassemblé les enjeux, l'homme de foi ne joue qu'une partie. L'ultime. Chacun de ses jugements est un jugement dernier. Un mal, qui s'exclut du bien comme une écharde, un corps étranger, « un système », doit être éradiqué pour que le bien triomphe. La seule lutte que mène l'homme de foi est une lutte, théologiquement ou politiquement, finale. Le couple polaire mais complémentaire et indissoluble du staret et de l'inquisiteur galvanise les fois unes et indivisibles.

Au départ, la vision « inquisiteur » d'un monde mauvais de fond en comble éveille et inquiète. À l'arrivée, la vision béatifiée « starets », privilège d'un Dieu ou d'une « Société future », apaise. Pour ne pas se déchirer dans les mâchoires de cette polarité absolue, l'homme de foi hiérarchise. Il obéit par avance à la sainteté future, prosterné, à genoux, comme le lui recommandent les catéchismes politiques et théologiques. L'élimination du mal et du néant est l'œuvre propre de Dieu ou de l'Histoire. Le militant la subit, il ne la conduit pas. Le révolutionnaire est confiant car déterminé, le théologien est résolu parce que joyeux. « L'angoisse, le légalisme, l'incertitude, le pessimisme, la mélancolie ne cessent de dominer là où on n'est pas capable de penser et prêt à penser à partir de la foi chrétienne[1]. » L'autoaffirmation de la foi est « posi-

---

1. K. Barth, *Dogmatique*, vol. XIV, Labor et Fides, 1963, p. 77.

tive ». Elle se proclame affirmation d'un plus haut ou d'un plus lointain qu'elle.

Les chevaliers de la foi ne parviennent pas à s'entendre parce qu'ils se ressemblent trop. Leur inquiétante proximité les voue à des querelles sanglantes et fratricides. Pour qu'elles cessent, il faut qu'ils craquent et que soit brisé le cercle clos de leur foi. Celle-ci paraît blindée contre les démentis. Ayant circonscrit le mal comme un corps étranger, elle juge son idéal immaculé et immaculable. Le rapport, qui la noue à lui, ne peut être perturbé. Si les choses tournent mal, c'est la faute au réel, la faute aux circonstances, jamais à l'idéal. Il ne reste plus qu'à supprimer les circonstances. Miracle ! La foi s'affirme, le royaume du mal se dissout. « S'il a encore quelque existence dans le monde, c'est la cause de notre aveuglement, du voile qui couvre nos yeux et qui nous empêche de voir le royaume de Dieu — ce royaume qui est déjà venu et à côté duquel il n'existe aucun empire du mal[1]. » Hip, hip, hip, séchez vos larmes ! Seule votre cécité les a fait couler. Lorsque les gouvernés manifestent et se révoltent, il reste à tout gouvernement « populaire » qui s'accroche au pouvoir une solution radicale : dissoudre le peuple. Le conseil ironique, qu'expédia, dans un rare éclair de bon sens, Brecht à ses chefs communistes, brûlait-il les lèvres du théologien en pleine adresse à Dieu ? Ô Seigneur, dissous ce monde qui résiste à la foi !

Les platonismes anciens et actuels suturent les plaies. Les événements qui, à répétition, fracturent les âmes, les sociétés et la planète, ont baptisé les fois modernes. Mais celles-ci se sont empressées d'avaler l'acte de baptême. Elles s'enferment dans leur dialogue avec l'idéal, sans jamais s'interroger sur la pureté de cet idéal, qui juge de tout et n'est jugé par rien. Périsse le monde, pourvu que Marx soit sauf, le Coran infaillible, la Bible intouchable !

Mais rien n'y fait. Le monde, cet ensemble de choses écroulées, croulantes et croulables dure plus longtemps que le trésor d'idées « éternelles », qui irriguent des sacerdoces pas

---

1. *Dogmatique, op. cit.*, p. 80.

moins éphémères qu'elles... Les militances politiques et théo-logiques ont beau s'administrer des pharmacopées antifrac-tures, elles finissent par se fracturer à leur tour. Reste à découvrir comment et à quel prix.

IX

LE TRÈS-HAUT JUGÉ PAR SON PEUPLE

Il suffit peut-être de formuler la question au plus simple, de demander : « Pourquoi les Juifs ont-ils été tués ? » Elle dévoile d'emblée son obscénité.

C. Lanzmann, réalisateur du film *Shoah*

Dieu n'a pas de pouvoir sur cette seule chose : faire que ne soient pas les choses qui ont été faites.

Aristote, *Éthique à Nicomaque*

L'Europe a exporté ses croyances jusqu'au milieu du XXᵉ siècle. Là, elle s'arrête pile. Les récits des pères missionnaires, qui la passionnèrent et qui l'ont instruite depuis Christophe Colomb, ne suscitent pas même un intérêt poli. Ses missi dominici révolutionnaires ont souffert très vite d'une désaffection analogue. Ils passent désormais leur vie à contempler leur jeunesse, avec l'œil vide d'un visiteur de musée Grévin, à peine curieux des poupées de cire. Tout juste trouve-t-on une oreille pour les héritiers des grands explorateurs, ces médecins et ces reporters, qui, revenant d'un Eldorado mythique, nous racontent des horreurs.

Qu'est-il arrivé ? Rien, sinon un ciel qui tombe sur la terre. Rien, sinon la lumière crue d'une première guerre mondiale.

159

Rien, sinon la révélation que Dieu n'existe pas dans le monde. Mais les Européens courtois faussèrent compagnie à si sordide désillusion et repartirent de plus belle. En 40 comme en 14. Avec un petit plus. Leurs fois, désormais autogérées, s'affirmaient démentes, imperméables aux démentis. Elles se confirmaient dans leur échec même, car plus l'homme va mal, plus il aspire au bien. En 1945, enfin, la nouvelle « expérience du front », répétition au carré des boucheries, débranche la guerre civile. Et cette fois en silence. Une débauche de cris, d'imprécations, de manifestes avaient salué le retour des tranchées. Après la Seconde Guerre mondiale, alors que les discours sonnent creux, ce sont les images qui hurlent la fracture des temps. « La première rencontre... est une sorte de révélation — révélation caractéristique de la nature des temps modernes : le négatif en épiphanie. Ce furent pour moi les photographies de Bergen-Belsen et de Dachau, que je découvris par hasard chez un bouquiniste de Santa Monica en juillet 1945. Rien de ce que j'ai pu voir depuis lors — en photographie ou dans la vie réelle — ne me fit jamais une impression plus vive, plus instantanée et plus profonde. Il me semble vraiment que je pourrais diviser ma vie en deux séquences : celle d'avant la vue de ces photographies — j'avais douze ans — et celle d'après, bien que je n'aie pu comprendre de quoi il s'agissait réellement que quelques années plus tard. La vue de ces photographies pouvait-elle en quoi que ce soit m'être bénéfique ? C'était simplement les images d'un événement dont j'avais à peine entendu parler, sur lequel je n'avais aucune prise — de souffrances qui étaient pour moi à peine imaginables, et je ne pouvais absolument rien pour les soulager. J'éprouvais en les regardant l'impression d'une rupture. Une limite était atteinte. Pas simplement celle de l'horreur : je me sentais frappée, blessée de façon irrévocable [1]. »

Bouche bée, la population d'Europe dut, bon gré mal gré, affronter sur grand écran et clichés pleines pages les instantanés de l'enfer. Les Allemands furent contraints, s'ils habitaient les environs, à la visite guidée des charniers d'épouvante. Pour les autres, les troupes américaines organi-

---

1. Susan Sontag, *La Photographie*, Le Seuil, 1979, p. 30-31.

saient des projections. Obligatoires. Tu vois, tu manges. Tu te défiles, ventre creux. Les cartes d'alimentation sont distribuées aux séances de « ciné ». Premier peuple aux paupières coupées, cherchant trois générations durant des échappatoires sans jamais réussir à fermer les yeux. Premier peuple à bénéficier de l'imprévue lucidité[1].

La chair calcinée ou gazée *ne fait pas verbe*, du moins pas sur-le-champ. Les images et les témoignages ont propagé une onde de choc qu'aucun discours encore ne rattrape. Stupeur et tremblement. Sartre, l'athée, découvre le « mal absolu », il emprunte la dénomination au pieux Maritain. Il signe, par ailleurs, et sans lien explicite, l'acte de décès de Dieu. « Il nous parlait et maintenant il se tait[2]. » Buber, le juif croyant, cite ce texte et vitupère ; il refuse le sacrilège ; et nomme, à sa façon, le silence théologique, qui recouvre l'Europe. Il voit : « Le soleil s'obscurcit. » Il dit : « L'éclipse de la lumière céleste et l'éclipse de Dieu caractérisent l'heure que nous vivons. » D'un point de vue théorique, mort et éclipse font deux. Du point de vue factuel, touchant « l'heure où nous vivons », c'est tout un. Buber et Sartre énoncent à la fin des années 40 un constat, que le pape entérine un demi-siècle après : l'Européen vit « comme si » Dieu n'existait pas.

Parler d'éclipse semble alléger le poids de la disparition. C'est permettre de vivre suspendu dans l'attente de mieux. En fait, la métaphore est redoutable, elle atteint derrière ce qui est vu la manière de voir. « À quoi pensons-nous lorsque nous affirmons que notre époque connaît une "éclipse de Dieu" ? Cette parabole émet l'hypothèse inouïe que nous sommes capables de lever les yeux vers Dieu, que nous pouvons tourner vers lui "l'œil de notre esprit" et plus encore "l'œil de notre être", de la même manière que nous levons les yeux vers le soleil ; elle suppose encore qu'entre notre existence et la Sienne, quelque chose peut s'introduire, de la même manière qu'il arrive que la lune s'interpose entre notre œil et le soleil[3]. » Quel est donc l'« inouï » de l'aventure ?

---

1. Je n'y reviens pas ; *cf.* A. Glucksmann, *Le Bien et le Mal*, Robert Laffont, 1997.
2. Sartre, *Situation I*, « Un nouveau mystique », Gallimard, 1993.
3. Buber, *Éclipse de Dieu*, Nouvelles Cités, coll. « Rencontres », 1987, p. 117-118.

Lors d'une « mort » à la Nietzsche, l'ancien Dieu n'est plus « vu », mais la vue demeure. Un autre Être suprême occupe son trône, ainsi l'homme d'après 14 croula sous les ersatz. Ici, force est de constater que les lunettes de la foi, en particulier les platoniciennes — « nous levons les yeux vers le soleil » —, se détériorent. Nous ne voyons pas autre chose, nous ne voyons plus rien. Un corps étranger, la « lune », s'interpose entre l'œil et le soleil. Les hommes de foi gardent leurs idéaux, plus rayonnants les uns que les autres, mais ils ont un mal fou à idéaliser. Entre l'exaltant et l'exalté la communication est interrompue.

Sartre et Buber supposent qu'un paquet d'idées — éclairées et progressistes pour l'un, éclairées et fausses pour l'autre — suffit à boucher la vue. Et de conclure, à la va-vite, que d'autres idées fringant neuves permettraient de rallumer l'enthousiasme nécessaire pour ne pas désespérer de Billancourt ou de la tradition. Si, depuis, les professionnels du concept n'ont pas chômé, les résultats ne sont pas à la hauteur de leur bonne volonté. La maladie mortelle qui mine les illusions lyriques n'a pas pris source dans un « débat intellectuel », qu'il conviendrait de prolonger ou rectifier. Loin de là, c'est l'entrée fracassante du réel dans les sphères éthérées des joutes spéculatives et militantes, qui déclenche les pannes de la foi et l'éclipse des illuminations. Le caractère « inouï » de cette intrusion paralysante reste à explorer. Il ne s'agit pas de démentir des idées par des faits, jeu traditionnel et traditionnellement équivoque, où les concepts sans intuition livrent aux intuitions sans concept un duel sans merci. Et sans issue. Une révélation, profane ou sacrée, n'est ruinée que par une incroyable antirévélation : « de cette expérience du Mal, l'essentiel est qu'elle aura été vécue comme expérience de la mort... Je dis bien "expérience"... Car la mort n'est pas une chose que nous aurions frôlée, côtoyée, dont nous aurions réchappé, comme d'un accident dont on serait sorti indemne. Nous l'avons vécue... Nous ne sommes pas des rescapés mais des revenants[1] ».

Après Verdun les astres virtuels, que les nouvelles fois ont substitués au soleil perdu, avaient su tenir en place. La course

---

1. Semprun, *L'écriture ou la vie*, Gallimard, 1994, p. 99.

d'une « lune », qu'ils ne parviennent plus à éclairer, les relègue, tout à coup, hors circuit. Anti-révélation ? Manès Sperber la repère : « "Même si tout le firmament était en parchemin, si tous les arbres étaient des plumes, toutes les mers d'encre, et même si tous les habitants de la terre étaient des scribes, et s'ils écrivaient jour et nuit — jamais ils ne réussiraient à décrire la grandeur et la splendeur du Créateur de l'univers." Cinquante ans me séparent de l'enfant qui apprit à réciter ces premières lignes d'un long poème araméen que l'on transmettait, accompagné d'un inaltérable commentaire oral, de génération en génération. Je retrouve la mélopée de ces phrases lorsque je me rends, une fois de plus, à l'évidence que nous ne réussirons jamais à faire comprendre le *Hourban*, la catastrophe juive de notre temps, à ceux qui vivront après nous. D'innombrables documents dus à l'infatigable bureaucratie des exterminateurs, tant de récits de témoins miraculeusement rescapés, des journaux intimes, chroniques et annales — ces millions de mots me rappelle que "même si tout le firmament..." [1]. »

Lorsque Sperber, penseur antistalinien et antifasciste de la première heure, agnostique de toujours, ose comparer la Révélation positive du Sinaï et la Révélation négative des camps d'extermination, les théologiens orthodoxes, juifs ou chrétiens, loin de crier à l'hérésie, acceptent les termes du dilemme. Ils se demandent, à leur tour, comment penser Dieu dans de telles tourmentes. Ils posent la question avec honnêteté. Et cette honnêteté suppose que Dieu aurait pu s'évaporer dans les fumées d'Auschwitz.

Pendant la Première Guerre mondiale, l'Europe s'est découverte mortelle, mais conserva son « idée de l'homme ». La cagnotte des valeurs éternelles était sauve. Seule, la méthode pour les faire fructifier changeait. Pendant la Seconde Guerre mondiale, lesdits idéaux pour le moins laissèrent à désirer. « Le rêve que l'homme d'Occident a conçu au XVIIIe siècle, dont il crut voir l'aurore en 1789, qui, jusqu'au 2 août 1914, s'est fortifié du progrès des lumières, des découvertes de la science, ce rêve a achevé de se dissiper pour moi devant ces wagons bourrés de petits garçons, — et j'étais pourtant à mille lieues de

---

1. M. Sperber, *Être juif*, O. Jacob, 1994, p. 59.

penser qu'ils allaient ravitailler la chambre à gaz et le crématoire[1]. » L'ébranlement ne s'arrête plus aux certitudes profanes, il ouvre l'infini vertige. Et l'écrivain catholique de
poursuivre : « Avions-nous jamais pensé à cette conséquence
d'une horreur moins visible, moins frappante que d'autres abominations — la pire de toutes, pourtant, pour nous qui possé-
dons la foi : la mort de Dieu dans cette âme d'enfant qui
découvre d'un seul coup le mal absolu[2] ? »

Ces remarques terrifiées, préludes à la confession d'un
jeune inconnu, n'invitent pas à la lecture d'une mésaventure
strictement personnelle, ou d'une affaire exclusivement juive.
Non. Il en va de l'Europe. Il y va de sa civilisation. De sa
chrétienté et des objets de son adoration. De son « haut », de
son « bas ». Voici l'expérience, qui hante nos histoires. Voici
le creuset, où viennent se broyer toutes les certitudes. Voici
la fournaise, où fondent les croyances. Annulée toute pensée
incapable de se cogner l'horreur renvoyée par un simple
gamin, qui ne baisse pas les yeux.

« Les SS paraissaient plus préoccupés, plus inquiets que de cou-
tume. Pendre un gosse devant des milliers de spectateurs n'était
pas une petite affaire. Le chef du camp lut le verdict. Tous les
yeux étaient fixés sur l'enfant. Il était livide, presque calme, se
mordant les lèvres. L'ombre de la potence le recouvrait.
Le lagerkapo refusa cette fois de servir de bourreau. Trois SS
le remplacèrent.
Les trois condamnés montèrent ensemble sur leurs chaises.
Les trois cous furent introduits en même temps dans les nœuds
coulants.
— Vive la liberté ! crièrent les deux adultes. Le petit lui se taisait.
— Où est le Bon Dieu, où est-il ? demanda quelqu'un der-
rière moi.
Sur un signe du chef de camp, les trois chaises basculèrent.
Silence absolu dans tout le camp. À l'horizon le soleil se couchait.
— Découvrez-vous ! hurla le chef du camp. Sa voix était

---

1. F. Mauriac, préface à *La Nuit*, Wiesel, Minuit, 1958, p. 10.
2. *Ibid.*, p. 11.

rauque. Quant à nous nous pleurions.
— Couvrez-vous !
Puis commença le défilé. Les deux adultes ne vivaient plus. Leur langue pendait, grossie, bleutée. Mais la troisième corde n'était pas immobile : si léger, l'enfant vivait encore...
Plus d'une demi-heure il resta ainsi, à lutter entre la vie et la mort, agonisant sous nos yeux. Et nous devions le regarder bien en face. Il était encore vivant lorsque je passai devant lui. Sa langue était encore rouge, ses yeux pas encore éteints. Derrière moi, j'entendis le même homme demander :
— Où donc est Dieu ?
Et je sentais en moi une voix qui lui répondait :
— Où est-il ? Le voici, il est pendu ici, à cette potence... »

Élie Wiesel[1].

Même dans un camp de concentration, la scène n'est pas ordinaire. Mais de quel droit s'exhibe-t-elle paradigme d'une condition humaine ? « Où est Dieu ? » La question gueule toute seule dans pareilles extrémités. Et les réponses sont légion. Les uns crèvent en Le confessant. Les autres étouffent en Le maudissant. La plupart n'ont plus la force d'interroger. Encore moins de répondre. Cet enfant, qui ne veut pas mourir et regarde pendre un enfant qui ne veut pas mourir, devient mesure de la condition divine. La « Nuit » d'Élie Wiesel, portée par l'authenticité, doit-elle rester un cri, un cri entre d'autres, un cri et rien d'autre ? Le psy refuserait de conclure sur l'Être suprême, mais se saisirait du désarroi d'un gosse de quinze ans écrasé par l'émotion trop forte pour son âge. Le traumatisme, c'est là son terrain. L'historien, à son tour, reléguerait les considérations théologiques, peu rationnelles, pour s'attacher à l'étude d'un temps désemparé par des misères trop fortes.

Chaque spécialiste, campé sur son lopin de savoir, aura beau jeu d'expertiser, sous l'angle qui lui est cher et avec ses méthodes éprouvées, un cas qui fait exception à ses yeux scien-

---

1. Élie Wiesel, *La Nuit*, p. 103-105.

tifiques. Et tous de conclure qu'on ne tire pas de leçons universelles d'une déchirure singulière. N'empêche. Il reste à savoir si Wiesel présente un fait, qu'une seconde série de faits pourrait corroborer et une troisième démentir. Ou bien s'il bute sur une vision cruciale au point qu'elle remette en cause l'observateur et l'observé. Son expérience vécue, émotionnelle, terrible, s'impose car elle interroge les conditions de toute expérience et le langage qui l'articule. Le psychologue n'a pas tort, dans le développement individuel un choc pareil n'est pas courant. L'historien n'a pas tort, dans l'histoire de l'humanité de tels événements sortent de la norme. Tous ces honnêtes savants utilisent des mots — développement, histoire, humanité — dont l'enfant Wiesel, après ce qu'il a vu, se demande s'ils ont gardé un sens. Si oui, lequel ? Le langage savant et responsable paraît irresponsable au regard épistémologiquement averti d'un gosse qui a vu l'inconcevable adultement. Et qui sait. « Ce qui est arrivé peut recommencer [1]. »

Le dieu-mort de Wiesel n'est pas l'enjeu d'une profession de foi agnostique. Il n'introduit pas davantage une théologie inédite. La vérité de ce dieu pendu est plus vraie que toutes les morales terrestres et célestes, qui en avaient décrété, depuis le fond des âges, l'impossibilité. Wiesel raconte : une poignée de juifs pieux priaient dans une petite synagogue clandestine. L'un d'entre eux, pas plus fou que les autres, s'interrompt et réclame le silence — *attention ne priez pas si haut ! Dieu pourrait vous entendre, il apprendrait ainsi qu'il reste encore quelques juifs vivants, chut !* Dieu aurait-il l'oreille et la main nazies ? À première vue, nous naviguons en plein blasphème. Des penseurs très religieux ont commenté cependant cette fable avec faveur et ferveur. Elle leur parut bien moins attentatoire à la dignité du Seigneur que l'insensé de Nietzsche chantant « *Requiem aeternam deo* [2] ». Énorme et inaperçu renversement de perspective, typique du mot d'esprit, *witz*, freudien : tout à coup, ce n'est plus Dieu qui juge l'histoire, comme le veulent et la tradition et les épais volumes de la Dogmatique de Barth.

---

1. Primo Levi, *Si c'est un homme*, Presses-Pocket, 1988, p. 211.
2. E. Fackenheim, *Penser après Auschwitz*, Cerf, 1986, p. 117-118.

Tout à coup, Dieu consent à se laisser juger. Et par quoi, grands dieux ? Pas même par une Histoire à la Hegel, pas même par une Révolution à la Marx aussi divines que lui. Jugé par la vermine, la pourriture et les enfants qui grouillent et meurent dans l'*anus mundi*, le trou-du-cul du monde. Dans la merde, je suis. Une merde je suis. Et je juge le Tout-Puissant, au risque de le penser à mon image. Ou pire. Les tabous platoniciens garantissaient le croyant contre pareille *hybris*, ils ont explosé.

L'univers concentrationnaire entraîne l'éclipse de Dieu. Il interpose entre l'homme et le divin la Révélation d'un mal total. Un mal extrême, tel qu'il est impossible d'en imaginer plus destructeur. Un mal général, dont la contagion et la reproduction toujours possibles interdisent de garantir son éradication. Si la foi fonctionne en preuve ontologique, elle découvre sa contre-preuve dans l'épreuve humaine de « faire le mal pour le mal » (P. Levi), la capacité d'instaurer le néant tout en affirmant l'être. « Il est généralement dans le fait d'être homme un élément lourd, écœurant, qu'il est nécessaire de surmonter. Mais ce poids et cette répugnance n'ont jamais été aussi lourds que depuis Auschwitz. Comme vous et moi, les responsables d'Auschwitz avaient des narines, une bouche, une voix, une raison humaine, ils pouvaient s'unir, avoir des enfants : comme les Pyramides ou l'Acropole, Auschwitz est le fait, est le signe de l'homme. L'image de l'homme est inséparable, désormais, d'une chambre à gaz[1]. »

La foi avait allégrement assumé la non-existence des Êtres Suprêmes sur la terre. Elle remettait leur venue au monde à plus tard. Elle promettait d'y travailler. La nouvelle mort de Dieu bouscule pareilles professions de foi. C'est l'essence de nos grandes notions qui se vide dans une irrattrapable hémorragie... Dieu tout-puissant où es-tu ? Perdu ? Absent ? Malentendant ? Quand l'horreur surgit, si le Seigneur est toute-puissance, ou bien il n'est pas toute-sagesse, ou bien il n'est pas toute-bonté. Si le Seigneur est omniscient et s'il est charitable, il faut croire qu'il est impuissant. Le concept tradition-

---

1. G. Bataille, *Œuvres complètes* tome II, Gallimard, 1970, p. 226.

nel de l'être parfait devient fou[1]. Son double profane, le concept d'Humanité, ne se porte pas mieux. Il dégringole en sa compagnie. *At Auschwitz not only man died, but the idea of man*, poursuit Élie Wiesel. Pas seulement l'homme mais l'idée de l'homme meurt[2].

« Tous les sentiments humains, l'amour, l'amitié, la jalousie, l'amour du prochain, la charité, la soif de gloire, tous ces sentiments nous avaient quittés en même temps que la chair que nous avions perdue pendant notre famine prolongée... Le camp était une grande épreuve des forces morales de l'homme, de la morale ordinaire et quatre-vingt-dix-neuf pour cent des hommes ne passaient pas le cap de cette épreuve... Les conditions du camp ne permettent pas aux hommes de rester des hommes, les camps n'ont pas été créés pour ça. » Passant les portes du Goulag, Varlam Chalamov a répondu en écho[3]. Les rescapés parlent toutes les langues, ils viennent d'horizons, de pays, de partis, de conditions diverses. Après l'orage, s'ils survivent, ils empruntent des chemins divergents. Néanmoins le défi que tous lancent est identique. La négation totale de ce qu'ils tenaient auparavant pour souhaitable, imaginable, permis et défendu, pensable ou impensable impose, bon gré mal gré, une remise à plat radicale des catégories évidentes, « les hommes normaux ne savent pas que tout est possible[4] ».

Pour commencer, on pèse. Le SS est « plus » méchant que le criminel courant, les Kapos sont des gardes-chiourmes au carré, le camp pousse au rouge les barbelés des prisons et des bagnes, etc. On voudrait établir une continuité à bon marché. On tente de tresser un lien entre les vies ordinaires et les agonies extraordinaires. Or le déporté pénètre en secret une terre autrement inconnue, elle ne prolonge pas son univers

---

1. « Auschwitz a été pour moi une telle expérience qu'elle a balayé tout reste d'éducation religieuse... Il y a Auschwitz, il ne peut donc pas y avoir de Dieu. Je ne trouve pas de solution au dilemme. Je la cherche, mais je ne la trouve pas. » Primo Levi, *in Conversation avec Primo Levi*, Gallimard, 1991, p. 74-75.

2. C. Wardi, *Le génocide dans la fiction romanesque*, PUF, 1986, p. 46 s.

3. Varlam Chalamov, *Récits de Kolyma*, Maspero, 1980, p. 31, II.

4. David Rousset, *L'Univers concentrationnaire*, Hachette poche Littérature 1998, p. 181.

habituel. Elle le culbute. Les différences d'un monde à l'autre ne sont pas quantitatives mais qualitatives. Elles ne participent pas d'une exagération, elles manifestent une perversion. Laquelle, loin d'outrepasser les bornes et les normes, les anéantit. « Chaque jour je perds une nouvelle fois ma confiance dans le monde » (Amery). Avant, avant l'enfer, les philosophes affirmaient que l'homme se sent originellement chez lui, il dispose d'un lot d'habitudes premières, qui permet d'habiter et de se repérer (Ravaisson), d'un être-dans-le-monde toujours déjà là, préentendu (Heidegger), préréflexif (Sartre-Merleau-Ponty). Il suffisait d'y revenir pour découvrir la condition humaine. Aucune de ces belles vérités ne survit dans la condition inhumaine, où la perte de confiance (*Weltvertrauen*) signifie la chute hors de l'être-dans-le-monde. Une perte si vertigineuse que la confiance antérieure paraît rétrospectivement indue, illusoire, trompeuse.

Les catégories habituelles seraient-elles seulement incomplètes ? Les replâtrer, pour qu'elles assimilent le fait des camps, est une entreprise désespérée. Robert Antelme demande s'il peut parler d'« espèce humaine », il semble poser une question simple : comment additionner le SS et l'esclave, deux entités qui s'excluent mortellement. Des pommes et des choux, des rats et des surhommes. L'opération se complique et s'inverse. C'est moins la dualité du bourreau et de la victime que leur unité qui fait problème. Moins l'affirmation évidente de leur différence que la reconnaissance d'une ressemblance. La notion d'espèce humaine s'avance grosse d'illusion mortifère.

Les gardes-chiourmes sont eux-mêmes déportés. La hiérarchie concentrationnaire repose sur la « zone grise » (Levi), sur l'« hypocrisie substantielle » (Antelme), où les détenus assurent leur propre police. « *Alle Kamaraden*, disaient nos Kapos. Nous sommes tous des sujets du camp de concentration, tous des camarades. Celui qui te tue est ton camarade[1]. » Dans l'Archipel soviétique, il n'y avait aussi que des camarades, ceux en caban rayé qui crevaient et les autres, cas-

---

1. R. Antelme, *L'Espèce humaine*, Gallimard, coll. « Tel », 1979, p. 164.

169

quette rigide ou chapeau mou, qui engraissaient[1]. Tous des camarades. Le gardien est ton frère. Le travail, c'est la liberté. L'hygiène, c'est la santé. Les valeurs de la civilisation sont brandies par le tortionnaire pour étourdir, décerveler et soumettre qui les respecte. Primo Levi interroge les ressemblances entre camps nazis et le goulag. Lui, qui les distingue au maximum, relève combien le culte commun du travail induit une même destruction. Le *zek* Ivan Denissovitch entre en « émulation socialiste » et construit sa prison, comme tous les autres. Le déporté qui ne triche pas avec sa conscience professionnelle se condamne à une mort plus rapide que celle du tire-au-flanc. La règle est générale, toutes les lumineuses normes de l'homme de la rue se retournent contre lui dès qu'il franchit les portes du camp.

La perversion se love dans le renversement du langage ordinaire contre celui qui l'emploie avec l'habitude et la confiance d'un être-dans-le-monde. Les administrations cannibales pratiquent l'euphémisme. Travail et pas torture. Sélection et pas meurtre. Solution finale et pas extermination. Pas génocide. Comme toute mafia, nazis ou bolcheviques inventent quelque dialecte, ils s'entendent à demi-mot, sans éveiller les sourds qui ne veulent pas entendre. Là n'est pas le principal. La trouvaille, proprement totalitaire, investit les mots de tout le monde et transforme la parole humaine en instrument d'autodestruction. Chaque détenu est invité à respecter des règles, celles mêmes qui ont structuré sa vie antérieure, afin de se laisser vertueusement massacrer. On conçoit, dès lors, pourquoi l'éclipse est totale. La volonté de voir le soleil dans la nuit produit et reproduit l'ascension d'une lune plus noire que jamais...

Au cœur des logiques concentrationnaires, le dieu pendu cristallise le vertige des détenus mis en demeure, s'ils veulent survivre, de renier ce qu'ils croient et chérissent. Suffirait-il, par fidélité à leur enfance et leurs aïeux, qu'ils refusent de survivre, pour ne pas les trahir ? Cette issue ne leur appartient pas. Ils accompliraient, avec un empressement équivoque, une condamnation venue d'ailleurs. Ils sont coincés.

---

1. Martchenko, *Mon témoignage*, Le Seuil, 1974.

On ne sort pas du camp. Ni de corps ni d'esprit. « Face à l'inextricable dédale de ce monde infernal, mes idées sont confuses[1]. » Le brouillard est délibéré, organisé. Planifié pour briser toute résistance. Idées et idéaux anciens grouillent en magma immonde dans les têtes qui les respectent. Confronté à un cercle carré, le détenu doit perdre les pédales. Primo Levi compare sa névrose expérimentale à celle du chien pavlovien conditionné « à réagir d'une certaine façon devant un cercle et d'une autre devant un carré, lorsque le carré s'arrondissait et commençait à ressembler à un cercle[2] ». Le détenu est la proie des exigences absurdes d'un maître, « ici il n'y a pas de pourquoi ». Plus grave, il devient la victime des injonctions contradictoires de sa conscience. L'effort pour le rendre fou attaque de l'intérieur comme de l'extérieur.

La démence ne guette pas seulement le déporté. Chaque être humain qui s'interroge, fût-ce un demi-siècle plus tard, risque le dérapage. Quel sens a Auschwitz si Dieu existe ? Quel sens si l'Histoire est raison et progrès ? Quel sens si l'Humanité fait sens ? Quel « jugement de Dieu », quel « tribunal de l'histoire » se prononce à l'ombre des crématoires ? Est-ce, comme le veut la tradition, le créateur qui juge ses créatures ? Quelle faute condamne au génocide ? S'agit-il d'une ruse de l'histoire ou de la divinité ? Ont-elles poussé au crime pour le plus grand bonheur de tous, la fin justifiant les moyens ? Fallait-il punir le peuple juif ? Lui faire la leçon ? Pareilles lubies ont couru dans les têtes. Elles accablent leurs auteurs. Obscènes quand elles évaluent la « faute » des exterminés. Blasphématoires quand elles campent, pour le justifier, Dieu en bourreau inflexible, ou en pédagogue troquant le martinet pour une chambre à gaz.

« Dieu est-il resté "Aimable en soi-même" à Auschwitz ? Ce ne serait possible que s'il n'a pas entendu les hurlements des enfants et le silence non moins terrible des *Muselmänner*. Un tel Dieu conserverait encore son infinitude, mais n'aurait-Il

---

1. P. Levi, *Si c'est un homme*, op. cit., p. 42.
2. P. Levi, *Naufragés et Rescapés*, Gallimard, 1989, coll. « Arcades », p. 179.

pas perdu toute trace de son intimité ? "L'intimité de l'infini" : la foi juive est toujours restée étroitement attachée à ce postulat, depuis que le Créateur des cieux et de la terre est devenu aussi le Dieu d'Abraham. Il en a maintenu le principe envers et contre toutes les tentations, et malgré toutes les vicissitudes. La Shoah en aurait-elle eu raison ? A-t-elle "fragmenté" le Dieu d'Israël en une intimité absolument impuissante et un infini d'absolue indifférence[1] ? »

E. Fackenheim.

Un Dieu confronté au mal absolu implose. L'intérieur et l'extérieur, le tout-intime et le tout-puissant, l'ordre du monde ou de l'Histoire et l'ordre du cœur divorcent. S'agit-il d'une péripétie pénible, affreuse mais passagère ? Concerne-t-elle uniquement les victimes et leurs proches ? Le malaise est contagieux, ainsi J.B. Metz, théologien catholique : « Il n'existe pour moi aucun dieu que je pourrais adorer, le dos tourné à Auschwitz[2]. » À vrai dire l'opinion publique a tranché, parfois de façon naïve, voire grotesque. Elle ne tourne plus le dos. Le camp de la mort, longtemps occulté, est devenu le paradigme de l'horreur et le juif symbole d'un malheur sans partage. À l'occasion, une concurrence, qui n'est pas dénuée de curieuse jalousie, accompagne la référence, comme s'il fallait se proclamer « nouveau juif », victime d'un autre génocide, et combattre un nouvel Hitler pour s'estimer et se faire entendre. Les manipulations, volontaires ou pas, ne manquent guère et témoignent, fût-ce contre elles-mêmes, combien l'affaire reste béante et difficilement pensable. L'abîme ne se referme pas. Passer outre, se consacrer aux affaires courantes, paraît moins aisé que les insouciants

---

1. E. Fackenheim, *Judaïsme au présent*, Albin Michel, 1992, p. 398.
2. J.B. Metz, « La théologie chrétienne après Auschwitz », revue *Concilium*, n° 195, 1984, p. 49. « Comment pouvons-nous concevoir Dieu après la Somme, après Auschwitz ? » interroge le professeur A. Mac Intyre à Oxford, dans une discussion sur la « nouvelle théologie » qui secoua les religieux anglo-saxons dans les années 60, *cf.* Ved Metha, « Les théologiens de la Mort de Dieu », Mame, 1969.

ne l'escomptaient. Impossible de cacher ce camp que je ne saurais voir.

L'éclipse dure. Il est temps de se demander si l'expérience concentrationnaire aveugle ou éclaire. Se borne-t-elle à brouiller l'idée de Dieu et de la condition humaine ? Ou bien infléchit-elle le regard ? Comme si l'Anti-Révélation de la destruction et du néant ouvrait une perspective inattendue sur ce qui est ?

Perturbation ou perception ? Perturbation et aperception nouvelle ? Faut-il oublier Auschwitz ? Retourner aux idéaux d'antan ? Convient-il d'en faire table rase ? Peut-on échapper à l'alternative ? Quatre intellectuels juifs de haute volée ont agité ces questions en mars 1967, sans leur trouver de réponse unanime, moins embarrassés les uns des autres que chacun de lui-même. Entre eux, ils se montrent tolérants, sans être complices. Nul ne prétend détenir une solution clés en main. Des vérités émergent, pas aussi concluantes que le souhaitent les quatre interlocuteurs. Plus problématiques que ne l'admettent auditeurs et lecteurs[1]. Voilà pourquoi le compte rendu de leurs débats suscita peu de traductions. Dommage ! On n'a guère mieux disputé depuis. En lice : Élie Wiesel, Émil Fackenheim, Georges Steiner, Richard Popkin. Les tensions polaires qui agitent l'intelligence juive d'Amérique sont représentées. Fackenheim insiste sur l'équation proprement juive de l'expérience d'Auschwitz. Steiner sur la dimension universelle de l'expérience juive. Popkin interroge d'entrée le rapport des deux. Élie Wiesel, fidèle à lui-même, interroge l'interrogation.

Les quatres sages s'accordent sur un point : l'événement marque une coupure irréversible. Le Dieu pendu de Wiesel, qu'ils ne mentionnent pas, les obsède. Ils traduisent : nos catégories politiques sont pulvérisées, et nos critères moraux, et la confiance religieuse. Mais les ancrages antérieurs ne sont pas abolis. Chacun s'obstine à sauver quelque vestige. Certes le rapport au passé pend à la potence de Dieu. Destruction du Temple, inquisition, expulsion des juifs d'Espagne, pogroms,

---

1. « Jewish Values *in* the Post-Holocaust Future : A Symposium », revue *Judaism*, vol. XVI, n° 3, été 1967, p. 266-299.

aucun pan de cette histoire douloureuse ne se compare aux années 40. Aucune leçon ancienne ne suffit. La fracture est sans précédent, il faut penser à nouveaux frais et Dieu, et le monde, et « nous ». Les quatre partent implicitement du duel, du vis-à-vis de la Révélation (Sinaï) et de l'Anti-Révélation (Auschwitz). Ils écoutent avec respect l'histoire « drôle » d'un auditeur rescapé. La scène se tient dans un camp, où elle fut inventée. Un rabbin très pieux interroge un disciple : « *Sais-tu qu'il est possible que le maître de l'univers [ribbono shel olam] soit un menteur ? — Comment serait-ce possible ? demande le disciple — Parce que si le maître ouvrait sa fenêtre maintenant, jetait un œil sur ce qui se passe en dessous et voyait Auschwitz, il fermerait les volets et dirait je n'ai pas fait cela. Et ce serait un mensonge*[1]. » Requiem éternel pour le Dieu platonicien « qui ne ment pas » !

La croyance d'antan ne soutient plus spontanément nos engagements. Ni la simple confiance ni le respect sans problème de la tradition ne rétablissent la continuité brisée. Il faut que le présent se retourne sur le passé. Et l'éclaire après avoir branché les projecteurs de l'abîme. L'homme d'aujourd'hui doit s'armer d'un commandement inédit — le 314e dit Fackenheim — dicté par la « voix d'Auschwitz ». Il faut que l'Anti-Révélation parle à la Révélation pour que celle-ci parle à nouveau... Seul un nouvel « impératif » catégorique peut rétablir un pont entre ce qui a été et ce qui est. Le leit-motiv est qu'à aucun prix il ne faut accorder une « victoire posthume » à Hitler (Fackenheim). Sur ce point, les quatre tombent d'accord. La divergence survient quand ils se risquent à préciser quelle serait la « victoire posthume » et, par voie de conséquence, quel contenu insuffler à l'« impératif » souhaité, qui, en quelque sorte, tirerait la leçon du génocide.

Pour Fackenheim, l'ultime victoire de la solution finale serait la dissolution d'une communauté juive, abandonnant ses rites et ses croyances. Pour Steiner, Hitler gagne *post mortem*, si les juifs deviennent une nation comme les autres, bradant insolence et toupet, qui les rendaient, bon gré mal gré,

---

1. « Jewish Values... », *op. cit.*, p. 294, raconté par M. Rosensaft, fils du président de l'Association internationale des survivants de Bergen-Belsen...

grain de sable critique et porte-parole de l'universel. Au sein de sociétés closes, trop « communautaires », « être juif, *quite simply*, c'est être un peu plus homme ». Le débat ne trouve pas d'issue, il reconduit paradoxalement les catégories et les partis pris antédiluviens qui avaient divisé l'intelligence européenne jusqu'en 14. Communauté (*Gemeinschaft*) ou société (*Gesellschaft*) ? Racines nationales ou vocation universelle ? Les interlocuteurs de 1967 partent de l'exigence d'une rupture absolue (rien ne peut être pensé comme avant) et finissent par conclure à l'exigence d'une fidélité absolue (rien ne doit changer sinon Hitler a gagné). Partis pour formuler la nouveauté radicale d'un malheur unique entre tous, nous revoilà à fouler les plates-bandes conceptuelles, où l'Europe éclairée de jadis tournait en rond.

La position « communautaire » comme la thèse « universaliste » butent sur la même contradiction. Elles appellent le présent à restituer au passé son aura et sa toute-puissance, en s'étayant sur un « irréversible » qui suspend passé, aura et toute-puissance. Trop intelligents et trop meurtris pour énoncer tel quel le commandement de « *faire comme si rien ne s'était passé* », au nom paradoxalement de ce qui s'est passé, nos quatre sages rivalisent de réticences, hésitations, rectifications. C'est alors que Wiesel introduit, en douceur, le changement de perspective qui s'impose.

Avec une grande discrétion, il renvoie dos à dos l'universaliste et le communautaire. Leurs catégories étroites et convenues ont été réfutées par l'Événement. Wiesel a beau jeu de rappeler que les déportés furent assassinés dans la solitude la plus grande. Dans le silence le plus total. La société internationale, ses États démocratiques, ses autorités morales, ses Églises n'ont pas consenti à briser la chape de nuit et de brouillard où le crime prospérait. La part de communauté juive qui, à l'abri des orages, vivait à New York, Jérusalem, au Maghreb, négligea d'alerter et s'abstint de hurler. Ni le parti « communautaire », ni l'option humaniste et « internationaliste » ne sortent immaculés de l'épreuve. Steiner a raison, il devient impossible de proférer « *right or wrong, my country* », aucune communauté ne prospère à l'abri des soupçons. Fackenheim a raison, impossible de sacrifier et soi et

175

ses proches aux intérêts supérieurs d'une Humanité qui s'est révélée aveugle, sourde, paralysée. Chacune des deux thèses triomphe, quand elle réfute. Elle bafouille, quand elle propose. Trouverait-on une troisième porte de sortie ? Peut-être, si l'on accepte d'être plus modeste avec Wiesel, qui s'abstient de formuler une leçon. Cherchant moins, il trouve davantage, une nouvelle faculté de percevoir.

Il n'y a pas lieu de sacrifier, les yeux fermés, aux valeurs « universelles ». « Si l'holocauste prouve quoi que ce soit, c'est qu'il est possible à une même personne d'aimer la poésie et de trucider des enfants. » Il n'y a plus lieu d'honorer l'infaillibilité de toute communauté, « à cet instant, où était la Communauté d'Israël ? ». La solitude hors humanité, la solitude hors communauté est totale. C'est là que gît désormais l'universalité. « Nous sommes liés aujourd'hui à Auschwitz. Ceux qui n'y étaient pas peuvent le découvrir ici et maintenant. Comment ? Je l'ignore. Mais je sais que c'est possible... Pour le père dont l'enfant est en train de mourir, Auschwitz prend le visage d'un enfant. » Et Steiner et Fackenheim, qui tiennent pourtant au caractère « unique » d'Auschwitz, acceptent pareille extension de l'expérience. Auschwitz est le comble. Mais ce comble une fois révélé se laisse retrouver dans la plus intime des souffrances. Dans l'auditoire, où les opinions s'entrechoquent sans ménagement, personne ne crie à la « banalisation ». Un enfant qui meurt, un peuple exterminé, la même chose ? Oui, seulement si l'on comprend qu'à Auschwitz la mort de l'humanité s'est révélée une indépassable possibilité. Wiesel ne banalise pas. Nous vivons depuis sa nuit « en agonie ». L'humanité se découvre apte à disparaître dans son ensemble à travers l'épreuve qu'elle s'inflige en quelques-uns.

Qu'y a-t-il de changé ? Le fond des choses ! Non point telle affliction inconsolable, le désespoir d'une mère, un deuil sans remède, lesquels se ressemblent depuis l'orée des temps. N'était que depuis peu chaque perte particulière paraît doublement irrécupérable et définitive, elle simule et remémore une fin de toutes choses qui désormais nous hante. Les yeux qui nous disent adieu anticipent l'absolue nuit du monde.

L'épreuve, pour qui ne se voile pas la face, renverse la manière de voir plus que la manière de vivre (en communauté ou pas). Quand Ivan Karamazov jette à la face de Dieu la mort d'une fillette innocente, il s'élève arbitrairement de la partie au tout, sans convaincre les amateurs des mélopées célestes ou les admirateurs de la providence historique et sans probablement se persuader lui-même. De nos jours, le père de l'enfant qui meurt procède, implicitement, en sens inverse. C'est une disparition d'ensemble, l'éclipse de Dieu, la fin de l'humanité qui se répète et vient se refléter sur le visage du gosse. De tous temps, des parents en deuil ont éprouvé tous les malheurs du monde. Mais le poids de ces malheurs change à mi-siècle. Il pèse d'une qualité nouvelle sur les collectivités comme sur les individus. En chaque mort singulière hésite une mort générale. Lue sur l'horizon de l'Anti-Révélation, la mort d'un être cher ne banalise aucunement Auschwitz, mais elle peut devenir aussi peu banalisable qu'Auschwitz. La mort de Dieu à Verdun annonçait la mort de l'immortalité. La mort de Dieu à Auschwitz implique, plus insidieuse, la mort de la mort, la mort de cette mort que chaque civilisation par ses rites et ses mythes cerne, individualise, maîtrise, éternise. La mort sans après dans le regard d'un enfant pendu n'est plus celle d'un Mozart assassiné, support éphémère d'une musique éternelle. C'est la mort « sans pourquoi » qui hante des terres de détresse.

« Notre sort est pire que celui des Juifs », psalmodiaient, inconscients et grotesques, les pacifistes allemands des années 80. Nous vivons un génocide, clament tous les humiliés de la terre. Un génocide potentiel ! Un génocide culturel ! Un génocide mental ! Un génocide économique ! Protégeons-nous contre l'extermination qui guette, profèrent tous les exterminateurs. Cherchez l'erreur ! Elle ne se rapporte pas à l'inévitable évocation d'un camp barbelé. Du temps des croisades, on parlait de croisade. Après Marathon et Salamine, on médita les guerres médiques. Passé Waterloo et Sainte-Hélène, Napoléon n'est pas tombé aux oubliettes.

La balourdise intentionnelle ou naïve prospère dans la réduction de l'Anti-Révélation à un simple fait et de la nouvelle voyance à une chose vue. On se perd alors dans les comparaisons quantitatives. On jauge les intentions, qui ont présidé aux divers programmes exterminateurs : quel ver a rongé la cervelle de Hitler ? Quelle araignée trottait dans la tête de Lénine ? La race ? La classe ? Ou bien, excédé par une bêtise, on risque de chuter dans une autre et conclure que le comble de l'histoire, étant incomparable, n'a rien à voir avec cette histoire. Le système optique mis au point par Wiesel évite les identifications incongrues, un camp de concentration serbe en 1995 n'est pas Birkenau 43, la déportation des Kosovars n'est pas celle des tziganes et des juifs. Elle évite également les distinguos obscènes, car tout camp de concentration, toute déportation demeure indice d'une barbarie promise à escalade. Auschwitz rayonne sur les terreurs contemporaines, leur donne sens et potentialités, du Cambodge au Rwanda et jusqu'aux lèvres blêmes d'un enfant agonisant.

Il existe une échelle de l'horreur ; à chaque échelon, libre au quidam d'exulter qu'on a connu pire, à condition d'ajouter que le pire demeure éternellement possible. Tous les tremblements de l'écorce terrestre ne se ressemblent pas, l'échelle de Richter évalue l'intensité des secousses sismiques, du degré zéro au désastre absolu. L'impératif d'Auschwitz est aussi facile à formuler que compliqué à mettre en œuvre : redescendre et se maintenir au plus près de l'échelon zéro de l'annihilation des autres comme de soi. Il vaut pour les individus comme pour les collectifs. Il n'exclut pas l'usage de la violence pour enrayer l'ascension délétère. « S'il est un message que le Lager eût pu transmettre aux hommes libres, c'est bien celui-ci : faites en sorte de ne pas subir dans vos maisons ce qui nous est infligé ici[1]. » Voilà la « voix » et son « commandement ». Elle vient d'outre-humanité et toute l'humanité peut l'entendre.

La mort des enfants, avant la descente aux enfers moderne, était vécue dans l'espoir d'une vie éternelle. Désormais, elle se pleure dans la menace d'une mort sans recours dont, selon Wiesel, Auschwitz aura été la préfiguration et le modèle parfait. Ici fut mise à nu une violence si pure que toutes les cruautés de notre actualité gravitent autour d'elle[2]. Au Liberia, un gamin soldat de treize ans brandit sa Kalach. « Tu te rends compte que tu risques de descendre ton frère, ta mère, ton père ? demande mon ami H.C. Buch — *Why not ?* »

---

1. Levi, *Si c'est un homme, op. cit.*, p. 58.
2. É. Wiesel, *in Judaïsm*, art. cité, p. 288.

répond l'adolescent. Les professionnels de la mort ne scandent aucun pourquoi, ils fleurissent parce qu'ils fleurissent, quitte à s'attifer d'idéologies commodes et de prétextes atténuants. La question : Pourquoi pas ? traduit leur manière de ne pas se poser de question, ils évitent qu'elle rebondisse sur eux. « Les SS féroces et stupides, les Kapos, les politiques, les criminels, les proéminents grands et petits, et jusqu'aux *Häftlinge*, masse asservie et indifférenciée, tous les échelons de la hiérarchie dénaturée instaurée par les Allemands sont paradoxalement unis par une même désolation intérieure. [1] »

La pensée classique soupçonnait au fond des relations humaines l'anarchie d'un **état de nature,** où tout s'avère possible, y compris que l'homme soit un loup pour l'homme. Cette violence nue était supposée préculturelle ; **un état de culture** était censé la brider — provisoirement ou définitivement au gré des optimismes... Les exploits ourdis par la soif du pouvoir, l'appât du gain et les plaisirs excentriques, on connaissait. L'alcool en guise de motivation morale, on savait. Et le goût du sang se substituant à la passion de Dieu, on avait essayé. Mais on paraissait ignorer l'émergence de violences autrement redoutables, car nullement analphabètes. Des violences qui parlent. Des violences qui se jouent des mots, des idées et des institutions. Des violences qui usent des armes de la culture contre la culture et fomentent en elle des complicités actives ou passives. Des violences qui sèment la mort au nom de la vie.

Le spectacle manquait encore du Dieu pendu. Et avec lui, la possibilité d'un Dieu distrait, d'un Dieu qui ferme les yeux et s'absente à l'instant de la plus grande urgence. Cette histoire de fous, où sombrent les appelés et les sans-grade, les idées pures et les sentiments élémentaires, les bébés et les vieillards, les mortels et les immortels, voilà qu'elle expose, dans sa nudité carnivore, une violence bien moins pré- que post-culturelle. En deçà et par-delà le « cru » de la nature et le « cuit » de la culture, bien au-dessus de leur interminable duel, monte le pouvoir du pourri. Une violence ni animale ni machinale qu'on ne saurait renvoyer à une « bestialité » ou à

1. P. Levi, *Si c'est un homme, op. cit.,* p. 130.

un « système » extérieur, une corruption intime, qui se goinfre de nature et se gorge de culture, en les menaçant toutes deux d'un effrayant *E finita la comoedia* !

Puisque nos idées et nos idéaux éternels ne parviennent plus à ordonner le chaos, c'est au chaos de les interpeller. Dieu ne juge pas Auschwitz, Auschwitz juge Dieu. L'Histoire se déjuge devant le goulag, le goulag la démet de sa providence et dément ses prétentions. La violence des camps ne se contente pas d'annoncer, comme la Grande Guerre, la mortalité des civilisations, elle montre qu'elles portent en elles la mort, au moment même où elles prêchent la vie. « Avoir vu son prochain se retourner contre soi engendre un sentiment d'horreur à tout jamais incrusté dans l'homme torturé : personne ne sort de ce sentiment pour découvrir l'horizon d'un monde où règne le Principe Espérance [1]. » La foi tue. L'espoir tue. La foi et l'espoir ne tuent pas à tous coups. Piètre consolation ! Nos idéalisations sont d'autant plus trompeuses qu'elles ne trompent pas toujours.

Pour comprendre, lire Platon contre Platon. Au détour d'une page du *Cratyle*, il imagine un législateur ivre. Tout langage met en rapport les mots et les choses, idées et vocables, signifiants et signifiés, flux de paroles, cours du monde et ordre des pensées. L'inventeur du langage, quel qu'il soit, aurait pu être la proie du délire, « à force de tourner en rond en cherchant la nature des êtres, les sages sont pris de vertige ». Les discours se révèlent duplices, une panique (*pan* : tout) véhicule indistinctement le vrai et le faux. La perte de confiance consécutive à l'expérience concentrationnaire réveille le soupçon que Dieu puisse mentir (salut Rushdie, salut Descartes !).

Face à la possibilité d'un langage destructeur, Platon campe le personnage du « dialecticien », usager et praticien de l'échange de paroles, celui qui traque à travers et par le *logos* (« *dia* ») les erreurs du *logos*. En contrepoint du législateur ivre apparaît Socrate qui contrôle le travail et l'ivresse des créateurs du langage. Il procède par enquête, par le dialogue tenu publiquement sur la place publique, avec tout être doué de parole. Plus tard Platon platonisant double la parole publique, sans cesse exposée

---

1. J. Amery, *op. cit.*, p. 19.

à l'erreur, d'une pensée purifiée capable de vérité infalsifiable. Le Dieu pendu oblige à déplatoniser ce Platon-là. Au ciel comme sur la terre, dans nos pensées intérieures comme dans nos tête-à-tête, académiques, historiques et mondiaux, jamais nous n'aurons fini d'exorciser l'emprise inquiétante du législateur ivre. Il peut transmuer nos pensées en folies et les violences de nos histoires en violence contre toute histoire.

La vérité, quelle qu'elle soit, est moins désespérante et moins meurtrière qu'un espoir qui ne se soucie pas d'être non vrai. Qu'il faille s'assurer contre le faux, avant que de se prélasser dans le vrai, ne semblait pas déplaire à Socrate. Amateur en lui, comme chez les autres, d'impasses et d'apories, son aspect « torpille » se délectait à dynamiter les idées fausses, lors même qu'il se trouvait en panne d'idées vraies. Platon, quelque peu parricide, semble jalouser cette souplesse d'esprit qui lui chuchote que le faux témoigne de lui-même et du vrai. Au contraire, la philosophie qui se prend au sérieux n'a cessé de proposer, de Platon à Spinoza, le primat d'un vrai qui commencerait par témoigner de lui-même et qui serait après coup signe du faux. C'est socratiquement, à l'aune de l'horreur et de l'erreur, que se mesure désormais toute élévation, fût-ce la plus sublime. « Sur mon avant-bras gauche je porte le numéro d'Auschwitz ; il se lit plus vite que le Pentateuque ou que le Talmud mais l'information qu'il livre est plus éloquente. Le lien qu'il trahit est aussi plus engageant que toute autre formule fondamentale de l'existence juive. Quand je me dis, à moi et au monde : je suis juif, je me réfère aux réalités et aux possibilités résumées dans le numéro d'Auschwitz que je porte à l'avant-bras [1]. » Lorsqu'un rescapé-revenant demande l'heure, il la lit sur son bras. Cette même heure sonne dans les pensées du survivant tutsi, penché sur un album de familles tranchées et dressant le compte des coups de machette.

Toute religion s'autorise d'une Révélation positive. Le Buisson ardent et le Sinaï dans la Bible. Le Soleil du Bien pour la théologie platonicienne. La mort de Dieu culmine quand monte la lune noire d'une révélation négative, d'une contre-révélation. L'épiphanie d'un mal absolu déploie la nuit

---

1. Jean Amery, *Par-delà le crime et le châtiment*, Actes-Sud, 1995, p. 156.

d'une éclipse. Provisoire ? Définitive ? Les avis sont partagés. Que se passe-t-il si ces deux illuminations, bénéfique et maléfique, collent et n'en font qu'une ? Il se passe l'intégrisme.

Aucune religion n'est pas nature intégriste, mais tous les intégrismes s'autorisent d'une passion religieuse. On la repère dans le paganisme nazi, dans la foi révolutionnaire sous diverses couleurs. Chaque religion instituée combat les déviations dogmatiques et les hérésies latentes, qui guettent ses fidèles. Car chacune véhicule des tentations anarchiques et des pulsions fondamentalistes. Lorsqu'il exploite ces dérives extrémistes, l'intégrisme les écrase par une exigence inouïe, devant laquelle elles reculent souvent, celle d'identifier comme une et indivisible la révélation du mal et la révélation du Bien, messe blanche et messe noire.

Lier le Sinaï et Auschwitz, le blasphème est total, mais le risque épistémologique existe. Dans la mesure où Fackenheim ajoute un 314e commandement dicté par Auschwitz à la longue liste imposée à Moïse, n'invite-t-il pas à entendre la voix d'ombre comme la voix de Dieu et à considérer la transmutation de six millions de juifs en ossements, savon et abat-jour comme une nouvelle « élection » ? Certains l'ont cru. En vérité, le sage Fackenheim ne dit rien de tel et précise la teneur négative de son impératif. Le Buisson ardent est objet d'adoration. Le four crématoire, absolue répugnance. Ne pas accorder une « victoire posthume » à Hitler, c'est lutter pour survivre bien sûr, mais c'est aussi ne pas lutter, ni survivre comme Hitler. « La voix d'Auschwitz prescrit aux juifs de ne pas devenir fous[1]. » Fackenheim repousse toute interprétation outrancière, ultra, d'« extrême droite », de son impératif[2]. La Révélation-Auschwitz, loin de remplacer ou de coller à celle du Sinaï, ouvre des temps en suspens. Elle est attente. Il n'appartient pas à l'homme de venir l'interrompre, en posant au messie. L'intégriste s'agite, indifférent à ces scrupules, et joue le législateur ivre.

_____

1. E. Fackenheim, *Penser après Auschwitz*, *op. cit.*, p. 159.
2. E. Fackenheim, *German Philosophy and Jewish Thought*, Toronto Press, 1992, p. 284 s.

X

DE LA FOI À LA FUREUR

> *Un amour... qui met cent mille fois dans une heure ce pauvre cœur à des tortures qui surpassent celles de tous les tyrans, qui le fait alternativement trembler, brûler, soupirer, craindre, espérer, désirer, désespérer...*

Mme de La Fayette

Après la croyance vint la foi. La foi, au sens radical que lui confère le XXe siècle. Et après la foi, quoi ? Après la foi, survient la fureur théologique. Elle se faufile incognito, elle s'avance masquée, tête baissée et rasant les murs. Modeste, elle se prend pour une croyance ressuscitée, pour une foi rénovée, pas davantage. Elle échappe aux théoriciens, car elle se moque des théories, qu'elle utilise au gré de ses manigances, sans souci de cohérence doctrinale ou d'élaboration dogmatique. L'émir du GIA joue au football avec la tête de ses otages. Le Taliban martyrise un peuple tout aussi musulman que lui. L'assassin juif rigole après avoir vidé un chargeur sur le Premier ministre israélien. Les débats spéculatifs et les justifications argumentées ne sont pas de saison. À quoi bon les dizaines de tomes de la *Dogmatique* élaborée par K. Barth, les 54 volumes des *Œuvres complètes* de Vladimir Ilitch ? Au feu les bibliothèques ! La désinvolture des nouveaux fanatiques les protège. Ils se montrent si fous que le sage leur prête peu d'attention, disposé tout juste à les psychiatriser ou à les sociologiser au rayon des affaires connues et classées. Il ignore encore que la fureur théologique est capable de soulever le monde. Elle est à double entente. Elle emprunte à la guerre sa violence et à la religion son ambition d'absolu. Le fou de Dieu s'érige foudre de guerre et réciproquement.

1. Du guerrier infatigable

La croyance se croyait chez elle, bien au chaud, dans un bel espace ordonné, le « cosmos », bercée par le tictac d'une horloge remontée dans le « sens de l'histoire ». 1914 parapha la fin du beau rêve et dispersa au vent comme feuilles d'automne les valeurs du vieux monde. Partie à la rescousse des âmes perdues, la foi voulut changer de base, non plus aménager mais construire, bâtir sur une table rase les fondations d'un monde politico-théologique. Reich millénaire de la race pure. Société posthistorique de la classe universelle. Débâcle en 1945. Débandade en 1989. Les révolutions théologico-politiques, à la mode islamiste, peinent à prendre le relais. Elles se dressent les unes contre les autres, prêtes à mordre, et ne parviennent pas à faire bloc pour relever un défi planétaire. C'est la foire d'empoigne des kamis et des gandouras. Rassurant ? Nenni, sauf à conclure, avec nonchalance, que le désordre décroît et que la parenthèse du chaos universel va bientôt se refermer.

Elles guettent encore, tapies dans l'ombre, les chiennes sanglantes, les Erinyes, les filles de la nuit. À peine la fin de la guerre froide éveille-t-elle les espérances démocratiques que dégèlent des passions homicides. On se plaisait à les imaginer d'un autre âge. Les Occidentaux pacifiés et relativement prospères n'en croient pas leur télévision. Il paraît surgir des antipodes, ce combattant de Dieu qui d'un œil déchiffre quelque verset sacré, de l'autre surveille sa tronçonneuse et les corps qu'elle découpe. Peu importe la couleur locale. Un autre Livre ou le poème du Champ de Merles allume le purificateur ethnique à Srebrenica, enflamme l'assassin de Tel-Aviv et mobilise le recordman de la machette, réinventant le génocide. C'est à vomir, mais c'est universel. Par pitié, que l'Européen, encoconné dans sa neuve innocence, ne fasse pas mine de n'y rien comprendre ! La sauvagerie des autres fut de part en part la sienne. Le jeune guerrier déchaîné, figure planétaire, n'est pas né de la dernière pluie.

Aucune guerre ne se termine sur un automatique retour au calme. Et moins que toute autre une guerre mondiale qui passait pour « froide ». Plutôt que de s'adonner aux délices d'un hégélianisme de salon, obsédé de « la fin de l'histoire », promettant le déclin des violences cosmopolitiques, il eût mieux valu, pour la santé mentale de tous, projeter sur les écrans du monde un film cinquantenaire. *Le Troisième Homme*, l'œuvre de Carol Reed, inspirée et jouée par Orson Welles, se déroule à Vienne, dans l'immédiate après-guerre. La ville est saccagée, en ruines, peuplée de silhouettes déjantées, sans espoir. Les vainqueurs partagent la capitale autrichienne en quartiers d'orange, zones d'occupation anglaise, américaine, française et soviétique, terrains propices à tous les trafics et à tous les vices. Deux Américains amis d'enfance se retrouvent et vont s'entretuer. Ils tirent des leçons antinomiques d'une rage belliqueuse encore fumante. L'un, écrivain paumé, mais élégant, Holly Martins (Joseph Cotten), prêche le retour à la paix civilisée. L'autre trafiquant en zone soviétique met en scène sa propre mort pour mieux travailler d'outre-tombe. Sombre et gigantesque, Harry Lime (Orson Welles) explose de cette énergie sans limites et sans scrupules que le conflit convoqua et déchaîna. La conversion du guerrier en gangster, du militant en dealer de pénicilline frelatée en empoisonneur d'enfants, déborde le cadre d'une psychologie individuelle.

La fusion des bas-fonds et des meneurs d'hommes est une donnée permanente. Kessel, Lang, Brecht, Chalamov, films et romans noirs américains, en témoignent, des caves de Mabuse, des égouts de Lime, des docks new-yorkais à l'Underground de Kusturica. « Des haches, des haches ! » réclament en dansant les voyous recrutés par Ivan le Terrible. L'actualité de l'après-guerre froide livre pléthore de ces cauchemars éloquents. Orson Welles ne se contente pas de constater le fait et d'anticiper sa contagion, Harry Lime en proclame la légitimité historico-mondiale : « L'Italie, pendant les trois décennies des Borgia, accumula les guerres, les terreurs, les orgies, elle a offert au monde Michel-Ange, Léonard de Vinci, la Renaissance. La Suisse cultiva l'amour et la fraternité, cinq cents ans de démocratie et de paix, pour produire quoi ? *The cuckoo clock !* » Les conseils de bonne conduite privée et publique prodigués par les organisations internationales butent sur la sombre évidence des destructions fécondes.

Horace, paradigme du furieux, sauve Rome. Ses deux frères ont été embrochés, il les venge sur les trois Curiaces. Camille sa sœur ose pleurer l'un d'eux, son promis. Tout gonflé de gloire et fou d'exaltation, Horace la tue. Condamné à la peine capitale, il est gracié en dernière minute. La légende exemplaire et les rites qui s'y rattachent illustrent le dilemme général des « fins de guerre ». Le fleuve doit rentrer dans son lit. L'impétuosité belliqueuse risque de se tourner contre la cité qu'elle défendait. Dumézil décrit la même séquence mise en scène dans toutes les branches de la civilisation indo-européenne. Un héros déchaîné, incarnation émancipée de la « fonction guerrière », viole, tue ; il lèse la troisième fonction, celle de la fécondité et de la production. Il mérite la mort pour tenter d'usurper la première fonction, celle des prêtres, des magiciens et des législateurs. Le héros n'est plus un modèle, il devient un problème. La nécessité de brider, sans la détruire, une violence, à la fois nécessaire et dangereuse pour la communauté, s'impose dans chaque culture, quelles que soient son histoire et sa géographie. Elle s'impose aux Kwakiutl et aux Maori, elle s'impose aux Germains de Tacite, aux Grecs d'Homère, elle s'impose à nos contemporains. Ou bien le pouvoir souverain prend en main l'homme d'arme. Ou bien les humeurs guerrières ravagent en souveraines.

Petite histoire personnelle : à peine la première guerre de Tchétchénie (1994-1996) touchait-elle à sa fin que le vice-Premier ministre de la petite république martyre, mais victorieuse de l'armée russe, me formula une étrange demande : Depuis deux ans, nos adolescents combattent. Nous avons remporté la bataille. Nous devons gagner la paix. Regardez comme les

Américains ont peiné pour intégrer les vétérans du Viêt-nam. Ils ont mis le paquet, dollars, psychologues, éducateurs, médecins. L'Amérique est un pays riche. Le nôtre est en ruine, dévasté. Ce qu'ils n'ont pas détruit, les Russes l'ont pillé. Un habitant sur dix est mort dit-on, un sur cinq blessé. Nous sommes démunis face à la colère vengeresse qui gonfle. Il faut que nos jeunes guerriers, qui n'ont connu que la loi des armes, apprennent la discipline sous commandement démocratique. Demandez à votre ministre de la Défense s'il peut en incorporer quelques-uns dans la Légion étrangère. Ils formeraient plus tard, chez nous, les cadres d'une armée pacifiée. Ils éviteraient le filet des wahhabites, les écoles religieuses du Pakistan ou les errances sans futur. Le jour même, la demande fut transmise, de vive voix. Pas de réponse, juste une écoute polie. Les ministres passent, le mutisme dure encore à ce jour. Et la guerre a repris. Ce rêve tchétchène, brisé par l'indifférence des nantis, c'était pourtant une bonne affaire pour la France : il s'agissait, peut-être, des meilleurs guerriers du monde. C'était une chance pour la démocratie, elle tentait d'enrayer une vague terroriste, criminelle et intégriste. La demande n'était pas étrange, elle était juste. Le chef tchétchène, ancien *zek* du Goulag, laissé pour mort lors du siège de Grozny, avait tout compris des rites de passage de la guerre à la paix. Le ministre français, tranquille dans ses meubles, rien. Sourd et muet. Parti dans la nuit froide de l'oubli.

Au retour des batailles, une société traditionnelle, stable et forte, s'impose des usages démobilisateurs propres à restaurer la légitimité du temps de paix. Par contre, les rescapés des guerres mondiales, on l'a vu, entrent en rébellion contre un ordre tenu responsable du typhon. Suffit-il, à titre compensatoire, de les intégrer dans un ordre nouveau, dont la définition controversée relance le conflit ? La paix de Versailles excite les passions de revanche. La « fraternité » de l'ONU en 1945 n'évite pas la guerre froide et les boucheries qui l'accompagnent. À la chute du Mur de Berlin, 1989, les âmes endormies, planétairement bien pensantes, croient aussitôt l'heure de la paix venue. Elles oublient que trois conflits transcontinentaux et une ribambelle d'insurrections ont déraciné le citoyen irréversiblement, sans assurer aux anciens combattants la perspective d'un avenir serein. Les demi-solde des guerres et des révolutions perdues, multitudes sans travail et sans terre, sans présent et sans futur, ne peuvent se satisfaire du *statu quo*. Les croyances vétustes sont en panne. La foi conquérante et sûre d'elle-même botte en touche. Reste une fureur guerrière qui serait sans emploi si une horreur sans limite, théologique, n'attisait, sans relâche, la rage et le désespoir.

Agressive ou rentrée, la colère des déshérités demeure sous-évaluée, tant que les experts et les pragmatiques n'y décèlent qu'un effet de surface et ne prennent en considération que des causes, qu'ils taxent de profondes — misère, chômage, acculturation. Comme s'il suffisait de répertorier, même avec exactitude, les circonstances matérielles et culturelles qui favorisent les explosions de révoltes. La rébellion développe sa dynamique propre. Elle ne reflète pas, passivement, un état de chose calamiteux. Elle ajoute sa propre tragédie aux données de l'économie, de la sociologie et de la géopolitique. La condition humaine, certes, n'est pas la même à Dallas et à Maubert-Mutualité, à Tombouctou et à Novossibirsk. Mais Tombouctou n'ignore pas, faisceaux hertziens aidant, les problèmes de cœur et de voiture qui tourmentent Dallas. Les trois quarts de la planète mesurent leur sort à celui du dernier petit quart prospère, qui fréquente un Olympe hors d'atteinte. Nos concitoyens planétaires ne sont pas de purs objets, dont les comptabilités savantes n'auraient qu'à échelonner le retard, le recul et le sous-développement. Les énormes disparités sont subies et vécues sur fond d'une insondable distance. Parfois l'abîme qui sépare les élus des damnés paraît en voie d'être comblé, les économies « émergentes » s'enorgueillissent de leur performance. Mais à la moindre crise, bancaire, industrielle, ethnique, resurgit le spectre d'une fatalité sans remède. Les courbes statistiques vont et viennent, justifiant des optimismes relatifs et des pessimismes persistants. Les savants, qui en disputent, ignorent trop souvent une horreur métaphysique, que leurs certaines incertitudes ne savent pas dissiper.

Fureur guerrière et angoisse d'une aliénation sans remède se mêlent chez l'incendiaire qui désole l'après-guerre froide. Si le

« troisième homme » s'affuble en fou de Dieu, si, en d'autres lieux, il mime le révolutionnaire, il se dresse toujours contre le « système » diabolisé. Privé de son présent, coupé de son passé, jeté dans un avenir dévasté, le furieux oppose l'horreur à l'horreur. Sa révolte sans pitié contre un monde sans merci se propage, contagieuse. Son terrorisme tous azimuts s'exige exemplaire, compréhensible dans l'immédiat et imitable dans l'univers. La révolution khomeinyste a coagulé des factions intellectuelles hétéroclites, mystiques, marxistes, gauchistes, heideggeriennes, avec d'autant plus d'aisance qu'elles s'accordaient sur un point, un seul, « l'aspect négatif de l'occidentalisation, décrite comme une catastrophe cosmique, une malédiction du ciel, un envahissement des ténèbres sataniques, ou un asservissement de l'homme[1] ». Seule compte l'union sacrée contre le mal unique, omniprésent et omnipotent.

Dans leurs costumes profanes, les appels à la lutte finale des nostalgiques du communisme jouent la même partition. Au traditionnel « Prolétaires de tous les pays, unissez-vous ! », le sous-commandant Marcos, récente coqueluche des salons, a tôt fait, depuis les Chiapas, de brandir une nouvelle bannière. Guérilleros d'Amérique du Sud, Indiens mexicains, lesbiennes et gays d'Amérique du Nord et du monde entier, SDF, sans-papiers de Paris, loubards de banlieue, chômeurs des pays riches, paysans des pays pauvres, séropositifs d'Afrique, d'Asie et de Manhattan, mendiants des bidonvilles, tous les exclus, tous les minoritaires, tous les bafoués, toutes les couleurs de tous les continents, unissez-vous ! Les humiliés, les offensés, les opprimés, les exploités doivent partir à l'assaut du Centre de domination mondiale. La coalition et la cohésion d'une armée aussi universelle coulent-elles de source ? Croyances d'antan ou fois récentes se réclamaient de convictions fermes et de révélations positives. Désormais l'anathème jeté contre grands et petits Satans fait l'affaire. La haine partagée, et elle seule, unit. Nous avons le même ennemi universel, donc nous sommes universellement amis. Si tous les gars du monde...

---

1. Dariush Shayegan, *Qu'est-ce qu'une révolution religieuse ?*, Les Presses d'aujourd'hui, 1982, p. 136.

Un tel magma de mécontentements présuppose une opération invariante. Elle coagule une multiplicité d'adversités en un seul adversaire. Un et indivisible. Soit, au départ, un fouillis bigarré de maux réels ou potentiels. Comment, à l'arrivée, cette multitude de souffrances passe-t-elle pour la signature d'un criminel unique ? Un tel tour de passe-passe relève de la magie théologique. Elle reconnaît dans chaque misère les stigmates d'une contre-création maléfique. Les dieux, jadis adorés, ont pris le large, mais leur poste à la barre ne reste pas vacant, un mauvais démiurge s'est infiltré et s'empare du gouvernail. Les collectivités en crise ont horreur du vide. Faute de retrouver en elles et autour d'elles l'empreinte d'une divinité bienveillante, elles retournent, tête-à-queue décisif, l'expérience religieuse. La terre et les cieux chantent encore un Être suprême tout-puissant et très savant, mais dorénavant il est radicalement pervers. Les sentiments s'inversent, sans cesser de puiser dans la boîte à outils théologique. Les anciennes traces et « preuves » de l'existence de Dieu balisent la piste du démon.

2. Que mille réveils religieux fleurissent !

Et ils inventèrent le culte du cargo. Les Mélanésiens, subissant à contrecœur et contre-pensée le saccage de leurs valeurs, réagirent à l'emprise de la colonisation blanche. Bateau ou avion, le cargo débarquait des dons divins — viande en boîte, riz, outils d'acier, armes. Seuls les Blancs en bénéficiaient, les indigènes restaient condamnés aux produits locaux, taros, ignames et autres racines. « Pourquoi les marchandises de Dieu vont-elles toujours aux Blancs et jamais aux Papous ? » La question était bonne. Certains se convertirent et cherchèrent dans la Bible la clé du secret qui liait Dieu, le cargo et ses uniques bénéficiaires européens. D'autres se mirent à l'anglais, la même idée derrière la tête. D'autres tentèrent de réanimer les divinités du lieu, charge à elles de transformer les miséreux en pourvus... Comme l'échec fut cuisant, on s'occupa de découvrir l'identité de l'expéditeur, on ressuscita des techniques rituelles capables d'accaparer le divin cargo.

« Les indigènes ne voyaient jamais les Européens faire des travaux physiques : rien dans le comportement des Européens ne leur permettait de supposer qu'ils pouvaient faire d'autres travaux que ceux qu'ils connaissaient. Les indigènes ne pouvaient pas imaginer le système économique qui se cachait derrière la routine bureaucratique et les étalages des magasins, rien ne laissait croire que les Blancs fabriquaient eux-mêmes leurs marchandises. On ne les voyait pas travailler le métal ni faire les vêtements et les indigènes ne pouvaient pas deviner les procédés industriels permettant de fabriquer ces produits. Tout ce qu'ils voyaient, c'était l'arrivée des navires et des avions... Il était évident que tout cela ne pouvait être l'œuvre matérielle des Européens que l'on connaissait ; la seule conclusion raisonnable était que tous ces produits venaient d'une divinité, aidée par les ancêtres et placée sous la direction des hommes. Cette hypothèse était confirmée par le comportement des Européens quand ils recevaient des envois du cargo. Vivant le plus souvent dans des plantations et des sous-stations isolées, les Européens étaient fréquemment à court de ravitaillement. L'arrivée d'un bateau ou d'un avion était l'occasion de vives réjouissances. Ils se rassemblaient pour boire et renouer amitié avec le capitaine ou le pilote. Ces réunions pouvaient aisément donner l'impression — surtout à ceux qui étaient psychologiquement préparés à une telle interprétation — qu'il s'agissait du moment culminant d'un processus rituel.

Mais, là encore, il n'y avait nulle trace de mysticisme. La divinité du cargo ne faisait rien d'autre que ce que les autres divinités avaient fait par le passé comme lors des récoltes annuelles et des pêches fructueuses qui donnaient lieu à des cérémonies religieuses traditionnelles : la célébration de l'arrivée des bateaux et des avions authentifiait la croyance au cargo[1]. »

Peter Lawrence.

---

1. Peter Lawrence, *Le Culte du cargo*, Fayard, 1974, p. 297-298.

191

Une mythologie plus élaborée s'est, par la suite, nourrie de projets de réforme, de cultes nouveaux, de révoltes sporadiques et d'insurrections à répétition. À l'origine des temps, professait-elle, les habitants des îles avaient droit au cargo. La méchanceté des Blancs, à moins que ce ne fût l'accumulation des péchés indigènes, avait interrompu le cours normal des choses au bénéfice des colons-voleurs. Restait à contre-détourner le détournement. Restait à se réconcilier avec Dieu. Restait à rendre au Dieu noir sa suprématie originelle et perdue. Qui se convertit à la nouvelle religion verra le retour du cargo. « En bref, la vision que les indigènes avaient de la béatitude était la réplique exacte de l'existence confortable qu'ils avaient vue mener par les Européens à Madang et dans les autres centres de la colonie[1]. » Peu importent les mille variantes, qui viennent fleurir ce scénario en trois actes canoniques : à un Éden révolu succèdent l'horreur de l'aliénation présente et la promesse millénariste d'une renaissance. À cette temporalité mythique répond un rituel précis, où sacrifices et révoltes font rage. « Les Papous saisis par le Cargo dévastent leurs jardins sur l'ordre de leur prophète, tuent leurs porcs, détruisent parfois même leur maison, leurs ustensiles (casseroles), les masques et autres accessoires religieux traditionnels, etc. On détruit aussi des bateaux précieux, mais parfois on en construit de neufs et de plus grands, pour le Cargo. En fait le mythe du Cargo se fonde sur l'espoir de récupérer au centuple ce qui est sacrifié pour manifester sa foi ! Ainsi on paie ses dettes, mais le créancier jette l'argent à la mer, car il y en aura bientôt d'autres. L'argument est toujours le même : ce qui est détruit, l'avenir le rendra sous une forme plus belle et multipliée. Les indigènes étayent cette conviction de témoignages évangéliques : celui qui quitte sa maison, il la retrouvera au centuple[2]. »

Ainsi le culte du cargo devint le Mouvement cargoïste. Ses prophètes furent taxés de « démagogues ». Sa théologie s'affirma politique, sans cesser de se vouloir religieuse. Le Christ

---

1. *Le Culte du cargo*, *op. cit.*, p. 87.

2. W.E. Mühlmann, *Messianismes révolutionnaires du tiers-monde*, Gallimard, 1968, p. 250.

est papou. L'heure de la vengeance et celle du Jugement coïncident. Les Noirs devenus blancs se prélasseront bercés dans les hamacs. Les Blancs virant au noir s'épuiseront au travail pour eux. L'esclave sera le maître du maître. Vieille histoire ! Très appréciée. Tous les messianismes du monde en connurent d'analogues et en redemandent.

On aurait tort de prétendre séparer l'élément prosaïque (révolutionnaire, anticolonialiste) et l'élément mystique (réduit à l'état de faire-valoir et de camouflage). Seule la conjonction d'une tactique terrestre et d'une stratégie céleste garantit l'innocence dans la cruauté. Au rituel profane du combattant appartient l'exaltation de jouer le tout pour le tout : « Abattre un Européen, c'est faire d'une pierre deux coups, supprimer en même temps un oppresseur et un opprimé : restent un homme mort et un homme libre[1]. » Pour faire d'une pierre deux coups, il faut plus. Il faut que l'« homme libre » incarne autre chose que son terrorisme, son couteau d'égorgeur et son fusil de chasse. Il faut qu'il représente « la nation qui se met en marche », « l'amour fraternel », la « fraternité socialiste », « un autre homme : de meilleure qualité ». Cette transfiguration du meurtre, Sartre l'emprunte à son ultrabolchevisme personnel[2], jetable après usage, le Mélanésien l'obtient au prix d'une transmutation de son univers religieux. Tandis que l'un fait correspondre, non sans efforts, la théorie et la pratique, l'autre s'attache à superposer la fureur ici-bas et le drame là-haut. Dans les deux cas, l'aura symbolique légitime toutes les opérations sanglantes et couronne une violence si bonne qu'elle cicatrice « les blessures qu'elle a faites[3] ». Dans les insurrections anti-occidentales, dogme marxiste et intégrismes religieux entrent d'autant plus en rivalité qu'ils accordent la même bénédiction au meurtre pur et simple.

La fureur du troisième homme n'est pas simplement politique. Sa passion théologique n'est pas purement religieuse. Il

---

1. J.-P. Sartre, *Situations V*, Gallimard 1964, p. 183 (introduction aux *Damnés de la Terre*, F. Fanon).
2. M. Merleau-Ponty, *Les Aventures de la dialectique*, Gallimard, 1977, p. 131 s.
3. J.-P. Sartre, *op. cit.*, p. 192.

n'additionne pas militance prosaïque et vocation sacrée, comme s'il s'agissait de deux composantes autonomes. Au contraire, le troisième homme est l'homme d'une et d'une seule révélation. Celle d'un univers qui le bannit corps et âme, contre lequel, par conséquence, il ne peut se dresser qu'en un instant et tout d'une pièce. L'Européen d'aujourd'hui s'étonne. Rien ne lui paraît plus lointain qu'un tel fanatisme. Il s'en croit incapable. Il peine à imaginer que d'autres hommes s'adonnent à pareilles hallucinations. Il est prêt à douter de leur existence. Il suspecte des manipulations : les assassins de la foi ne seraient-ils pas des soldats déguisés, manipulés au service d'un État ? Les Taliban, « étudiants en théologie », ne seraient-ils pas de simples chômeurs en panne d'ANPE ? L'argument religieux a du mal à passer dans les têtes paisibles, mais il mérite un examen moins dédaigneux. L'Européen céda plus d'une fois à semblables fièvres. Sa lassitude actuelle ne l'immunise pas contre d'éventuelles rechutes.

La Saint-Barthélemy côté cour

Charles IX et Catherine de Médicis décident en août 1572 « que la défense de la légitimité divine de la monarchie passait par l'anéantissement, à la tête, du protestantisme militaire. Ils eurent certainement conscience du retentissement qu'aurait le massacre de la noblesse huguenote, mais ils savaient que sans cette noblesse, qui avait la capacité de mener efficacement une guerre de résistance et qui pouvait revendiquer d'être guidée par un sauveur providentiel, la violence perdrait beaucoup de sa force potentielle du moins dans l'immédiat... En ce sens, le premier massacre de la Saint-Barthélemy aurait été conçu comme un moindre mal, un mal pour un plus grand bien. Il aurait été un crime humaniste... La Saint-Barthélemy royale, dans les arcanes de son secret, aurait été un crime d'Amour, voué à empêcher qu'un cycle infini de souffrances et d'inhumanités ne puisse s'abattre sur le royaume, voire ne vienne détruire une monarchie alors comparée à l'astre solaire, à la seule source de vie universelle, sans laquelle il n'est que chaos, barbarie, mort parmi les hommes ».

194

La Saint-Barthélemy côté peuple

« La nuit de la Saint-Barthélemy devient donc le temps d'un grand massacre des huguenots concentrés dans Paris, parce que en écho au bruit lancinant du tocsin il y avait ce savoir diffus que, subitement, Dieu allait décider d'une grande "lessive" de l'impureté et que ceux qui y participaient à ses côtés seraient siens, élus pour l'Éternité... L'ordre de l'homme se fait l'ordre biblique de Dieu, qui exclut toute précarité dans l'élan et qui est inscrit dans la mémoire sous la forme d'images sanglantes et purifiantes. Il y a inhumanité immense du massacre, parce qu'il y a intrusion d'une surhumanité dans le vécu humain. La médaille frappée à Rome pour commémorer la Saint-Barthélemy figurera cette intrusion formidable de la gloire triomphale de Dieu dans l'histoire des hommes. Elle représentera un ange armé d'un glaive et d'une croix, qui poursuit et abat impitoyablement les rebelles à Dieu... »

Méditez bonnes âmes...

« l'histoire d'une monarchie humaniste de l'Amour universel qui se révéla finalement incapable de résister à la force d'une violence et d'une haine qui se pensaient amour de Dieu ».

Denis Crouzet[1].

Le ressort mystique du « cargo » n'est pas propriété privée des Mélanésiens, pas plus qu'il ne constitue le privilège exotique des mouvements anticolonialistes. La double rupture, avec la société traditionnelle et la domination occidentale, anime l'ensemble des revendications identitaires et radicales. Fût-ce en Occident même. Staline prétendait « rattraper et dépasser le capitalisme », mélangeant dans une même marmite l'énergie révolutionnaire russe et l'esprit pratique améri-

---

1. Denis Crouzet, *La Nuit de la Saint-Barthélemy*, Fayard, 1994, p. 486, 516, 531.

cain. Les révolutions « verte » de Kadhafi et islamiste de Khomeiny affichent des recettes de la même eau. Il s'agit de battre l'Occident sur son terrain, celui de la réussite séculière, en brandissant les armes spirituelles dont il s'est privé. D'où l'« hybridation »[1] du religieux par le politique et vice versa, qui contredit la tradition par la modernité et combat la modernité au nom de la tradition. C'est alors qu'apparaissent des syncrétismes incongrus alliant la micro-informatique et la lecture fondamentale des textes sacrés, le Kalachnikov et la momification des coutumes. Ces révolutions conservatrices, moins contradictoires qu'il ne paraît, tablent sur la réaction de rejet commune aux idéologies critiques et aux religions coutumières. Peu importe qu'on vitupère Babylone ou le capital, le luxe des riches ou le culte de la chair, du moment qu'on entre en guerre contre le Démon qui vampirise la planète. Dans tous les cas de figure, l'enjeu des enjeux, c'est le cargo — la richesse mondiale, nerf du progrès et du développement. Il faut, à n'importe quel prix, l'arracher au mauvais démiurge et l'extirper de son cercle de corruption.

La double rupture, avec un passé impuissant et une dévastation présente trop puissante, se pratique d'un seul coup d'un seul, en même temps, dans un temps simultanément céleste et terrestre. Le troisième homme chevauche sa sainte fureur et s'interdit la double comptabilité gnostique. Il ne vit pas dans deux mondes. Il ne parie pas qu'en perdant l'un il se sauve dans l'autre. Il joue le tout pour le tout dans une aventure insécable. Les réalistes lui reprochent de sacraliser indûment la politique, donc de substituer au calcul la vision et à la stratégie une eschatologie. Les âmes pies objectent, en bonne symétrie, qu'il sécularise les idées sacrées, idéologise le religieux et se déracine en prétendant lutter à l'occidentale contre l'Occident. Le héraut des nouvelles révolutions religieuses n'a cure de ces anathèmes. Peu lui chaut de manquer aux traditions, il les instrumentalise. Il ne se laisse pas définir par le passé. Il se pose en s'opposant à une actualité infernale. Son sursaut érige la révolution en religion, donc révolutionne la religion.

---

1. D. Shayegan, *Le Regard mutilé*, L'Aube, 1996, p. 139.

Les « cargoïsmes », divers et multicolores, ne se soucient pas de constructions doctrinales. Ils trouvent leur bonheur idéologique en bricolant ce qui leur tombe sous la main, croyances animistes ou livres sacrés. Il leur suffit de broder un schéma invariant : l'insupportable présent n'a pas toujours été. Il doit imploser et, dans la foulée, balayer le passé, jusqu'alors vénéré, mais qui a flanché. Sous les dehors de mystifications frustes, intellectuellement simplettes, une innovation majeure s'introduit. Aux peuples en déroute, ne plus recommander la nostalgie d'un « il était une fois », *in illo tempore*. Aux militants en perdition, ne pas promettre davantage, foi de savant et de maître penseur, que l'avenir leur appartient. La rusticité des prophéties cargoïstes s'avère appropriée et efficace, car leur ambition est de motiver, accompagner, sacraliser un saut dans l'inconnu. L'important, c'est de renverser l'ordre établi, non de le remplacer. Les massacreurs islamistes algériens sont ravis d'apprendre qu'au paradis quarante *houris*, jeunes pucelles délectables, leur sont promises. Ils n'éprouvent nulle nécessité d'entrer dans les détails. Interloqués par tant de désinvolture touchant le saint des saints, les observateurs risquent de conclure abruptement que la référence divine est pur prétexte pour un activisme débondé et profane. C'est se montrer aveugle au sombre dynamisme des fous de Dieu, qui inaugurent un rapport insolite, mais essentiel, à l'Être suprême.

3. L'intégrisme comme logique

Qu'est-ce qu'un Dieu démenti par les horreurs du monde ? Qu'est-ce que Dieu, quand son fidèle n'a pas seulement égaré les preuves de son existence, mais aussi la prescience de son essence ? Qu'est-ce qu'un Dieu, que son serviteur ne peut plus concevoir comme « bon » dans l'enfer qui l'entoure ? Le bricolage cargoïste se satisfait de dédoubler, en toute légèreté, la divinité. Il oppose « mauvais » et « bon » démiurge. Il publie son mystère, en le rendant indéchiffrable. Les révolutions religieuses basculent le rapport du bon et du mauvais, faisant mal pour bien faire, puisque les bienfaits sont si mal distribués. Comment supposer édifiante et bénie une violence sanguinaire et illimitée ? Comment adorer un Être suprême à double face, créateur du pire comme du meilleur ? Depuis longtemps, l'Europe chrétienne ressasse l'aporie à voix basse.

Le dilemme du cargo n'est autre que celui — en termes choisis — de la « Providence divine ». La conquête coloniale, vécue comme l'abomination d'une fin du monde et des dieux, pose au Mélanésien le même problème que la Révolution française au conservateur catholique J. de Maistre. Les événements ne sont pas superposables et l'on peut déplorer l'un et acclamer l'autre, mais l'effondrement qu'ils propagent permet des parallèles éclairants. De Maistre n'y va pas par quatre chemins : l'insurrection antireligieuse et antisociale, inaugurée en 1789, est « unique dans l'histoire, mauvaise radicalement ; aucun élément de bien n'y soulage l'œil de l'observateur, c'est le plus haut degré de corruption connu ; c'est la pure impureté ». D'où sa question : comment l'Être suprême a-t-il autorisé si énorme sacrilège, comment se serait-il nié lui-même dans cette contre-révélation « destructrice » et « satanique »[1].

Une crise fondamentale fonctionne comme un prisme. Elle oblige à redécouvrir le monde et à repenser Dieu. La Révolution-Révélation condense, selon de Maistre, « l'horrible énigme » de la condition mortelle. L'homme se contemple dans les carnages et les guerres, tel qu'en lui-même. « Il tue pour se nourrir, il tue pour se vêtir, il tue pour se parer, il tue pour attaquer, il tue pour se défendre, il tue pour s'instruire, il tue pour s'amuser, il tue pour tuer. » La leçon des grandes catastrophes est, pour l'homme du cargo des antipodes comme pour le légitimiste piémontais, celle d'un indépassable dualisme : « Deux forces opposées se combattent sans relâche dans l'univers. » Coexistence céleste d'un bon et d'un mauvais démiurge papou, essence divine de la guerre pour de Maistre, à chaque fois le croyant doit rendre compte d'une puissance suprême responsable et ordonnatrice d'un terrible « salut par le sang ». Qu'en est-il d'un Être qui n'est pas toute bonté ? Loin de se réfugier dans une indifférence sereine, par-delà

---

1. Joseph de Maistre, *Considérations sur la France*, Garnier, 1980, p. 37, 54, 56.

les biens et les maux, il trône à leur carrefour et organise la circulation. Le troisième homme rencontre ses divinités au fond du gouffre même où elles le précipitent.

Qu'en est-il d'un dieu qui parle du plus profond des abîmes ? Un dieu, dont on doit tout admettre, y compris le mal. À la différence du traditionnel Bon Dieu, enfermé dans sa bonté, il sera pleinement souverain. « Toute espèce de souveraineté est absolue de sa nature... il y aura toujours, en dernière analyse, un pouvoir absolu qui pourra faire le mal impunément[1]. » L'Être suprême est un despote. Il décide de tout pour tous. Il tranche sans appel. Il juge et ne peut être jugé. Il échappe à nos remontrances, mais pas forcément à notre intelligence. Le fidèle doit émettre une règle, qui rétablisse ordre et équilibre dans le chaos de l'histoire. Sauf à blasphémer, puisqu'il ne peut concevoir de Créateur fou, Joseph de Maistre propose la Bonne Nouvelle, qui lui vient de Plutarque, celle de l'universelle réversibilité du crime et du châtiment. La réciprocité du péché et de son pardon. L'harmonie préétablie des douleurs et des félicités : « Un homme acquitte les dettes d'un autre homme », de même que « c'est Dieu qui fait mourir un Dieu »[2].

Forts de l'expérience de l'Enfer, les croyants ne peuvent adorer un Créateur univoque et bon, ils doivent néanmoins le supposer juste. Ils s'obligent à respecter une justice concevable, bien que dissimulée. L'Auguste Équité ne se tient pas par-delà le Bien et le Mal, mais campe à leur hauteur. « Les mérites de l'innocence payant pour le coupable », à la fin des fins, il sera possible au Tout-Puissant de rendre à chacun son dû. Il appurera, fût-ce à distance, un mal par un mal et un bien pour un bien, il repêchera la création dans son ensemble. « L'Europe entière est dans une fermentation qui nous conduit à une révolution religieuse à jamais mémorable et dont la révolution politique, dont nous avons été témoins, ne fut que l'épouvantable préface. Pour nettoyer la place il fallait

---

1. Joseph de Maistre, *De la souveraineté du peuple*, PUF, 1992, p. 178.
2. Joseph de Maistre, *Les Soirées de Saint-Pétersbourg*, IXe entretien, Slatkine, 1993, p. 463-466.

des furieux, vous allez maintenant voir arriver l'architecte »,
écrit Joseph de Maistre au comte de Bray, en 1815.

La « réversibilité » des mérites, et la vertu substitutive des
souffrances expiatoires, voilà bien une hypothèse qui satisfait
l'exigence de justice, dans sa forme la plus simple et la plus
universelle : l'échange donnant-donnant. Elle laisse espérer
que la destruction, qui triomphe dans les guerres et les révolutions, puisse être à son tour détruite. « Plus on examine l'univers et plus on se sent porté à croire que le mal vient d'une
certaine division qu'on ne sait expliquer et que le retour au
bien dépend d'une force contraire qui nous pousse sans cesse
vers une unité aussi inconcevable. »

Dégagée de sa gangue de scories réactionnaires et d'idéologie ultramontaine datée, la solution esquissée brille par l'élé-
gance et la rigueur. Elle sauve, au ciel, la Toute-Puissance et
l'omniscience de l'Être Souverain, au détriment de sa Bonté.
Elle consacre, sur terre, l'autorité du guerrier et du prêtre,
supports des infaillibilités physiques et spirituelles. « Rien ne
s'accorde dans ce monde comme l'esprit religieux et l'esprit
militaire. » Voilà bien une rengaine de « droite », l'éternel
refrain à la gloire du sabre et du goupillon ! En fait, une
ritournelle de « gauche » peut, sur le même mode, chanter
l'avènement de l'esprit révolutionnaire à la pointe des poi-
gnards. Le combattant est l'homme du sacrifice ultime, *in
vivo*. Le prêtre, ou tout autre guide intellectuel, est l'homme
qui sanctifie le sacrifice, *in vitro*. L'un vérifie pratiquement,
l'autre couronne théoriquement la nouvelle justice théologico-politique. « La terre entière, continuellement imbibée de
sang, n'est qu'un autel immense où tout ce qui vit doit être
immolé sans fin, sans mesure, sans relâche, jusqu'à la consu-
mation des choses, jusqu'à l'extinction du mal, jusqu'à la mort
de la mort. » L'œuvre commune à laquelle collaborent avec
passion l'homme d'arme et l'homme d'âme, c'est l'intronisa-
tion du sacrifice comme ordre universel, « loi occulte et terrible qui a besoin du sang humain[1] ».

Que le troisième dieu auquel sacrifie le troisième homme
promette avec Khomeiny la fin de la Grande Occultation et

---

1. *Les Soirées de Saint-Pétersbourg*, VIIe entretien, p. 386, 392, 383.

l'épiphanie du XIIe Imam, ou, à la guise d'un quelconque marxisme, la réconciliation de l'homme avec son essence, qu'importe ! Le chemin qui conduit à l'au-delà de la crise demeure le même. Il oppose l'épouvante à l'épouvante, le sang au sang, en tablant sur la loi occulte de la « réversibilité », qui double tout négatif par son envers positif. Elle érige une destruction sacrificielle en recréation cosmique. Plus grande est la dévastation, plus vite le cargo retrouve sa route originelle et finale. Au crépuscule des Dieux, Brunehilde allume le bûcher où elle se précipite. La musique monte sublime, elle roule en longues plaintes et tonnerres de révolte. Le texte, lui, hésite. Wagner chercha, des années durant, les invocations qui devaient jaillir des lèvres de la jeune fille. Il désespéra. Le sacrifice se suffit, la musique parle pour lui. Les derniers mots de Brunehilde peuvent être quelconques. Ils n'ont rien à démontrer. Seules témoignent les flammes qui embrasent le firmament et consument la chair.

Ainsi tourne le fantasme d'ubiquitaire « réversibilité ». Il ne sauve pas la religion parce qu'il est vrai. Mais il se donne pour vrai parce qu'il restaure une religion du sacrifice. « Il faut nous tenir prêts pour un événement immense dans l'ordre divin, vers lequel nous marchons avec une vitesse accélérée qui doit frapper les observateurs. Il n'y a plus de religion sur la terre : le genre humain ne peut demeurer dans cet état[1]. » Le sacrifice qui sauve l'Être suprême est suprême. Il ne connaît ni limites ni tabous dans son abnégation comme dans ses négations.

La défense et l'illustration de l'esprit de sacrifice, à quoi de Maistre résume l'essentiel de la vie religieuse, triomphèrent avec la sociologie (Durkheim) et l'ethnologie (Hubert et Mauss) naissantes. En statuant que le rapport du profane et du sacré est produit et reproduit par le sacrifice **au** Dieu et **du** Dieu, la science laïque ressuscitait, un siècle plus tard, les visions du prophète piémontais. « Le croyant s'incline devant Dieu, parce que c'est de Dieu qu'il croit tenir l'être, et particulièrement son être mental, son âme. Nous avons les mêmes

---

1. *Les Soirées de Saint-Pétersbourg*, XIe entretien.

raisons d'éprouver ce sentiment pour la collectivité[1]. » La religion, comprise comme lien social, est identifiée à la société, laquelle exige qu'« oublieux de nos intérêts, nous nous fassions ses serviteurs et nous astreint à toutes sortes de gênes, de privations et de sacrifices sans lesquels la vie sociale serait impossible[2] ». Le sacrifice devient contrat social. En lui, l'individu s'abolit comme volonté particulière (il se sacrifie) et s'affirme volonté générale (il tue et meurt pour une réalité qui le dépasse, Dieu, la Patrie, la Classe...). Cet acte collectif s'avère communion. La volonté de tous (les individus réunis) se reconnaît volonté générale et la réunion définit les réunis. Les apories, sur lesquelles butait Jean-Jacques Rousseau, sont soufflées, magiquement résolues. Des individus libres et indépendants instaurent une collectivité supra-individuelle dans et par un sacrifice où la société naît et renaît. Ce *nouveau* contrat social admis, le cercle vertueux de De Maistre s'impose : le sacrifice, acte fondateur, « sauve » Dieu et la société ; la religion, en retour, sauve le sacrifice et sanctifie le contrat.

Le manège tourne. Au centre du cercle parfait, le sacrifice pivote et entraîne les chevaux de bois. Pareille géométrie miraculeuse relève d'une spéculation doctrinaire, construite pour les besoins de la cause. Sur le terrain, les ethnologues ne rencontrent pas « le » sacrifice. Distinguant les us et les coutumes qui rapportent le vivant aux ancêtres, ils démystifient : sacrifier revient parfois à lier, parfois à délier. Ces opérations, aussi bien disjonctives que conjonctives, ne sont pas identiques, selon qu'elles nouent l'impétrant au divin, à l'animalité, à l'origine du monde ou à celle de la société. Loin de fonder la vie religieuse, le sacrifice se fond en elle et varie avec elle. Son prétendu privilège ontologique, celui de constituer l'expérience spirituelle par excellence, relève d'une illusion d'optique et d'une supercherie. Au point que certains chercheurs proposent de bannir le terme du vocabulaire scientifique. Comme la notion de totémisme, il paraît moins refléter la réalité étudiée que les préjugés de celui qui étudie.

---

1. Émile Durkheim, *Sociologie et philosophie*, PUF, 1963, p. 108.
2. Émile Durkheim, *Les Formes élémentaires de la vie religieuse*, Le Livre de poche, 1991, p. 366.

« Le » sacrifice, c'est ce qui reste d'une religion quand on n'y croit plus. Pour le Réformé de la grande époque, le demeuré catholique est un cannibale qui s'ignore : il dévore le corps du Christ et gobe une hostie qu'aucun sacrement de l'Eucharistie n'a sanctifiée. Rien de plus facile que de baptiser « sacrifice », tout uniment, les comportements qui révulsent dans la religions des autres. Après les avoir isolés des croyances qui les supportent, on couronne mystère fondateur le précipité de nos incompréhensions. Nous opérons de même sur nos propres liturgies à mesure qu'elles se fanent désuètes et démodées. L'étiquette « sacrifice » est le miroir de nos incrédulités.

La religion sacrificielle, que chérirent de Maistre, Durkheim, le collège de sociologie, avec Caillois et Bataille, ne sera jamais, comme l'ont cru ses promoteurs, la pierre angulaire d'une théorie générale des religions. À ce titre, elle n'est qu'une illusion rétrospective, une projection des impertinences modernes dans des univers mentaux anciens, qui n'en ont cure. À titre de programme, par contre, elle organise la réponse des élites aux prises avec la faillite générale des référents traditionnels. Déchristianisation européenne, crise théologique des sociétés colonisées, occidentalisations brutales, acculturations, désarrois postcommunistes... ont pris d'assaut des dévotions désolées. Qui prétend régénérer une collectivité et cimenter la société en miettes doit inculquer aux citoyens le dévouement à l'intérêt commun. Le « papisme » de Joseph de Maistre, le solidarisme et le socialisme des sociologues s'accordent sur cette exigence. D'ailleurs, plaident nos régénérateurs, la capacité d'escalader le ciel, loin au-dessus des affaires profanes et quotidiennes, n'est pas étrangère au bipède moderne. Ses fureurs guerrières et ses exaltations sentimentales en témoignent. Et le sang plus que jamais versé. « Est-ce que le général qui envoie un régiment à une mort certaine pour sauver le reste de l'armée agit autrement que le prêtre qui immole une victime pour apaiser le dieu national[1] ? »

L'appel à l'union sacrée des militaires et des religieux

---

1. Émile Durkheim, *De la division du travail social*, Alean, 1902, p. 137-140.

déborde les politiques conservatrices ou nationalistes d'autre-fois. L'important n'est pas l'armée, mais l'esprit militaire. Pas les Églises, mais le stimulant mystique. Le militant révolution-naire intégriste emprunte aux deux pour dynamiter les corps constitués. « L'armée et la religion ont seules la possibilité de satisfaire les aspirations les plus conséquentes des hommes. La première fait profession d'affronter réellement la mort, l'autre connaît le langage empreint d'angoisse et de majesté orageuse qui convient à ceux qui sont au seuil de la tombe[1]. » Tout pro-gramme de régénération sociale s'abreuve aux deux sources. À pleine gorge, quand le terroriste évince le soldat régulier et quand le commissaire politique ou prophétique officie à la place du prêtre officiel.

Qui peut garantir que le sacrifice paie ? D'une part, la théo-rie sophistiquée et occulte de la réversibilité prêchée par de Maistre ne convainc que les convaincus. De l'autre, Durkheim postule que le problème ne se pose point, ou qu'il est résolu avant d'être posé. L'individu naissant intégré dans un ensemble social, qui le dépasse et le précède, l'intérêt général ne peut que primer. L'insurrection des pulsions pri-vées relève de la pathologie, le suicide en offre un exemple. La société, comme l'Église, forme un tout irréductible à la somme de ses composants. Elle privilégie la liaison sur la déliaison ; elle assure la conjonction des citoyens, entre eux et avec qui les transcende. Le sacrifice, c'est la société en acte : tuer et mourir, massacrer ou s'immoler, la communion par le sang assure la succession des générations et la perma-nence de l'espèce. Que se passe-t-il si ces certitudes doctri-nales fanent ?

4. L'intégrisme comme pulsion

Autant la description des comportements sacrificiels de nos contemporains paraît exacte, autant les théories qui préten-dent en rendre compte se révèlent bel et bien tirées par les cheveux. Pour mettre à feu une université, pour enfermer,

---

1. G. Bataille, *Œuvres complètes*, II, *op. cit.*, p. 246.

pour lapider les femmes de Kaboul, pour égorger tout un *douar* algérien, les gardes rouges chinois, les « étudiants en théologie », les possédés de Dieu, barbus ou glabres, Arkan et ses complices, les curés hutus se soucient peu de réversibilité des péchés ou de conformisme social. Au XXᵉ siècle, chacun a sacrifié son prochain comme lui-même, avec une aisance si confondante que les justifications idéologiques biscornues, accompagnant les bains de sang ordinaires, paraissent moins expliquer cette aisance qu'être expliquées par elle. Je tue et meurs au nom de la classe, de la race, de la nation, de Dieu. Mais ce n'est pas à cause de ces saintes idoles que je brandis ma hache. C'est parce que je hache que j'emprunte des icônes, qui transfigurent mon crime en mission, respectable, adorable, surtout multipliable.

Au commencement est le tueur en série. Pas le bouquet d'idées qui légitiment l'action, mais le plaisir qui la fait goûter. L'enthousiasme avec lequel les peuples éclairés se précipitèrent les uns sur les autres s'allume, sans relâche, aux quatre coins du siècle. Les experts, qui prédisent la fin des idéologies, donc de l'histoire, donc des violences, ont tout faux. Ils sont victimes d'une maladie professionnelle, ils croient que ce sont les idées qui guident la violence, alors que c'est elle qui mène et engraisse les idéologies. Un peu de modestie, messieurs les académiciens, vous n'êtes pas l'origine de l'origine ! Faute de mobiliser pour la gloire du marxisme léninisme et pour l'éternité du pays des soviets, l'ancienne Armée rouge lance ses avions, ses tanks, ses troupes au nom de la grande Russie, orthodoxe et slave. Peu importe le drapeau, vive la guerre ! Les Tchétchènes, décimés, ne font pas la différence.

Lorsque George Bataille définit le sacrifice comme « l'accord intime de la mort et de la vie », il ne fonde pas cette équation contradictoire sur la réversibilité céleste, ni sur une « conscience collective ». Il se réfère au plus proche et pas au plus lointain, à l'intimité immédiate du plaisir. Devinette : qu'y a-t-il de commun entre la furia du guerrier et l'extase de l'hystérique ? Réponse : l'érotisme. Le don de soi du révolutionnaire, du religieux et du soldat n'est pas pure oblativité sans retour, pure abnégation payée dans l'autre monde, au paradis, ou jamais. « J'ai introduit, liée à la réalité antique du sacrifice, une représentation de la joie devant la mort par où s'affirmerait l'accord intime de la vie avec sa destruction violente[1]. » Le militaire comme le religieux, également offusqués, se récrieront. Ne s'acharnent-ils pas l'un et l'autre, par des disciplines rigoureuses et compliquées, à maîtriser les désordres sensoriels et charnels, qui transforment le soldat en pilleur ou violeur et qui infligent au mystique de démoniaques tentations ?

Justement ! Si Éros menace en permanence, c'est qu'il est un ennemi trop intérieur pour n'être qu'un ennemi. Il hante depuis toujours le prêtre et le combattant, dont les élans lui empruntent une fougue et un feu qu'ils espèrent canaliser ou sublimer. Les batailles de l'âme comme celles du corps sont érotiques parce que sacrificielles. Et sacrificielles parce que érotiques. Elles dévoilent des extrêmes, où la joie flirte et copule avec la souffrance, elles postulent une réversibilité immédiate, « l'identité du plaisir extrême et de l'extrême douleur : l'identité de l'être et de la mort[2] ».

Le troisième homme essaime sur la planète. Il piétine le cocon cosmique des traditions. Aucun sens pseudoscientifique de l'histoire ne le berce d'espérances certaines, néanmoins il agit. Si rien d'extérieur ne le réconforte, rien non plus, intérieurement, ne le retient. Il devient « acéphale », pour autant que l'image de l'homme classique institue le « chef » pilote et garant de la conduite globale. Une grande crise fait perdre la tête. L'individu, errant dans un espace sans orient et un temps sans Greenwich, désespère de l'ancien centre d'aiguillage désormais hors d'usage. « L'homme a échappé à sa tête comme le condamné à sa prison... Il tient une arme de fer dans sa main gauche, des flammes semblables à un sacré-cœur dans sa main droite... Il réunit dans une même éruption la naissance et la mort. Il n'est pas un homme. Il n'est pas non plus un dieu. Son ventre est le dédale dans lequel il s'est égaré[3]. » L'homme sans tête berce avec amour le sacrifice des autres et le sien.

---

1. Georges Bataille, *Œuvres complètes*, II, *op. cit.*, p. 247.
2. *Ibid.*, tome III, p. 10, « Madame Edwarda ».
3. G. Bataille, *Œuvres complètes*, tome I, p. 445 (« Acéphale », 1936).

L'intelligence européenne fit bon accueil au troisième homme. La réversibilité des plaisirs et des peines, l'équivalence des souffrances de Justine et des jouissances de Juliette, la petite mort de l'extase tiennent lieu de Jugement dernier. Voila autant de simili-preuves que la destruction est aussi forte, mais pas plus, que la création. Libido et destrudo, amour et mort se complètent. *Tutti va bene.* Le sacrificateur sauve-t-il le sacrifice à l'instant où il l'accomplit ? Oui, répondent en chœur la théologie d'un de Maistre, l'érotique d'un Bataille et les dialectiques en vogue. « Quand Genet décide de vouloir le Pire, il sait que le Pire a perdu[1]. » Mesdames, messieurs, consolez-vous, les beaux jours sont devant vous ! Non, rétorque, par avance, Alfred Jarry, maître d'insolence. Son troisième homme, l'acéphale Ubu, qu'Éros pousse de destruction en dévastation, ne connaît pas de rédemption finale.

Les vœux pieux théologiques et érotiques bégaient devant la vérité cruelle du sacrificateur-roi et de sa ribambelle de clones historiques, répétant sa clameur comme des perroquets sanglants : « Cornegidouille ! Nous n'aurons point tout démoli si nous ne démolissons même les ruines ! »

---

1. J.-P. Sartre. J'ai commenté ce « tout est bien qui finit bien » commun à Sartre, Genet et Duras dans *La Fêlure du monde*, Flammarion, 1994, p. 240 s.

XI

LA LEVÉE DES INTERDITS

> *La question décisive pour le destin de l'es-*
> *pèce humaine me semble être de savoir si et*
> *dans quelle mesure son développement culturel*
> *parviendra à maîtriser la perturbation de la vie*
> *en commun suscitée par l'humaine pulsion*
> *d'agression et d'auto-anéantissement... Les*
> *hommes sont maintenant parvenus si loin dans*
> *la domination des forces de la nature qu'avec*
> *l'aide de ces dernières, il leur est facile de s'ex-*
> *terminer les uns les autres jusqu'au dernier.*

Freud, *Le Malaise dans la culture*

L'homme, non seulement vit, mais tue dans le temps. Tantôt il assassine au nom d'un passé, dont il prétend sauvegarder la lignée pure, envers et contre tout. Le crime raciste de
Hitler porte pareille pulsion à sa perfection. Tantôt il exécute
en vertu d'un futur merveilleux qui rachète les ignominies
supposées l'établir. Les crimes colonialistes et communistes
serinent ce leitmotiv. Frustes ou élaborés, les grands discours
convoquent l'antérieur et l'ultérieur d'une collectivité pour la
décider à rompre les tabous. N'allez pas croire que ces inévitables narrations mythologiques et idéologiques, contes et
légendes ou promesses d'avenir paradisiaque, soient béton-
nées et valent, une fois pour toutes, explications dernières.
Elles sont volatiles, transformables à merci, interchangeables
au gré des modes et des chefs. Elles gravitent, zombiques et

209

bavardes, autour d'un noyau dur : la volonté présente de refuser le présent.

À la cassure des temps, émerge un Responsable. Il tranche, ici et maintenant, du passé et du futur. À la manière d'un chef militaire, il dispose de la vie des populations. À la manière d'un chef religieux, il régit la survie spirituelle et la mémoire collective. Maître de la première mort (physique), metteur en scène de la seconde (morale), le meneur d'hommes moderne se fait fort de tuer le corps et l'âme. Le gong retentit. Le champion toutes catégories d'un sport très *up to date* reste, à ce jour, le Bouddha rouge, le Grand Timonier de la Révolution culturelle, l'homme qui déplaçait les montagnes, broyait les corps par dizaines de millions, en brisant les âmes par milliards, le recordman Mao Tsé-toung. Entre l'émir, qui trucide, à tort et à travers, dans les banlieues d'Alger, et les éminences qui dépeuplèrent Berlin, Moscou et Pékin, la différence est seulement quantitative. La qualité de l'autorité qu'ils exercent est identique. La conjonction d'un pouvoir temporel illimité et d'une magistrature idéologique sans frontières passait jadis pour extraordinaire, fragile, incomplète. Même l'empereur, à Rome comme en Chine, se devait de ruser avec les traditions. Même les souverains « absolus » de l'Europe classique jouissaient d'un « double corps », marquant leur double consécration par les instances distinctes du séculier et de l'éternel. Il fallut attendre le XXᵉ siècle pour que le « César avec l'âme du Christ » fantasmé par Nietzsche quittât la bande dessinée philosophique pour mobiliser les masses, tantôt dans les escaliers d'immeubles, tantôt sur des continents entiers.

En finir d'un coup ! Le sentiment d'un dégoût unique et global, théologique donc, entraîne un rejet de même nature. Révolutionnaire donc. Décliné, en boucle, comme aliénation économique, subversion raciale, anéantissement culturel, vide religieux, le vertige d'une chute irrémédiable introduit un corps-à-corps décisif. Le damné, persuadé de n'avoir à perdre que ses chaînes, se condamne à la lutte finale. Et les instances spécialisées font miroiter les programmes.

Les militaires, par profession, et les militants, par mimétisme, rêvent d'une bataille décisive, napoléonienne : « Les syndicats révolutionnaires raisonnent sur l'action socialiste exactement de la même manière que les écrivains militaires raisonnent sur la guerre... ils voient dans chaque grève une imitation réduite, un essai, une préparation du grand bouleversement final », écrit Sorel, qui terminera, lui, grand admirateur de Lénine et de Mussolini[1].

Les religions ne sont pas davantage avares de mises en scènes apocalyptiques, où Bien et Mal, Juste et Faux, Anges et Démons règlent un compte instantané, sans autre forme de procès. Au IIIe siècle de notre ère, une « révélation » cristallisa cette volonté totale de purification... Partie de Perse, en traînée de poudre, elle gagna le Maroc, à l'ouest, pénétra la Chine, à l'est. Dans son expansion prodigieuse et précaire, le manichéisme conquit l'Occident aussi bien que l'Orient. Le prophète Mani table sur le malaise et la répulsion de l'homme enfermé dans un monde purulent de cadavres et de merdes. Il s'attaque à l'abominable « *terra pestifera* ». Originale, cette hérésie, dont saint Augustin fut longtemps un adepte, promeut et promet une rupture sans concession ni compromis. « Alors que dans la plupart des autres expériences religieuses, l'épreuve du mal consiste dans le déchirement, la séparation ou la dualité et que le désir de salut tend au rassemblement... le manichéen voit au contraire dans la division, dans la dualité (pourvu qu'elles soient radicales) le bien premier et final[2]... » Entre la gnose de Mani et les idéologies contemporaines dénonçant le « système », les analogies crèvent les yeux.

La militarisation du socialisme

« La nouvelle philosophie aboutit à l'acquiescement total à la guerre. La guerre est le sens de l'ordre nouveau. Elle est l'affirmation d'un "mouvement supérieur", l'essence du dynamisme conséquent... Le socialisme du national-socialisme est resté une banale comédie jusqu'au moment où il devint un élément d'ordre imposé par l'économie de guerre planifiée.

---

1. G. Sorel, *Réflexions sur la violence* (1908), Marcel Rivière, 1972, p. 142.
2. H. C. Puech, *Sur le manichéisme*, Flammarion, 1979, p. 22.

Cette tendance s'accentuera. Non seulement dans le domaine économique et social, mais aussi pour assurer la discipline nationale, la préparation morale à la guerre, les forces vives conduisent vers un socialisme étatiste totalitaire... »

Hermann Rauschning, 1939[1].

La militarisation du travail

« De même que la lampe avant de s'éteindre brille d'une flamme plus vive, l'État avant de disparaître revêt la forme de dictature du prolétariat, c'est-à-dire du plus impitoyable gouvernement qui soit, d'un gouvernement qui embrasse impérieusement la vie de tous les citoyens... Aucune autre organisation dans le passé, excepté l'armée, n'a exercé sur l'homme plus rigoureuse coercition que l'organisation gouvernementale de la classe ouvrière à la plus dure époque de transition. Et c'est précisément pour cela que nous parlons de militarisation du travail... La classe ouvrière est ici devant nous, et avec nous. »

Léon Trotski, 1920[2].

La militarisation de la foi

« Le monde doit savoir que toutes les tueries, les massacres, les incendies, les enlèvements de femmes sont une offrande à Dieu... Le GIA considère comme impies les tyrans [le régime algérien] ainsi que leurs parents et leurs partisans. C'est pour cela qu'il traque les partisans des apostats dans les villes, les villages et les déserts, les éradique, détruit leurs champs, capture leurs femmes et confisque leurs biens. »

Groupes islamistes armés, 26 septembre 1997[3].

---

1. *La Révolution du nihilisme*, Gallimard, 1940, p. 88-89.
2. *Terrorisme et communisme*, 10/18, 1963, p. 254.
3. *In L'Actualité religieuse*, avril 1998, p. 22.

En fusionnant le militaire et le théologique, les nouveaux dictateurs ne procèdent pas à la simple addition des privilèges du chef des armées et des prestiges du pontife. Nul n'ignore que la supériorité des forces sur le terrain ne suffit pas pour emporter la décision et moins encore pour la rendre définitive. Les Grecs ont soumis Troie par la ruse, Ulysse compta plus qu'Achille, un cheval de bois décida de tout. L'opinion demeure la reine des combats. « Dites-moi, M. le Général, qu'est-ce qu'une bataille perdue ? — C'est une bataille qu'on croit avoir perdue, écrit J. de Maistre, c'est l'imagination qui gagne et perd les batailles[1]. » La religion et ses sosies ne viennent pas, après coup, homologuer les succès et les défaites, le dieu des armées doit être invoqué avant, pendant et après les tueries. Toute l'Antiquité attribua à la piété romaine (*fides*, *pietas*, *dignitas*) les fabuleuses victoires des légions. Réciproquement, l'épreuve des armes, la nécessité du paiement comptant, selon Clausewitz, engage les religions et les contraint à définir leur idée du juste et de l'injuste face aux défis profanes. L'attrait d'une « théologie de la victoire » incita Constantin à décréter le christianisme religion d'État. Il fallut aussi les longs chapitres de *La Cité de Dieu* pour que saint Augustin lavât la jeune Église d'une accusation d'atteinte au moral de l'Empire : n'aurait-elle point intellectuellement facilité la prise de Rome par les Vandales ?

L'alliance du militaire et du religieux évoque l'association de l'aveugle et du paralytique. La fortune des armes étant incertaine, inconstante, les voies de la providence restant impénétrables, on espéra de tous temps faire jaillir l'étincelle en frottant ces mystères l'un à l'autre. Au lendemain de la bataille d'Iéna, Hegel admire Napoléon victorieux passant sous ses fenêtres et déclare contempler « l'âme du monde à cheval ». Il réhabilite l'aura théologique du politique, qui couronne aussi bien les égorgeurs continentaux que les Staline de sous-préfecture.

Complémentarité de l'esprit religieux et de l'esprit militaire ? Difficile à admettre. En apparence, tout les oppose. L'irreligion des soldatesques est proverbiale. Elles pillent,

---

1. J. de Maistre, *Les Soirées...*, *op. cit.*, p. 397-398.

violent... elles transgressent les commandements de Dieu. Les clercs, quant à eux, méprisent et stigmatisent les étalages de force brute. La rencontre relèverait du quiproquo, n'était une parenté inavouée. La victoire des armées, comme la victoire de la foi, passe par la nécessité de défaire un « autre », l'ennemi, l'infidèle, le méchant, le monde pourri et le diable en personne. Armes et âmes fusionnent dans une complémentaire capacité de détruire. Aux temps de la stratégie classique, celle de Clausewitz, une grande puissance se devait de disposer d'un arrière, où replier les troupes en cas d'attaque impromptue, pour ensuite répliquer et gagner. Au temps de la dissuasion nucléaire, une puissance doit disposer de la capacité d'infliger d'insupportables dommages, fût-ce *post mortem*, à l'agresseur qui tire le premier. Cela s'appelle une force de seconde frappe. Peu la possèdent, mais une foi, religieusement bétonnée, peut servir de seconde frappe substitutive : Dieu — ou le Genre humain — me protège, il m'assure une immortalité au moins générique. Mao Tsé-toung affirmait, sans frémir, qu'en cas de guerre nucléaire les deux tiers du peuple chinois périraient, mais le troisième triompherait. Le terroriste solitaire peut sauter avec les infidèles, il perd la vie ici-bas, il gagne l'éternité là-haut. Au militaire, qui recherche désespérément l'invincibilité, le religieux offre un supplément d'invulnérabilité. À deux, ils font une paire conquérante, jusqu'à la victoire finale.

ZALMOXIS, MAÎTRE EN IMMORTALITÉ

Darius « subjugua d'abord les Gètes qui se disent immortels... Ces peuples sont les plus braves et les plus justes d'entre les Thraces. Les Gètes se croient immortels et pensent que celui qui meurt va trouver leur dieu Zalmoxis... Tous les cinq ans ils tirent au sort quelqu'un de leur nation et l'envoient porter de leurs nouvelles à Zalmoxis, avec ordre de lui présenter leurs besoins. Voici comment se fait la députation. Un certain nombre de Gètes se rangent en ordre, chacun d'eux tenant en main trois piques, tandis que d'autres prennent, par les pieds et par les mains, celui qu'on envoie à Zalmoxis. Ils le mettent en branle et le lancent en l'air de façon à ce qu'il retombe sur la pointe des javelines. S'il meurt de ses blessures, ils croient que le dieu leur est propice ; s'il ne meurt pas, ils l'accusent d'être méchant. À sa place ils en députent un autre, et lui donnent aussi leur ordre, tandis qu'il est en vie. Ces mêmes Thraces tirent aussi des flèches, quand il tonne et qu'il éclaire, pour menacer le dieu qui lance la foudre... J'ai néanmoins ouï dire aux Grecs qui habitent l'Hellespont et le Pont que ce Zalmoxis était un homme et qu'il avait été à Samos esclave de Pythagore, fils de Mnésarque : qu'ayant été mis en liberté il avait amassé de grandes richesses avec lesquelles il était retourné dans son pays. Quand il eut remarqué la vie malheureuse et grossière des Thraces, comme il avait été instruit des usages des Ioniens, et qu'il avait contracté avec les Grecs et particulièrement avec Pythagore, un des plus célèbres philosophes de la Grèce, l'habitude de penser plus profondément que ses compatriotes, il fit bâtir une salle où il régalait les premiers de la nation. Au milieu du repas il leur apprenait que ni lui, ni ses conviés, ni leurs descendants à perpétuité ne mourraient... Pendant qu'il traitait ainsi ses compatriotes et qu'il les entretenait de pareils discours, il se faisait faire un logement sous terre. Ce logement achevé, il se déroba aux yeux des Thraces, descendit dans le souterrain et y demeura environ trois ans. Il fut regretté et pleuré comme mort. Enfin, la quatrième année, il reparut et rendit croyables, par cet artifice, tous les discours qu'il avait tenus ».

Hérodote[1].

Fanatismes et superstitions ne datent pas d'aujourd'hui. La combinaison des puissances destructrices célestes et terrestres ravage, çà et là, des pans d'histoire humaine. Un facteur nouveau, perturbateur, transforme cette malfaisance fugace en force compacte et menaçante : la levée des tabous a rendu consciente, énonçable et avouable une pulsion que les disciplines militaires et religieuses refoulaient — la joie de

1. *Histoires*, La Découverte, 1980, p. 230-231.

215

détruire devient le ressort des luttes et des affrontements. Comment comprendre autrement l'emballement des chiffres ? En moins d'un siècle, les conflits qui tuent, en 1914, à 80 % les militaires, font, après 1945, 80 % de victimes civiles. Au début du siècle, la confrontation d'égal à égal, l'affrontement avec un *alter ego*, étaient le souci majeur de tous les préparatifs physiques et moraux. Le plaisir du guerrier cueilli sur des êtres sans défense, pillages, tortures, viols, n'était que prime secondaire et s'inscrivait vaguement au catalogue des méfaits honteux. Les proportions se sont inversées, cul par-dessus tête. Le secondaire est devenu premier. Les statistiques et les actualités en témoignent. Et pareillement les guerriers, quand ils prêtent voix à leur fièvre : « Alors dans une orgie furieuse, l'homme véritable se dédommage de sa continence ! Les instincts trop longtemps réprimés par la société et ses lois redeviennent l'essentiel, la chose sainte et la raison suprême » (E. Jünger). Instinct, chose sainte, raison suprême, dès 1920 le combattant émancipé, l'« homme véritable » cultive le paradoxe d'invoquer la raison et la religion en brisant le cocon de règles et d'interdits, imposés par la religion et la raison.

La lutte à mort, cette « chose sainte » braque sur la terre la lumière crue d'un Jugement dernier, elle lève le frisson d'un univers sans futur. En temps de paix, les fils ensevelissent les pères, en temps de guerre, les pères ensevelissent les fils, note Hérodote. Les flammes amoureuses ou guerrières annoncent une fin des temps. La volonté d'en finir noue le radicalisme religieux, l'escalade militaire et la fureur d'Éros. Que la passion de détruire ne puisse être reprise en main n'effarouche ni le saint dans sa nuit, ni le héros sans merci, pas davantage le libertin de Sade, « car ce qui est grand, ce qui est tout, c'est l'esprit de destruction[1] ». Le mariage des passions extrêmes fut longtemps tenu pour impossible et sa simple évocation jugée blasphématoire. Il a lieu, il fait tourner les têtes, rouler les crânes, cous coupés, tomber les corps éventrés. L'étonnement des bonnes âmes paraît ainsi mal venu. Pourquoi jouer les effarouchées quand un croyant

---

1. Maurice Blanchot, *Lautréamont et Sade*, Minuit, 1949, p. 250.

invoque sa foi pour massacrer les innocents ? N'ont-elles pas annoncé, hier, que toutes les religions, sauf la leur, menaient au crime ? L'anthropophagie universelle passe pour une hypothèse admissible, tant qu'on s'exclut du lot. Dès que l'autre devient votre pareil, dès qu'on se sent pareil aux autres, on ne voit plus les cruautés. Le regard se fait complice et la bouche cousue, car les noces sanglantes de Dieu et d'Éros menacent nos convenances.

Avez-vous entendu les plus hautes instances de l'islam fustiger des fidèles amateurs de couteaux, de TNT et de Kalachnikov ? Elles n'ont pas pipé mot. Pardon, si, quelques-uns, rares, ont trouvé cette rage islamiquement incorrecte, mais ils se comptent sur les doigts d'une main. Les dignitaires sont restés cois. Les autres confessions, si soucieuses d'œcuménisme, n'ont pas fait plus d'effort. Quand ont-elles conseillé à leurs collègues musulmans d'ébaucher un geste d'avertissement ? Quand ont-elles condamné le crime ? Pardon ! Si, juste une petite phrase sibylline du pape, reprise en leitmotiv par toute sa hiérarchie soulagée : « On ne peut pas tuer au nom de Dieu. » Le verbe « pouvoir » couvant en italien la même ambiguïté qu'en français, a-t-il dit l'impossibilité que des gens tuent au nom de Dieu ? Ou le devoir de ne pas tuer au nom de Dieu ? Humble mortel, c'est à toi de deviner. L'énigme reste entière, il n'a donné aucun indice supplémentaire, ce qui tend à prouver que la première version est la bonne, car elle clôt la discussion : l'impossible n'existe pas et Dieu est sauf. Soupir des prélats, hochements du chef chez les imams et les rabbins. Et pourtant, d'Alger à Kaboul, de Téhéran à Hébron, de la Kaaba au Temple d'or, les meurtriers se tournent vers l'Être suprême pour justifier leurs actes. Quand les fous de Dieu font leur sale besogne, les hommes de Dieu s'inscrivent aux abonnés absents. Signe, espérons-le, d'un embarras.

Avançant à couvert, dans le black-out des consciences, petits et grands préparateurs de cocktails théologico-militaires s'élisent « législateurs ». La philosophie politique classique imagine, sous cette appellation, un personnage bizarre conférant des lois à ceux qui n'en ont pas. Sparte doit ses institutions à Lycurgue, Athènes à Solon. Les mythiques

« pères de la nation » ne laissent pas d'intriguer. Plus on leur prête de pouvoir inaugural, moins on comprend leur pouvoir d'inaugurer. S'ils ont civilisé de parfaits barbares, quel miracle leur permit l'inconcevable ? « On trouve à la fois dans l'ouvrage de la législation deux choses qui semblent incompatibles : une entreprise au-dessus de la force humaine et, pour l'exécuter, une autorité qui n'est rien. Pour qu'un peuple naissant pût goûter les saines maximes de la politique et suivre les règles fondamentales de la raison d'État, il faudrait que l'effet puisse devenir la cause, que l'esprit social qui doit être l'ouvrage de l'institution présidât à l'institution même, et que les hommes fussent avant les lois ce qu'ils doivent devenir par elles[1]. » Les Romains évacuaient, à bon compte, la difficulté en « imaginant » que leurs mœurs fondaient la constitution, ainsi le législateur se contentait-il d'enregistrer et de formaliser les sentiments préexistant de tous. *Vox populi, vox dei.* Par contre, partant d'une collectivité en miettes, l'aporie devient insurmontable.

Qu'est-ce qui rassemble un magma d'individus infiniment dissemblables ? Il importe peu d'attribuer l'atomisation des rapports sociaux à une situation originelle (« état de nature ») ou acquise (via une « crise théologique », le progrès de la civilisation entraînant une décadence des mœurs), le législateur supposé se retrouve immanquablement coincé. Par quel tour de magie une pluralité devient-elle unité ? Comment un chaos d'intérêts jaloux, de pensées étrangères et de sentiments rivaux s'harmonise-t-il pour s'instaurer société ? Face à cette éternelle difficulté, le chef théologico-politique apporte sa solution clés en main, renversante. Il se proclame Maître Rassembleur, après s'être propulsé Maître Annihilateur. Son pouvoir de construire tire sa légitimité du pouvoir de détruire, qu'il manie avec une exemplaire dextérité.

Quel remède inventer pour soigner la paralysie des législateurs ? Les laissant s'échiner à « mettre leurs décisions dans la bouche des immortels » (Rousseau), le seigneur libertin, selon Sade, se réclame d'une instance moins contestable et

---

1. Jean-Jacques Rousseau, *Le Contrat social*, II, vii, *Œuvres complètes*, Gallimard, Bibliothèque de la Pléiade, p. 383.

contestée. En lui, c'est la mort qui parle. La première, physique, comme la seconde, mentale. Par la force matérielle, dont il s'octroie le monopole, le sadien extorque la soumission de ses victimes. Par la force du blasphème, leur consentement. Répugnant à jouer les lieutenants de l'Être suprême, il le déboulonne. L'instrument de sa toute-puissance n'est pas la religion, mais l'irreligion. Les tortionnaires l'assènent à l'infortunée et crédule Justine : Je suis plus fort que ton dieu et je te prouve sur-le-champ qu'il plie. À première vue, ces héros de fiction, imaginés par le plus malfamé des écrivains, n'entretiennent pas grands rapports avec les théologiens coupeurs de tête.

Sade est inconnu à Kaboul, sinon ses volumes eussent été illico brûlés. Changeons l'angle de prise de vues, le champ-contre-champ crée une étrange intimité. L'acte nº 1, par lequel s'annonce le nouveau Tout-Puissant est, de part en part, délétère ; il suspend codes et traditions ; il s'élève au-dessus de toute norme et décide forclos le tabou « plus ancien que les dieux[1] ». L'argument épinglé sur les victimes ne varie pas. Je suis le législateur suprême, j'en apporte la preuve, aucune loi écrite ou non écrite ne me résiste. Prosternez-vous ! C'est moi ou rien, et ce rien c'est encore moi, preuve par le tranchant de ma lame. L'ingénu interroge le bien-fondé de l'islamisme des islamistes, il discute l'orthodoxie des activistes intégristes juifs et chrétiens. Que de temps perdu ! Seul leur importe l'art de se faire élire interprète unique des tables de la loi. La question, mes amis, n'est pas qu'est-ce qui est dit, mais qui parle. Il faut et il suffit que l'exégète creuse un vide alentour, qui le consacre infaillible. Sans objections.

Éblouir. Ou, plus vulgairement, en mettre plein la vue. La force du terroriste amateur de violence extrême n'est jamais simplement physique. Le but recherché, c'est la panique. Il faut que la victime s'affole, perde ses repères, ne sache plus en quel temps, en quel espace elle titube. Les moyens employés à cet effet sont indistinctement matériels et spirituels, pourvu que leur pointe acérée taille dans le vif des assurances immémoriales. Le prosélytisme traditionnel se

---

1. S. Freud, *Totem et Tabou*, *op. cit.*, p. 220.

prétendait constructif, il voulait purger pour affirmer des croyances établies. Et s'il ruinait l'être-dans-le-monde de ses catéchumènes, c'était en toute apparente innocence, *sub specie boni*. En passant. Mine de rien. Sans prendre la peine d'examiner les dégâts. L'intégriste, de nos jours, déploie une stratégie inverse. Il choque délibérément les fidèles et les infidèles. Il n'évite pas le scandale. Il le provoque. Il le cherche, le publie, l'expose. Staline fit liquider Trotski en catimini, et déclina toute responsabilité. Hitler ménageait les oreilles prudes de ses ouailles et usait d'euphémismes. Ceux-là travaillaient dans la nuit et le brouillard. Ces sournoises et misérables barrières de respectabilité sautent. Khomeiny met à prix, au nom du jugement divin, la tête d'un écrivain ironique, les chefs de bande libériens se filment en vidéo dépeçant leurs rivaux... Le vice s'épargne l'hypocrisie de rendre hommage à une vertu qu'il n'est pas. Il s'affiche vertu.

Le crime est devenu le support privilégié de la propagande par l'exemple. Certes ! Mais exemple de quoi ? De la force, avancera-t-on pour couper au plus court, en négligeant la mutation que subit, sous nos yeux, l'idée même de « force ». Car enfin, de quelle force administre-t-on la preuve en cousant une tête de poupée sur le tronc encore chaud d'un homme décapité ? De quelle force parle-t-on, quand on déploie sur les branches des arbres les viscères fumantes de ses enfants ? La capacité physique de commettre pareil forfait est à la portée du premier venu. La force ici révélée est tout intérieure. L'acte est édifiant parce qu'il transgresse. Il vaut par les obstacles moraux qu'il piétine. L'auteur de ce meurtre à ciel ouvert travaille dans l'efficacité symbolique.

L'événement, théâtralisé en discours, confronte les spectateurs à une limite, qu'en lui l'artiste in vivo a franchie. Il coupe l'humanité en deux. Il y a les surhommes, ceux qui sont capables de lever les ultimes interdits et il y a les autres, ceux qui s'effraient. Les terrorisés déchoient, ils se croyaient jusquelà des hommes, ni plus ni moins que tout le monde, ils descendent d'un cran dans l'estime qu'ils professent d'eux-mêmes. Ils pensaient participer à l'humanité, mais celle-ci a éclaté comme bulle de savon. Restent les supérieurs, qui osent, et ceux de l'étage en dessous, qui se nourrissaient d'illusions. Ils ne savent

plus quoi penser. On pensera pour eux. Qui « on » ? Le « fort ».
Le surmâle, qui pousse sa volonté de détruire jusqu'à empoigner les boyaux dans le ventre d'un enfant.

CONSEILS À USAGE DES APPRENTIS

Rwanda, avril 1994
  De père à fils

« Un homme à la voix grave se vante d'avoir coupé deux têtes.
Un autre, à la voix claire et timbrée, lui demande de le laisser
couper une tête tout seul : "La nuit prochaine, je ferai de toi
un homme. Tu auras ton cancrelat. Je te le promets..."
À une barrière, un homme explique à un adolescent comment
manier la machette.
"Il faut que tu lèves le bras très haut vers le ciel, que tu serres
fort le manche, et que tu abattes d'un coup sec."
L'adolescent s'exerce sur une femme qui gît au sol et dont
la poitrine tremble encore sous l'effet des convulsions. D'un
premier coup, il parvient à lui couper la main. Il se tourne
fièrement vers son professeur, sourit, ivre de fierté.
C'est pour cela qu'on voit sur la route des mains, des bras, des
pieds, des jambes épars. »

Yolande Mukagasana[1].

Algérie, maquis du GIA, entre 92 et 96
Un professeur consciencieux

« Notre égorgeur... se décida à former des jeunes pour assurer
la relève. Une demi-douzaine se portèrent candidats. Ammi
Slimane commença par la théorie. Même si le reste du groupe
n'y participait pas, on suivait de loin les cours du professeur
Slimane qui parlait haut avec des gestes démonstratifs. Un des
élèves servait de cobaye. Les autres écoutaient en cercle
autour du géant. "Quand vous voulez égorger un prisonnier,

---

1. *La mort ne veut pas de moi*, Fixot, 1997.

il faut le mettre à genoux pour neutraliser la puissance de ses jambes, expliquait le maître bourreau. Votre main gauche appuie sur le front pour bien lui dégager le coup. Avec la main droite, armée du couteau, vous faites un mouvement circulaire au niveau de la carotide. Si le geste est juste et la lame bien aiguisée, le type 'part' rapidement.”

Slimane donnait ses cours comme si les apprentis égorgeurs étaient de vrais étudiants. Il saisit d'autres outils de travail : la scie à métaux et la hache. Pour couper les têtes, il utilisait de préférence la scie. La difficulté était de trouver le bon interstice entre les vertèbres. L'idéal, selon lui, était d'abord de trancher le cou avec un couteau et d'attendre une heure.

La victime ne mourait pas tout de suite. Elle était agitée de soubresauts. On entendait ses râles mêlés à des spasmes pendant un long moment. “Ensuite, vous l'achevez à la scie à métaux. C'est plus propre et plus facile”... Une scie de fabrication japonaise à large lame. Nul besoin d'en changer, ni de l'aiguiser... Slimane n'avait aucune ambition. “Dieu s'occupera de mes enfants”. »

Patrick Forestier. [1]

L'optimiste impénitent se plaît à croire que la transgression joue avec les lois, au point de leur rendre hommage, puisque, afin de poursuivre son petit jeu de massacre, elle doit prolonger leur existence. Ainsi réduite à un passe-temps de bonne société, la transgression respecterait, en douce, l'ordre qu'elle nargue, tout comme la balle du jeu de paume respecte le mur dont elle s'écarte en rebondissant. Ces considérations rose bonbon omettent un détail croustillant : le transgresseur ne se mesure pas aux lois, mais d'abord à la mort. Parfois à celle qu'il risque. Toujours à celle qu'il donne, en fait et en droit, aux autres. « Le plaisir de tuer une femme est bientôt passé, elle n'éprouve plus rien quand elle est morte, les délices de la faire souffrir disparaissent avec sa vie... Marquons-la, flétrissons-la ; de cet avilissement elle souffrira jusqu'au dernier

_____

1. *Confessions d'un émir du GIA*, Grasset, 1999, p. 174.

moment de sa vie et notre luxure indéfiniment prolongée en deviendra plus délicieuse », conseille Saint-Fond, héros de Sade. Très concrètement, très prosaïquement, dans leurs casemates, les guerriers du GIA n'ont pas d'autres façons avec les femmes-butin qu'ils enlèvent, violent à répétition et tuent. Avant chaque acte sexuel, chaque mise à mort, ils disent la prière, comme le sadien crache ses injures. Montaigne liait tyrannie et torture, les despotes entreprennent « d'allonger la mort » pour ce qu'« ils veulent que leurs ennemis s'en aillent mais non pas si vite qu'ils n'aient le loisir de savourer leur vengeance »[1]. Loin d'être amer et contradictoire, le mépris affiché des lois se savoure. Aux yeux du législateur théologico-militaire, il marque son élection.

---

1. Montaigne, *Essais*, II, *Œuvres complètes*, Gallimard, Bibliothèque de la Pléiade, p. 679.

XII

VOLUPTÉS DE LA DESTRUCTION

> *Nous chérissons la science, la culture et l'art...*
> *Mais si nos ennemis de classe voulaient nous*
> *montrer que cela n'existe que pour eux et non*
> *pour le peuple, nous dirions : « Mort à la*
> *science, et l'art, mort au théâtre ! » Nous*
> *aimons, camarades, le soleil qui nous éclaire,*
> *mais si les riches et nos agresseurs voulaient*
> *monopoliser le soleil, nous dirions : « Que le*
> *soleil s'éteigne et que règnent l'obscurité, les*
> *ténèbres éternelles ! »*
>
> L. Trotski, *Écrits militaires,*
> (11 septembre 1918)

Une immense dérive nous éloigne du terroriste de jadis, auquel la Révolution française assura une gloire nimbée de rayonnement universel. Il était une fois la mort citoyenne, physique, démocratique, unidimensionnelle. Elle chuchotait Égalité, abolition des privilèges et des supplices. Une seule guillotine pour tous ! Elle enchaînait Fraternité, le couperet universel ne distingue pas entre manants et aristocrates, il instaure son pêle-mêle fraternel, « comme on coupe une tête de chou[1] ». Elle concluait : la liberté ou la mort, l'une se garantissait par l'autre. La seconde mort n'était pas de la fête. Elle n'était pas conviée, sinon accessoirement. Le genre humain

---

1. Hegel, *Phénoménologie de l'esprit*, t. II, trad. Hyppolite, Aubier, p. 136.

225

ne risquait pas sa peau, la vie continuait dans les interstices du drame et les bosquets des Tuileries. Les destructions, pour tragiques qu'elles fussent, n'affectaient que des consciences singulières. « L'individu passe, mais l'espèce n'a point de fin et voila ce qui justifie l'homme qui se consume, l'holocauste immolé sur les autels de la postérité », écrivait Diderot à Falconnet. La lutte des factions pour le pouvoir était vouée à l'échec, Hegel explique, avec brio, que nul ne peut monopoliser le pouvoir de tuer des citoyens égaux en droit (de tuer). Tout bascule, tout change lorsque la fin du monde, la disparition collective, la deuxième mort s'élèvent en enjeu des enjeux. C'est alors que la « postérité » risque bel et bien d'être immolée sur l'autel du présent.

Le terroriste classique universalise le sens de la mort. Le terroriste théologique, adoubé par un Dieu, ou une Idée idéologique, érige la mort du sens en menace. Le premier égalise, fût-ce malgré lui ; sa vertu se veut la loi d'avant la loi et s'imagine, comme la mortalité, identique en chacun. Le second décervelle ; sa folie se veut loi au-dessus de la loi et place son prochain en apesanteur surveillée. Dans la terreur de 1793, chacun dénonce chacun. Dans la terreur théologique, un seul dénonce tout le monde et lui-même. Ignorée des jacobins, cette stratégie de folie volontaire était bien connue des mouvements messianiques, pratiquant « l'anti-nomisme ». L'émir, qui lance ses bandes armées à l'assaut de villageois démunis, tout aussi musulmans que lui, paraît travailler contre sa propre cause, contre son dieu, contre sa foi. On le dira délirant ou manipulé. Ne creuse-t-il pas sa tombe en se coupant des douars où, hier encore, il circulait comme poisson dans l'eau ? La fréquence de ces comportements aberrants mérite une explication générale. Ils ne relèvent pas d'une erreur de calcul, d'un accès de démence ou d'une fureur passagère. Ils manifestent une logique étrange, mais rigoureuse. Agissant à contresens, à contre-temps, narguant les opinions communes, bafouant les ancêtres, insultant Dieu, l'envoyé du ciel décline ainsi son identité d'extraterrestre.

Le paradoxe du législateur, qui, établissant la loi, ne lui est pas soumis, s'élève au paroxysme dès qu'un meneur d'âmes déclare, *hic et nunc* : je suis le législateur. Tel fut Sabbataï Tsevi, messie de Smyrne. Au XVIIᵉ siècle, il entraîna d'ouest en est, de Jérusalem à la lointaine Pologne, la diaspora juive. Pauvres et riches, illettrés et intellectuels, vagabonds et citadins, tous enthousiastes. Il annonçait la fin du monde et son mouvement s'y prépara, frénétiquement, hystérisé par des ruptures radicales. Ne pas vivre « comme avant », le chambardement s'impose, « c'est en violant la Thora qu'on l'accomplit »[1]. Le point culminant de l'ébranlement fut l'apostasie du messie... Sabbataï se convertit à l'islam ! Pour ses partisans, loin d'apparaître comme une trahison, la transgression accomplissait un commandement de Dieu. Elle portait la marque indélébile de son Élection.

« Au cours de la génération qui précéda l'avènement de Sabbatai Zevi, l'extrême diffusion des enseignements de rabbi Isaac Luria et de ses disciples avait eu pour effet de greffer partout les théories de la Kabbale sur la conception juive traditionnelle du rôle et de la personne du Messie... La Rédemption ne fut plus conçue dès lors simplement comme un événement temporel, qui apporterait l'émancipation d'Israël du joug des Nations, mais comme une transformation radicale de toute la création, affectant également le monde matériel et le monde spirituel et conduisant à la réparation de la catastrophe primordiale appelée "brisure des vases" (*shevirat ha-kelim*). Au cours de cette réparation, les mondes divins doivent retrouver leur unité et leur perfection originelles... L'apparition de Sabbatai Zevi et l'adhésion massive du peuple à sa mission provoquèrent un sentiment intérieur de liberté, de "monde redevenu pur". Ce sentiment fut aussitôt une réalité pour des milliers de gens... Qui aurait osé affirmer à ce moment que la Shekhina, c'est-à-dire la présence même de Dieu sur terre, n'avait pas commencé à se dresser au cœur de la poussière ?... Ils croyaient que Sabbatai Zevi allait retourner l'histoire en un instant par son voyage miraculeux auprès du Sultan de Turquie, qu'il

---

1. G.G. Scholem, *Le Messianisme juif, op. cit.*, p. 146.

déposerait de son trône et qu'il dépouillerait de tous ses pouvoirs. »

Gershom G. Scholem.

La « sainteté par le péché », l'idée d'une propagande par le scandale se maintint malgré la chute du mouvement sabbatéen. Un siècle plus tard, on la retrouve bien vivante à la jonction des sectes et de la révolution française. Dans la marmite de Jakob Frank, un chef religieux, bouillonne le nihilisme mystique mêlé à la subversion insurrectionnelle, « je ne suis pas venu dans ce monde pour votre éducation, mais pour vous précipiter au fond de l'abîme. On ne saurait descendre plus bas. On ne peut remonter de là par ses propres forces, car seul le Seigneur peut nous tirer de telles profondeurs[1] ».

« La révolution française a permis aux projets sabbatéens et frankistes de renversement de l'ancienne morale et de la religion de trouver un champ d'application : on sait en effet que les neveux de Frank, que ce soit en vertu de leur "croyance" ou pour tout autre motif, ont joué un rôle actif dans divers cercles révolutionnaires de Paris et de Strasbourg. La Révolution leur apportait sans doute la confirmation de leurs opinions nihilistes ; maintenant les piliers du monde semblaient ébranlés et les anciennes coutumes en voie d'être renversées... Dans toute cette littérature, les idées apocalyptiques viennent rencontrer les théories politiques de la Révolution qui, après tout, pouvaient conduire également à une "libération politique et spirituelle"[2]. »

En Algérie, le Front islamique du salut et toutes ses excroissances armées, AIS, GIA, MIA, en dignes héritiers,

---

1. *Le Messianisme juif, op. cit.*, p. 202.
2. *Ibid.*, p. 210-211.

se sentirent des ailes pour achever religieusement un travail entamé politiquement par le Front de libération nationale.

La preuve de Dieu par la Révolution (qui abolit les temps) et de la Révolution par Dieu (qui sauve d'un enfer sans rivages) motive et justifie la catéchisation à coups de transgressions. « L'étrangeté des actions du messie prouve l'authenticité de sa vocation. Le fait que le messie transgresse la loi et entraîne les autres dans le péché ne constitue pas un argument contre lui[1]... » Les pratiques choquantes, en apparence contre-productives, des fanatiques de l'Apocalypse se veulent doublement révélantes. Elles dévoilent le lieu — un monde insupportable — et l'heure — celle d'un messie qui ne supporte plus. L'extraordinaire et croissante anormalité du terrorisme contemporain n'est que la manifestation de son anti-normalité intrinsèque. En abolissant toutes les lois humaines et divines, je m'instaure, au choix ou en bloc, loi unique, homme unique, Dieu unique. « Afin d'accomplir sa mission, le pouvoir de sainteté, tel qu'il est incarné dans le messie, doit descendre dans l'impureté, et le bien doit assumer la forme du mal. Cette mission comporte du danger, car elle paraît renforcer le pouvoir du mal avant sa défaite ultime[2]. » Les « Étudiants en théologie » d'Afghanistan passent à l'acte chaque jour. Leur antisémitisme farouche leur épargne la pénible découverte d'avoir été pensés et prévus dans les dérapages d'une mystique juive.

Pour rassurer les Taliban, peut-être désemparés par cette révélation, rappelons que la terreur antinomiste peut mener sa guerre en usant d'autres références sanctifiantes. Elle pêche des lettres de noblesse dans la tradition coranique, et des pères spirituels dans la trop fameuse secte des Assassins (à l'origine : des fumeurs de haschich). Leur histoire se décrypte selon deux registres, profane et sacré. Politiquement ils sont les premiers terroristes modernes. Bien que dans la technique de la conspiration et du meurtre, dans l'art subtil du crime rituel et du sacrifice, ils comptent maint prédécesseurs, les Assassins innovent. Ils inventent l'utilisation, sans

---

1. G.G. Scholem, *Sabbataï Tsevi*, Verdier, 1983, p. 784.
2. *Ibid.*, p. 778.

précédents, planifiée, systématique « de la terreur comme arme politique »[1]. Leur coup d'éclat fut, en 1192, la liquidation de Conrad de Montferrat, roi de Jérusalem. Mais leur entreprise de démolition ne se limitait pas à l'infidèle. La terreur ciblée avec soin propulsait une machine de guerre, qui, en termes clausewitziens, visait le centre de gravité de l'adversaire. S'il frappe les têtes pour effrayer, l'assassinat se conforme à la structure féodale du pouvoir, « qui veut que le rassemblement de l'armée ne tienne qu'à son chef[2] ». Derrière cette rationalité stratégique se profile une dimension seconde, ésotérique qui transforme la terreur en arme mystique.

« Le temps des premières guerres de religion, temps d'explosion de l'unité chrétienne, fut celui d'une exaspération de la croisade qui est le mythe unitaire le plus dense... parce que précisemment l'unité est morte, la croisade loin d'être seulement une mythique de la nostalgie est la réalité d'une violence eschatologique dont les fidèles de l'ancienne Église sont en constante attente de perpétuation. La lutte contre l'hérétique est beaucoup plus dramatique que celle contre l'infidèle. L'hérétique, même si s'accrochent à lui des images d'horreur et de massacres, n'en est pas moins l'être contre lequel il faut obéir à l'implacable commandement divin d'oubli de la parenté charnelle au profit de la seule parenté spirituelle... Il est encore plus difficile de tuer son frère que l'infidèle, pour l'homme c'est une marque encore plus grande de l'élection divine que de parvenir à se déposséder de son humanité dans la mise à mort de celui qui n'est autre qu'un autre lui-même[3]. »

La secte des Assassins ne se ravale jamais au rang d'une bande de voyous meurtriers. Sa vocation religieuse ne détermine pas seulement les buts de son action, mais ses moyens

---

1. B. Lewis, *Les Assassins*, Complexe, 1984, p. 174.
2. C. Jambet, *La Grande Résurrection d'Alamût*, Verdier, 1990, p. 29.
3. Denis Crouzet, *Les Guerriers de Dieu*, t. I, Champ-Vallon, 1990, p. 389-390.

et sa technique, de part en part, anti-nomiste. Elle prend naissance le jour de l'annonce, proférée par le grand maître des shî'ites ismaéliens, de la « Grande Résurrection », une brisure des temps. Alors la loi devient obligation de renoncer à la loi, pour assurer son salut toutes affaires cessantes. La proclamation édictée en plein Ramadan, au mois d'août 1164, est, sur-le-champ, suivie de l'invitation à rompre le jeûne, se réjouir, faire bombance et prier Dieu... le dos tourné à La Mecque. En violant les observances traditionnelles, le grand maître Hasan se proclame Résurrecteur. Il est la loi vivante qui abolit la lettre morte. Il se déclare chef militaire et religieux d'une communauté en état de lutte finale. « Plus la revendication spirituelle augmente en intensité dans la contestation du lien légal, plus elle doit s'exprimer dans une violence collective qui unit la communauté eschatologique[1]... » Les biens sont mis en commun, chacun ne détient en propre que son épée. La monnaie est abrogée. Et, par intermittence, on pratique la communauté sexuelle. La collectivité guerrière campe au point pivot, où l'exaltation mystique frôle l'athéisme radical. « Les Ismaéliens d'Alamût pourront dès lors aisément considérer que le jour de la résurrection sera celui de l'abolition de la religion, renversant ainsi la priorité de l'une sur l'autre : si la résurrection abolit la loi de l'islam, proclamer l'abolition de la loi, ce sera *ipso facto* instaurer la résurrection. » Soit, plus je me conduis en « athée », voire en criminel, plus je suis élu et saint.

Si, par grâce suprême, la secte terroriste dispose à son gré du monde, elle doit obéissance absolue au Résurrecteur « qui rend sensible la liberté divine ». Il est la preuve de Dieu. Il est l'incarnation de l'Impératif. Il annonce la résurrection finale. « Quand le Résurrecteur fait son apparition tenant l'épée de l'unité toute-puissante devant tous les peuples du monde, à la première sonnerie de trompette, Il les fait périr, et à la seconde sonnerie Il les ressuscite. » De nos jours, la victime des résurrecteurs n'entend jamais que la première sonnerie. Mais le bourreau, de son oreille religieusement ourlée, a perçu la seconde, et frappe de plus belle.

---

1. C. Jambet, *op. cit.*, p. 21, 72, 327.

L'alliance des hommes simplement forts et des hommes pieux avec simplicité inquiète les sages depuis toujours. Mais s'avance, autrement redoutable, le couple moderne de la violence sans phrases et de la violence des phrases. Lorsque le verbe se fait fureur, il ne se contente pas d'annoncer la fin des temps, il l'organise par une stratégie savante. L'ébranlement et l'anéantissement de tout ce qui existe devient une fin en soi. En opposant l'enfer qu'il propage à l'enfer qui l'enferme, le terroriste théologique ne se contredit pas. Il se libère. Il échappe aux impasses du vertueux de 1793, car il ne croit pas aux vertus mondaines. Foin de la dialectique hégélienne, il ne combat nullement pour la « reconnaissance » de tous par tous. Il ne connaît que ce qu'il casse et ne se laisse reconnaître que par le casseur tout-puissant, l'émir, le guide, le père des peuples, le seigneur suprême et ses prophètes.

Au gré des circonstances et des opportunismes, le terroriste condescend à s'afficher protecteur des faibles, ami de la paix, fidèle à sa communauté natale et aux fraternités à venir, mais ses vérités se trouvent ailleurs. Par les réseaux qu'il tisse, les fils qu'il tire, la toile qu'il étend, souvent sur lui-même, il est le Clandestin. Aux yeux du voyou local comme aux yeux du prêcheur universel, l'humanité se répartit entre les sous-créatures isolées et les élus soudés d'une société secrète. Tous les organismes révolutionnaires du XXe siècle s'entendirent à creuser l'écart constitutif entre la masse des militants séduits, et soumis, et une mince élite qui décide, dans l'ombre, de tout pour tous. Les « bases » ne connaissent jamais, ou sinon après coup, les débats souvent fratricides qui agitent les initiés. Initiés à quoi ? À leur tour, après coup ou jamais, les théoriciens peuvent constater combien dogmes et théories sont malléables et réfutables. Renversements d'alliance et souplesse dans les principes demeurent l'alpha et l'oméga des durs qui conduisent peuples et mafias. Répétons la question : qu'est-ce qui noue les initiés du sommet, leur fournit un langage commun, des sous-entendus partagés et même des enjeux propres à aiguiser leurs querelles ? Trop volatiles pour cimenter le comité central meurtrier, les grands idéaux et les doctrines ésotériques vont et viennent. Le principe d'unité gît ailleurs. Empruntons à Freud une réponse qu'il n'avait pas prévue d'aussi brûlante actualité : entre frères terroristes, le lien social, c'est le crime partagé.

Les forfaits « solidarisent ». Qu'il s'agisse d'indélicatesses bénignes, de corruptions financières ou d'affaires de sang, la règle élémentaire de toute association souterraine est de « mouiller » ses adhérents. Active ou passive, en esprit ou en fait, la complicité dans la transgression cimente les ligues davantage que les grandes idées partagées. Il paraît paradoxal, voire incompréhensible, que les chefs nazis, sentant la défaite venir, choisissent de lever le secret de la « Solution finale », qu'ils avaient si soigneusement dissimulé jusqu'alors. Himmler en parle sans fards à ses SS, en octobre 43. Amiraux et généraux sont mis dans la confidence [1]. Cette politique délibérée de la transparence vise, de toute évidence, à prévenir, au sommet, les défections et les trahisons de dernière minute. Nous sommes tous coupables, vous et moi, aux yeux du monde. Tous promis à la potence, vous comme moi ! Serrons les coudes et les rangs. Il n'y a pas d'échappatoire.

Évitons l'erreur de réduire les sentiments induits par la complicité à un simple calcul. Le transgresseur, se coupant volontairement d'un monde « pourri », se postule incompris, sans s'estimer coupable. Il fait bloc avec ceux qui, comme lui, pavent l'enfer. On a souvent remarqué avec quelle allégresse les révolutionnaires contemporains se purgent les uns les autres. On a moins relevé combien peu et mal ils se défendaient des anathèmes crachés par leurs copains. Les procès staliniens mirent en scène, avec une grandiloquence lugubre, la capitulation piteuse des vénérés chefs bolcheviques. On joua à guichets fermés, dans des salles combles, projecteurs et caméras braquées sur les suspects. Le monde entier put assister à la descente des « héros » prestigieux, tout-puissants la veille encore, vacillant sous le poids des aveux. L'opération eût été moins facile, malgré tortures et chantages, si les compagnons de Lénine n'avaient organisé, main dans la main avec leurs bourreaux, les hécatombes précédentes du « communisme de guerre ». Le lien du sang versé fut le plus fort. Résister signifiait se renier. Ils se résignèrent donc à plier

---

1. F. Delpa, *Hitler*, Grasset, 1999, p. 398-400.

devant des procédures qu'ils avaient instaurées. La famille lave son linge sale en famille, les membres de la famille font partie du linge sale.

LETTRE DE BOUKHARINE À STALINE

10 décembre 1937

« Je n'ai pas une once de ressentiment, je ne suis pas chrétien... Je dois expier pour ces années durant lesquelles j'ai réellement mené un combat d'opposition contre la ligne du parti... Cet épisode me tourmente, c'est le péché originel, c'est le péché de Judas... Pardonne-moi, Koba. J'écris et je pleure... Mais je ne peux me taire, sans te demander une dernière fois pardon. C'est pourquoi je ne suis en colère contre personne, ni contre la direction du Parti ni contre les instructeurs, et je te demande encore une fois pardon, bien que je sois puni de telle sorte que tout n'est plus que ténèbres... Il n'y a plus d'ange qui puisse détourner le glaive d'Abraham ! Que le destin s'accomplisse !... Je me prépare à quitter cette vie et je ne ressens envers vous tous, envers le Parti, envers notre Cause, rien d'autre qu'un sentiment d'immense amour sans bornes... Ma conscience est pure devant toi, Koba. Je te demande une dernière fois pardon (un pardon spirituel). Je te serre dans mes bras, en pensée. Adieu pour les siècles des siècles et ne garde pas rancune au malheureux que je suis[1]. *»*

Rompant avec un monde que Dieu n'éclaire plus, soulevant des consciences perdues, qu'aucune voix intime n'oriente, la communauté terroriste se fonde sur sa pure négativité. Elle s'organise sur le modèle d'une « Société des amis du crime », dont Sade imagina les statuts. Ladite société « approuve tout,

---

1. Publiée dans *Le Débat*, décembre 1999, citée par P. Sollers dans le *Journal du Dimanche*, 26 décembre 1999, qui commente : « Pas "chrétien" Boukharine ? Mais qu'y a-t-il de plus violemment chrétien retourné que ces histoires de "Parti" ? Le pire des crimes n'est-il pas de forcer des victimes à adorer leurs bourreaux ? »

légitime tout », elle regroupe les parfaits libertins. « Plus un individu sera mésestimé dans le monde, plus il plaira à la Société. » L'utopie sadienne du métabolisme entre la crapule et les seigneurs éclairés trouve une traduction moderne dans le cocktail explosif du *lumpen* et des professionnels de la subversion. Les exemples nazi et bolchevique ont fait école. Entre les tueurs de bas étage et les prophètes purificateurs la rencontre ne relève pas du hasard. Les uns et les autres placent la destruction au poste de commandement. Ils sont « amis du crime », comme le philosophe est « ami de la sagesse ». Ils érigent le meurtre en sagesse suprême.

Dans l'ordinaire de l'histoire, la violence séduit et réjouit, cela va sans dire, « de tous temps l'homme a trouvé du plaisir à verser le sang de ses semblables », mais, au-delà du plaisir évanescent des sens, le crime organisé se révèle, bien plus profondément, plaisir pur, mental, de la destruction. « Je voudrais être la boîte de Pandore afin que tous les maux sortis de mon sein détruisent tous les êtres. » Le vrai libertin tue à froid. Il n'use pas de l'anéantissement comme d'un moyen en vue d'une fin, qui serait son plaisir. Il fait de l'énergie d'anéantir l'essence du plaisir. « Je voudrais trouver un crime dont l'effet perpétuel agit, même quand je n'agirai plus. » Tout comme le Saint, le Héros, ou le Sage, l'homme de la terreur se désire immortel. Mais l'éternité qu'il vise est « une corruption générale ou un dérangement si formel qu'au-delà même de ma vie, l'effet s'en prolongeât encore [1] ». Le primat décisif de la destruction entraîne le primat de l'esprit sur le corps, l'homme selon Sade et selon Aristippe sait prendre son plaisir, mais n'est pas pris par lui.

La passion partagée d'anéantir suffit-elle à rassembler les « amis du crime » ? Elle les rend solidaires face au monde extérieur, mais les hors-la-loi demeurent solitaires. Ils sont capables de s'entre-déchirer. S'ils ont loisir de se mordre, pourquoi s'en priveraient-ils ? Les amis du crime pourraient-ils lier amitié sans piétiner le sacro-saint principe de leur libertinage qui reste de vivre hors du bien commun ? Sade

---

1. D.A.F. de Sade, *Histoire de Juliette ou les Prospérités du vice*, *Œuvres complètes*, t. VIII, Tête de Feuilles, 1973, p. 401 s. et 503.

répond : pour que les roués ne se marchent pas sur les pieds, il faut et il suffit qu'il signent un pacte de non-agression. Il précise : au sein de l'Assemblée, cruautés et cabales sont proscrites, entre « amis » sont seules prescrites les voluptés « crapuleuses, incestueuses, sodomites et douces ». En interdisant la férocité, en recommandant les jouissances « douces », les libertins ne rétablissent pas des principes moraux, ils cohabitent[1]. Les maîtres de la terreur s'acoquinent pour mieux exercer leur pouvoir de mort. Ainsi deux monstres antagoniques s'unirent pour la conquête du monde et signèrent le pacte de non-agression germano-soviétique.

Qui se ressemble s'assemble ? Tel quel ce principe risque d'être transgressé, à tout moment, par les pros de la transgression. Le pacte Staline-Hitler s'est rompu. Les grandes institutions despotiques véhiculent de mortelles querelles intestines. Ainsi Staline et Trotski, Russes et Chinois, Vietnamiens et Cambodgiens, tous communistes, mais tous ennemis jurés. Sunnites et shi'ites s'excommunient par les armes. Le GIA et l'AIS se liquident. On en conclut, avec raison et soulagement, qu'une Société, une et indivisible, des amis du crime ne saurait exister. D'accord ! Pas une... mais plusieurs ? D'inévitables guerres de gangs n'ont jamais empêché l'existence des gangs, elles en renouvellent simplement le lot.

Fort de l'histoire immédiate, il est aisé de constater que Sade n'a pas tiré toutes les leçons de sa brillante découverte. Il a bien vu que le principe de solidarité dans le crime (accompli et prémédité) cimente les instances de terreur. Il a généralement pressenti que l'énergie et le souffle de l'organisation sont directement proportionnels à l'ampleur de la destruction envisagée. À tel point que ses personnages plongent dans les tréfonds du désespoir de ne pouvoir mettre le monde en charpie et réduire la nature en cendres. Mais Sade s'est fourvoyé à prétendre résoudre par ses intuitions neuves les vieux problèmes de la philosophie classique. Pour quelle raison s'obstiner à créer une et une seule Société des amis ? Sade concurrençait Platon à tort. Il imaginait fonder, comme lui et

---

1. J.-J. Brochier, *Le Marquis de Sade et la conquête de l'Unique*, Losfeld, 1966, p. 212.

mieux que lui, une république à vocation universelle sur la base universelle d'universels décrets. Comme si le principe négatif de la destruction pouvait rétablir l'unité, qu'elle s'acharne à extirper dans le monde et dans l'homme. Ici Orwell pense mieux que le Marquis : pour transgresser l'ordre et souder ses troupes, il faut que Big Brother s'oppose à un alter ego. Une, deux, trois sociétés du crime ! Et chacune de naître et de renaître dans une guerre entretenue, éternelle.

Avec tous les penseurs des Lumières, Sade minimisait le pouvoir destructeur, dont l'homme progressivement s'empare. Il croyait que la Nature, qu'il abhorrait avec ostentation, gardait le dernier mot et l'emportait toujours sur les actes délétères de ses méphistos en herbe. Il crut, naïveté supplémentaire, que le langage échappait aux malignités du mensonge. Il pensait pouvoir s'y prélasser, raisonner, rationaliser, ratiociner à son aise, après l'avoir débarrassé des vieilles superstitions. Il rêvait encore d'une société transparente. La « confession publique », à « haute et intelligible voix » obligeait chacun d'avouer, en assemblée générale, « tout ce qu'il a fait ». Mieux, cette Société des maîtres, autogestionnaire et autocontrôlée, serait éternelle, puisque le genre humain, partie de la Nature, s'avérait comme elle indestructible. Sade a découvert qu'une stratégie terroriste établit « une nouvelle échelle des valeurs, au sommet de laquelle sera le crime[1] ». Mais il assignait au crime physique et moral des limites mentales et techniques aujourd'hui dépassées par la brutalité des faits. La terreur moderne joue avec la seconde mort. Non plus la mort individuelle, mais la mort générale et générique, celle de l'humanité, dans son extension globale comme dans son essence et ses vérités. Juliette hésitait à répandre la peste dans Venise. Nos durs contemporains ont fignolé dans le genre, sans sourciller. Clarwil, mentor de Juliette, appelait de ses vœux une immortalité criminelle, éternisée par des forfaits si grands qu'elle désespérait d'en forger le concept. Certains « crimes contre l'humanité » eussent comblé ses souhaits.

Les supplices des univers concentrationnaires confèrent aux rêveries scélérates du divin marquis une actualité impré-

---

1. M. Blanchot, *in* Sade, *Œuvres complètes*, t. VI, *op. cit.*, p. 34.

vue, que surent repérer quelques connaisseurs. Au nombre desquels Pasolini et sa République de Salo. Par contre, entre les blasphémateurs libertins et les fous de Dieu la route semble bel et bien coupée. Rapprocher ceux qui abhorrent Dieu et ceux qui l'adorent paraît absurde, quand bien même leurs cruautés rivales exsudent un troublant air de famille. Infiniment perfide, comme s'il avait prévu l'embarras de la comparaison, Sade a pris soin de camper un personnage qui assure la transition. Saint-Fond, ministre du roi, est le seul « ami du crime » à se revendiquer croyant. Loin de rejeter Dieu comme ses collègues en turpitudes, il le vénère et le prie, quitte à en rectifier l'image : « Je suis heureux du mal que je fais aux autres, comme Dieu est heureux de celui qu'il me fait. » Autrement dit, avec un siècle d'avance sur Nietzsche, « seul le Dieu moral est réfuté ».

Saint-Fond estime nécessaire que les gouvernés respectent la Providence, car « la force du sceptre dépend de celle de l'encensoir ». Il va plus loin, il fait valoir aux gouvernants libertins combien le culte qu'il voue à sa Divinité sauvage nourrit la fièvre de détruire. Chaque scélératesse vaut hommage rendu à l'Être suprême en méchanceté. Chaque créature sacrifiée est un autel, où se célèbre une création malfaisante. Chaque persécuteur se fait instrument d'une Éternité maléfique. Trop raisonneurs, trop raisonnables, trop athées pour savourer pareille « superstition », les éclairés compagnons de débauche manquent le coup de génie, où la religion du terrorisme culmine dans le terrorisme de la religion. On peut rabaisser le propos de Saint-Fond à quelque vulgaire profession de foi sataniste, on peut l'entendre comme l'écho de gnoses ternies. On peut l'écouter comme la prophétie d'intégrismes en gestation.

À une époque où le pouvoir de détruire s'avère incroyablement plus gigantesque que les fantasmagories de Sade, le lancinant problème du législateur terroriste ne se règle plus dans un conciliabule de sages, fussent-ils libertins. Le crime a changé d'échelle, par le truchement des progrès techniques et par la grâce du « multiplicateur idéologique ». Ainsi parle Soljenitsyne. Tandis que Landru compte ses victimes par dizaines, un conducteur de peuples les accumule par millions.

À l'artisanat sadien se substitue la grande industrie du meurtre. Jusqu'aux guerres mondiales, l'Europe tenait pour acquise la différence gouvernants-gouvernés, éducateurs-éduqués, à charge pour le philosophe du XVIIIe d'y introduire les Lumières (« despotisme éclairé ») et pour le démocrate du XIXe d'élargir la couche dominante (par la réforme sociale, l'éducation, la lutte syndicale). Les guerres et les révolutions ébranlent le principe même de ce partage. Le législateur terroriste prétend le refonder. À cet effet, il « mobilise les masses », et, pour ce faire, soit il transforme les idéologies politiques en religions (ex. : le léninisme), soit il transpose les religions en idéologies politiques (intégrismes). Alors, et alors seulement, l'invention de Saint-Fond, conçue à usage personnel, atteint une envergure historique et mondiale. Puisqu'il faut désormais mettre en mouvement les multitudes dominées, mobilisons Dieu ! L'appel au meurtre estampillé par une autorité omnisciente et omnipotente promet d'électriser les continents.

Le mélange explosif du religieux et du politique avait été neutralisé après les guerres de Religion et placé hors jeu par l'Europe des États issue du traité de Westphalie, en 1648. Le culte de l'État et des autorités politiques semblait, aux conservateurs comme aux progressistes, définitivement vainqueur. L'idée d'une révolution religieuse, si présente auparavant, fut refoulée comme anachronique ou exotique. Elle resurgit, timide, dans le sillage des grands réajustements induits par la Révolution française. En Allemagne, les Romantiques rêvassaient volontiers d'une « Europe chrétienne » (Novalis) ou d'un retour à l'imaginaire religion grecque de la beauté (Hölderlin). En France, une école très minoritaire tenta d'unifier stratégiquement l'esprit du catholicisme, le mouvement républicain et les nouveaux programmes socialistes. Buchez (1796-1865) en fut le phare, aujourd'hui éteint. Le premier et éphémère président de la Constituante de 1848 évite l'oubli grâce à sa monumentale *Histoire parlementaire de la Révolution française* (publiée en collaboration avec Roux). Dans les préfaces[1] qui ouvrent cette trentaine de

---

1. Buchez et Roux, *Histoire parlementaire de la Révolution française*, Paulin, 1834.

volumes, il cultive l'image d'une France messianique, porteuse d'une mission régénératrice, simultanément sacrée et profane, catholique et jacobine.

Cet ancien carbonaro passa de la conspiration républicaine au socialisme saint-simonien. Il fut scientiste et « positiviste » avant Auguste Comte. Il découvrit la question sociale et la révolte ouvrière, puis se convertit au catholicisme, sans abandonner sa critique de l'ordre établi et son esprit antibourgeois. Il ne renia aucun de ses engagements hétéroclites et tenta d'en transcender l'éclectisme, en esquissant une stratégie de la Révolution continuée. Il interpréta les conflits révolutionnaires en termes de lutte de classes et justifia 93 à la manière de Babeuf et Buonarroti, comme la prémice d'une guerre à venir contre les nouveaux privilégiés. La société bourgeoise et le désordre qu'elle génère procèdent du protestantisme et des droits de l'homme. « On appelle protestante toute doctrine qui n'affirme, au nom de Dieu, aucun but social, aucun but commun ; qui regarde les individus comme des existences indépendantes. » À son encontre, le peuple exploité doit se rassembler dans une révolution catholique, « on appelle catholique une doctrine qui affirme au nom de Dieu une fois commune, un but commun[1] ».

Buchez, au nom d'une souveraineté populaire, censée manifester, dans et par l'histoire de France, la providence divine, « unit dans une même assignation finale le baptême de Clovis, les Croisades, la Ligue, la Fête de l'Être suprême et le socialisme catholique à venir[2] ». Si l'Église donne sens au mouvement de l'Histoire, réciproquement l'Histoire ancre, non sans douleurs, le spirituel dans le temporel. Du point de vue très élevé de la mission millénariste assignée à la France, terreur religieuse et terreur profane sont également recevables. La Saint-Barthélemy et la Guillotine jalonnent un même combat. Le peuple, animé d'une « colère trop justifiée », a le droit de massacrer, surtout si l'on fait passer abusi-

---

1. F.A. Isambert, *Buchez ou l'âge théologique de la sociologie*, Cujas, Paris 1967 : « Le "Buchez et Roux" est, parmi les grands ouvrages de la Révolution, celui qui, le premier, a interprété les conflits révolutionnaires comme reposant — sans que l'expression soit prononcée — sur une lutte de classe », p. 159.

2. François Furet, *La Gauche et la Révolution*, Hachette, 1986, p. 20.

vement les victimes pour des « nobles » (protestants dans le Paris de la Saint-Barthélemy) ou pour une nouvelle classe dominante (1793). Robespierre et les Ligueurs sont intronisés nouveaux saints d'un intégrisme catholico-jacobin, récalcitrant à l'édit de Nantes, à la tolérance et aux droits de l'homme.

Buchez fit chou blanc. L'Église refusait la République et récusait Robespierre. Les Républicains, Michelet et Quinet en tête, menaient campagne contre les curés et abhorraient les bains de sang religieusement légitimés. Les multiples tentatives françaises pour amalgamer révolution nationale, révolution sociale et restauration religieuse échouèrent toutes lamentablement. Leur inlassable répétition, durant deux siècles, indique néanmoins que la tentation de gouverner par la terreur théologico-politique ne hante pas les seuls antipodes.

Une prodigieuse capacité de détruire et de se détruire précipite, depuis le XVIe siècle, l'Europe d'abord, puis la planète dans l'âge adulte d'une humanité responsable de sa survie. Églises, États, partis et idéologies revendiquent le monopole de la violence légitime et se trouvent, dès lors, confrontés au problème du droit de massacrer. Dévolu à l'État, clament les étatistes. Réservé au pouvoir spirituel, rétorquent les théocrates. Et chaque camp de dénoncer la barbarie de l'autre. L'épouvante de la Saint-Barthélemy inaugure le débat et ses ambiguïtés. Les « politiques », catholiques et protestants modérés, s'accordent à dénoncer l'usage du « catholicon », ce « savon qui efface tout », raille, à l'époque, la *Satire Ménipée*. Mais, si les étatistes sont unanimes à refuser le blanchiment en raison de Dieu, certains acceptent la blanchisserie en vertu de la raison d'État. Bien que tous deux soient « politiques » et que tous deux récusent la justification de la violence par la foi, Naudé plaide, avec pétulance, en faveur du « grand coup » censé avoir sauvé le pouvoir royal, tandis que Silhon le condamne vertement[1]. La discussion rebondit à l'infini entre

---

1. E. Thuau, *Raison d'État et Pensée politique à l'époque de Richelieu*, A. Colin, 1966, cf. p. 273, 327-329, 359.

« politiques » comme entre croyants. Sanguinaires, les États ? Sanguinaires, les Églises ? Sanguinaires, les individus qui s'en réclament ? Le xxᵉ siècle, au grand dam des idéologies, vérifiera que ces hypothèses ne s'excluent nullement. Terroristes théologico-politiques qui proclament Dieu-est-avec-nous, terreur politico-théologique des grands inquisiteurs se substituant au Très-Haut, sadiens illuminés comme Saint-Fond ou sadiens profanes comme Juliette, tous manient la hache avec dextérité.

UN EXEMPLE D'EFFICACITÉ SYMBOLIQUE

« Plus de quatre siècles d'histoire se sont effondrés en quelques secondes. Le chef-d'œuvre de l'architecture ottomane, le "croissant de lune en pierre" qui enjambait majestueusement la rivière Neretva, l'ouvrage de Souleyman le Magnifique, le pont qui avait donné à la ville son essor et son nom, qui avait survécu à tout et que tous avaient épargné, le pont s'est abîmé dans la rivière sous le coup d'obus perforants tirés délibérément, à tir tendu, par les forces croates. Comme si un crime avait été commis, la Neretva s'est teintée de rouge. Et quand le courant eut emporté les remous de boue, il ne restait plus rien. Rien que deux moignons de pierre de l'arche magnifique qui, défiant la pesanteur, s'élevait à plus de 20 mètres au-dessus des flots. »

J.B. Naudet[1].

Qu'elle s'autorise de l'État comme d'un « Dieu en terre » ou qu'elle se coiffe d'infaillibilité céleste, la dictature terroriste se veut toute-puissante et toute-sachante. Le citoyen doit être rendu transparent au regard de l'autorité suprême. J. de Maistre, Buchez, Marx et Khomeiny vomissent les droits de l'homme : ces fragiles paravents, dont s'arment les mortels,

---

1. « La destruction du pont de Mostar est un sacrilège pour les Musulmans de Bosnie », *Le Monde*, 16 novembre 1993.

bouchent la vue des grands inquisiteurs. Vouée à une autorité présente ou future, terrestre ou céleste, infatuée d'elle-même ou d'idéal, la conscience terroriste s'ignore despotique. Proclamant que Dieu est mort, ou se réclamant d'un Dieu vivant, elle n'entend, de toute façon, rien à ceux qui, face à elle, déclinent les droits élémentaires de vivre hors terreur : « La nécessité d'énoncer ces droits suppose ou la présence ou le souvenir récent du despotisme.[1] »

Cessons de nous conter des histoires réconfortantes. Le sacrifié est sacrifié. Iphigénie est immolée. Antigone enterrée vive. Le sacrificateur trempe dans la mort la plume de ses bonnes intentions. Hautement affichées, elles rendent les victimes souvent consentantes. Le communisme s'honore probablement de 80 millions de liquidés, et les comptes ne sont pas clos. D'autres procédures sacrificielles lui disputent la palme de cruauté, d'intensité et du rendement-minute. Ethnologues et historiens relèvent deux, et deux seulement, tabous invariants et présents en toute société, celui du sexe et celui du sang. Le premier distingue, en chaque communauté humaine, les épousables et les non-épousables ; la prohibition de l'inceste existe, sous une forme ou sous une autre, partout ; nulle part on ne couche avec n'importe qui. Le second distingue l'assassinable du non-assassinable et prohibe la violence absolue ; on ne tue pas n'importe qui.

Grande première dans l'histoire humaine, le XXᵉ siècle aura connu, sur les traces de Sade, la levée de ces deux interdits. Soyons précis : massacres et transgressions existent depuis toujours à titre de tentations permanentes et de passages à l'acte occasionnels — sinon pourquoi aurait-on prohibé ces envies ? Le jeune guerrier court le risque immémorial de céder à l'ivresse du combat, sans distinguer l'ami et l'ennemi, sans respecter père et mère. Aussi bien n'existe-t-il pas de collectivité qui, pour éviter pareil désastre, n'ait programmé quelque sévère éducation initiant les adolescents à la maîtrise de leur violence. Seuls nos contemporains s'autorisent l'abolition — non plus implicite, dans la fièvre et le feu des batailles, mais explicite, proclamée, organisée, systématisée — des

---

1. Constitution de l'an I, 1793, article VII.

interdits constitutifs de l'humanité comme telle. Cessons de fabuler, entre le sous-homme ployable à merci et le surhomme qui se croit tout permis, aucune magie ne vient combler l'abîme.

XIII

VOYAGE

Si l'homme savait rougir de soi, quels
crimes, non seulement cachés, mais publics et
connus, ne s'épargnerait-il pas !

La Bruyère, *Les Caractères*

J'ai entrebâillé les portes de l'enfer. Passant, quand tu
pénètres, attention où tu mets les pieds ! Des rigoles d'un
rouge délavé et gluant forment au sol de sinistres marelles.
Une tache verte brille dans la boue et le sang. C'est un collier
de perles de verre. Il est fermé. Il appartenait à une vieille
femme. Elle avait toujours vécu là, dans l'unique pièce d'un
gourbi désormais incendié. Quand elle fut décapitée, le collier
a glissé de son cou tranché. Seul vestige d'une nuit de tuerie.
Je n'ose demander si l'octogénaire fut égorgée avant ou après
avoir été livrée aux flammes.

Dans le Douar Chamine, un hameau dévasté sur le piémont
désolé de l'Ouarsenis, j'ai vu un berceau bleu, bricolé avec
des tiges de fer servant d'ordinaire à la construction des maisons. Au moindre souffle de vent, à la moindre poussée du
doigt, il se balançait, balançait, gémissait. À l'intérieur du berceau, je n'ai vu qu'une petite couverture figée de sang caillé.
Les survivants avait enterré le nouveau-né et fui avec leurs
maigres richesses. Dans la pièce noire de suie, encombrée de
gravats, restaient à l'abandon l'établi de l'artisan mort — trop

lourd pour qu'on l'emporte — et le berceau inutile maintenant pour ceux qui n'imaginent plus d'avenir.

En Algérie, m'a-t-on dit, quand tu touches le fond du désespoir, tu ne remontes pas, tu creuses plus profond... ces images et tant d'autres hantent mes jours et mes nuits définitivement. Plusieurs fois j'ai heurté l'innommable, l'esprit rongé par l'apostrophe de Dante : « Vous qui entrez ici, laissez toute espérance », et je reviens avec la volonté de ne pas reculer d'horreur devant l'horreur. « Ici toute lâcheté doit être morte. » Il faut que je comprenne comment les meurtres les plus ignobles sont devenus stratégie méthodique et raisonnée. Il me faut imaginer l'inimaginable et penser l'inconcevable. Comment un être humain peut-il découper un bébé en tranches tout en invoquant Dieu...

Je vins à Sidi-Hammed vingt-quatre heures après la tuerie (11 janvier 1998). Un fouillis de maisons en dur où, dans les interstices, s'accrochent des masures misérables relevant du bidonville. C'est à quinze kilomètres de l'aéroport international, dans la grande banlieue d'Alger. À cinq kilomètres de Meftah, où notre voiture a longé « la plus grande cimenterie d'Afrique », inaugurée autrefois en grande pompe, façon soviétique, au temps du parti unique et de l'exaltation du travail socialiste. Endommagée par un terrorisme qui entendait ruiner l'économie algérienne, comme l'attentat récent de Louxor vise le tourisme, principale ressource de l'Égypte. À pareille logique de la terre brûlée succède le massacre des innocents, exécuté depuis six mois de la manière la plus cruelle, revendiqué comme tel par les Islamistes armés. À la limite du vraisemblable, pour pénétrer ce délire, il faut dénouer les fils d'une horreur implacable.

Il pleut. Sur les bords de la grand-route, une baraque garage à demi démolie abrite une quarantaine d'hommes en pleine discussion. Ils me happent. C'est ici que s'étaient réunis les jeunes du coin. Ils projetaient une vidéocassette, toutes portes fermées. Les assaillants lancèrent une bombe artisanale par une lucarne. Coincés, les adolescents défoncèrent, pour ne pas brûler vifs, une partie du mur. À la sortie, ils étaient attendus. Les Kalachnikov crépitèrent. Beaucoup se firent tirer comme des lapins. Une belle mort, me dit-on. À la même heure, juste après la rupture du jeûne, les hommes plus âgés revenaient tranquillement, en devisant, de la mosquée. C'est le ramadan. Les femmes et les enfants étaient donc seuls dans les habitations et préparaient le repas. Les massacreurs avaient parfaitement calculé leur coup. Un premier groupe bloque la population masculine à l'extérieur du périmètre, un second entame ses travaux d'équarrissage, découpant la chair humaine, incendiant, pillant. Vent, nuit, panique. La boucherie dure entre vingt minutes (estimation officielle après coup), plus d'une heure (sentiment général sur place). Personne n'a consulté sa montre. Bilan approximatif : 150 morts, 18 jeunes filles enlevée, 5 d'entre elles sont retrouvées égorgées en chemin.

Dérisoire comptabilité ! Lorsqu'un journal algérien titre « 129 victimes » ou « 400 », il minimise. Une mère a perdu ses huit gosses, elle est huit fois victime. Huit fois morte. Elle préférerait n'avoir pas survécu. Elle le dit. Elle le crie. Malgré la présence des militaires sur place, les gens parlent en toute liberté, une liberté d'outre-tombe. Aucune autorité ne peut endiguer la parole de qui a tout perdu. Les insultes, les anathèmes, les reproches fusent et visent l'armée qui n'a pas su (pas voulu ?) protéger les habitants et rattraper les meurtriers, visent le voisin qui n'a pas prêté main forte ou celui qui, hier encore, soutenait le Front islamique du salut. Ils n'ont plus peur de la mort, a fortiori de la prison. Devant l'abominable, les censures sautent.

Un homme étrange, fébrile, accroché à son parapluie fermé pour ne pas perdre pied, m'entraîne par la manche dans ce qui fut sa maison. Un lit, aux fers tordus, occupe la moitié d'une petite pièce sombre, donnant sur une courette au murs éclaboussés de sang. L'homme fonce vers le lit, dément, avec des gestes désordonnés, il se penche, il ne trouve pas les mots, il semble tirer de toutes ses forces quelque chose dans le vide, il tire, il tire, il gémit et je comprend qu'il mime une extraction. Les tueurs ont coupé la lumière, sa femme avait caché ses filles sous le lit, les tueurs les ont trouvées, tirées par les jambes et charcutées dans la cour. Il noie son irréductible désespoir dans un flot de paroles, je demande : ont-ils visé spécialement sa maison ? Il ne croit pas, mais de son parapluie désigne un petit cadre accroché sur un pan de mur brûlé. C'est son brevet de « fils de martyr » (son père, combattant du FLN, fut tué pendant la guerre d'indépendance). Au cours de la funeste besogne l'un des tortionnaires s'écria, car le mensonge fait partie du meurtre rituel : « Ce sont des enfants de harkis[1]. Achevez-les ! » Mon pauvre guide joue la scène, il la rejoue à n'en plus finir. La gorge nouée, je l'interromps : d'où tient-il ses informations, lui qui était à la mosquée ? C'est sa femme. Elle a tout vu, tapie dans un recoin, derrière la télé, l'obscurité l'a sauvée. Une fois les fillettes sacrifiées, les tueurs ont filé dans la cour voisine, où ils expédièrent au couteau la vieille dame au collier vert et le reste de sa famille. Et c'est là que je suis et c'est là que je l'ai suivi. Fou de douleur, Virgile tripatouille de la pointe de son indispensable parapluie des choses brun foncé sur le sol. Je me penche. Je marche sur des morceaux de chair humaine carbonisée.

D'autres sont venus nous rejoindre. Un jeune homme doux et timide me fait des signes de la main, comme s'il avait perdu la parole. De ses doigts, il compte ses enfants morts. Cinq ? Six. Précautionneux, comme s'il s'agissait d'un trésor, un autre sort d'un sac de plastique ce qu'il a retrouvé de sa famille, exterminée : d'humbles cahiers d'écoliers, trempés, tachés, à demi calcinés. La femme de Virgile est rentrée du cimetière, figée dans le cadre de la porte, maculée de boue. Muette. Il insiste pour qu'elle parle. Prise de haut-le-cœur, elle repart, hagarde, cassée en deux. Virgile alors s'effondre et pleure, comme si la scène du meurtre qu'il vient de mimer était plus facile à supporter que le définitif silence. Dans la rue, les survivants, des hommes pour la plupart, racontent, accusent, s'affrontent.

Je suis resté deux jours à Sidi-Hammed, pour recouper et vérifier les témoignages. Au cimetière, où l'on creuse des fosses à perte de vue, une jeune femme, secouée de sanglots,

---

1. Les harkis étaient des supplétifs de l'armée française. Dans l'imagerie nationale, le terme vaut infamie, harki=traître. C'est le monde renversé. Les islamistes traitent de traîtres-harkis ceux qui touchent de près ou de loin à l'armée algérienne, fût-ce pendant la guerre de libération. Ils la comparent à l'armée coloniale.

s'accroche à moi, interpelle la foule : « Lui, il est venu, lui un étranger, lui un Français. Il est venu le premier, mais pas Zéroual [à l'époque président de la République] ; pourtant nous l'avons élu, c'est nous qui l'avons fait et son armée ne nous a pas protégés, et Zéroual n'est même pas venu se recueillir sur les tombes fraîches. Et puis nous savons bien que les criminels sont de chez nous... » En une seule phrase, dans un seul souffle, elle dit tout. Personne n'échappe à son accusation. Ni les islamistes. Ni le pouvoir. Autour d'elle, d'autres femmes tentent de la retenir, de la consoler, elle se dégage, son foulard a glissé. Elle ne craint plus rien. Elle désigne par leur nom les tueurs des environs. Elle les a vus ; parmi eux, le fils du pharmacien de la ville toute proche, chef de bande affublé du sobriquet de « Popeye ». AIS ? GIA ? En l'occurrence l'essentiel des 130 assaillants semble obéir à Antar Zouabri, émir « national » du GIA, mais le groupe local de Kertali, émir de l'AIS de Larbaa (5 kilomètres) aurait prêté main forte. Les jeunes du village confirment qu'ils ont reconnu quelques sympathisants du FIS. J'avoue que j'ai serré dans mes bras, avec admiration, un gamin de quinze ans pas plus, qui, dans la nuit d'épouvante, a planté son couteau entre les côtes d'un égorgeur.

J'ai, pendant mon séjour, visité les principaux journaux indépendants d'Alger, interrogé les reporters. À Oran j'ai rencontré Mme Alloula, son mari, le plus grand metteur en scène d'Algérie fut liquidé par le FIS... J'ai discuté avec des montagnards résistants en Kabylie, des réfugiés de Rélizane, des représentants des groupes parlementaires. Mme Fatima Boudiaf, veuve du président assassiné, m'a présenté tout ce que la capitale compte d'esprits libres. Khalida Messaoudi, mon hôtesse, plusieurs fois condamnée à mort, députée de l'opposition démocratique, m'a ouvert les portes des organisations féministes non gouvernementales et des foyers où se réfugient les filles violées qui ont échappé à leurs tortionnaires. Le point de vue largement majoritaire de cette élite éclairée recoupe celui de l'admirable femme qui apostrophait le monde, debout, les bras tendus vers le ciel, dans la boue de Sidi-Hammed. Nous reprochons au gouvernement algérien de ne pas faire son possible pour protéger les populations.

Nous accusons les islamistes armés de faire tout leur possible pour massacrer, avec le maximum de cruauté, les populations.

La question n° 1 que se posent les Algériens n'est pas : qui tue ? Celle-là, ils la trouve désormais obscène. « Il n'y a pire aveugle que celui qui ne veut pas voir », le refrain court dans les montagnes de Kabylie et les rues de la capitale. Les groupes islamistes publient leurs faits d'armes et se dénoncent entre eux. Des « repentis », descendus des maquis, me l'ont confirmé, même si chacun dit que ce n'est pas lui, mais l'autre ou ses chefs. Les Algériens demandent en premier lieu comment il est possible que de tels massacres se répètent. La compétence, voire la détermination des autorités et du gouvernement sont largement contestées.

À Sidi-Hammed, les islamistes ont pu librement jouer de la hache et des allumettes, puis repartir tout aussi libres. Leurs seules pertes furent infligées par quelques habitants armés de pétoires, des « patriotes » qui défendaient leur famille. Pas plus de cinq cadavres, dont on n'a pas retrouvé trace, soit brûlés sur place dans l'incendie qu'ils avaient allumé, soit emportés. Dix jours plus tard, les autorités vont revendiquer l'anéantissement de quinze d'entre eux, dans les montagnes environnantes de Beni Aïssi. Bref, ni pendant le carnage, ni lors de la retraite des massacreurs ne se produisirent d'affrontements. La bataille de Sidi-Hammed n'a pas eu lieu. Pourtant, de l'aveu même des officiels, il y avait des troupes à proximité immédiate.

J'ai voulu entendre le capitaine censé commander les opérations. On m'en présenta un, qui m'affirma que ses hommes, deux patrouilles, étaient sur place dès le début, que les renforts venus de deux villes proches (Meftah et Larbaa) étaient arrivés dans les dix minutes, que tout baignait... et que la durée de l'action s'expliquait par le « barrage de feu » adverse. De plus, ajoutait-il, il fallait organiser l'évacuation des blessés avant de donner l'assaut à ceux qui les achevaient. Dans un coin de la pièce, un responsable du RND (parti gouvernemental) ricanait. Il m'expliqua, discrètement, par la suite, que le capitaine, au beau rôle et à fière allure, n'était pas présent ce soir-là et qu'il parlait de ce qu'il n'avait pas vu. Une autre version, hiérarchiquement supérieure, me fut offerte plus tard : le capitaine étant en congé régulier, la direction des opérations échut à un jeune sous-lieutenant qui paniqua et aurait à répondre devant les tribunaux de son inaction.

Peu importe le bouc émissaire. Petit à petit, les hommes affluèrent, armée, police, gendarmes, gardes communaux, la poignée de patriotes. Et leur présence tardive contraignit les islamistes à décrocher plus tôt que prévu. Mais ils prirent le large en toute impunité ! Les forces gouvernementales, bien qu'ayant l'avantage du nombre, ne surent ni attaquer, ni capturer, ni poursuivre les tueurs. Ce fut le triomphe du cafouillage, de l'impréparation et de l'incoordination.

Certes, lorsque égorgeurs et égorgés s'entremêlent dans le noir, on ne saurait tirer dans le tas. Néanmoins les obstacles objectifs sont multipliés par la lourdeur bureaucratique d'un appareil formé à la soviétique, héritant d'un manque d'initiative à la base et d'une paralysie opérationnelle, dont l'ex-Armée rouge a si souvent témoigné ces dix dernières années. L'armée algérienne aligne aussi de jeunes cadres modernes, formés dans les meilleures écoles d'Occident. Malheureusement, on ne les destinait pas à ce type de combat ! Et le chef du gouvernement de réitérer : « La sécurité des personnes et des biens ne peut plus être confiée à l'armée qui a des tâches constitutionnellement définies, à savoir la défense du territoire national » (21 janvier 1998).

En fait, les forces de simple police n'ont longtemps couvert que 50 % de l'immense territoire algérien ; on atteindrait à présent les 75 %. Les villages lointains et dévastés de l'Ouarsenis que j'ai visités ne connaissent de présence concrète de l'État que depuis 1995. Si les maigres effectifs se retirent dans leurs cantonnements et aux frontières, le terrorisme a de beaux jours devant lui. Réticences gouvernementales, refus conservateur des vieux cadres, myopie des spécialistes et des techniciens de l'opérationnel pur concordent. Lorsque, dans les années 90-91, un officier de haut rang, que j'ai rencontré, mit en garde ses pairs, soulignant la montée de la violence islamique, les surprises spirituelles et les cruautés matérielles qu'elle réservait, le sommet lui répondit : « Nous sommes des militaires, pas des intellectuels. » Mais le mot de la fin appartient à un patriote de Sidi-Hammed, qui, armé de son seul fusil de chasse, tua trois assaillants, soutint le siège de sa maison et sauva sa famille. Blessé à la jambe et à l'épaule, il me dit, sur son lit d'hôpital, combien la vue — enfin ! — des voitures de police lui rendit courage. Lorsque je lui demandai si, selon lui, l'armée aurait pu agir efficacement, il s'accorda un temps de réflexion et formula : « Oui, si les soldats étaient prêts à donner leur vie pour celle des autres. »

On ne mobilise pas le contingent contre les « voyous » et les « brigands », termes préférés des autorités, mais dont un jeune des quartiers populaires est moultement gratifié par tous les appareils répressifs qui quadrillent son adolescence. Pour risquer sa vie, il faut des motifs plus exaltants. Sauver l'Algérie, peut-être. Jouer au flic sans les avantages du métier, certainement pas. Un gendarme, fatigué certes par la multiplication des tâches et des risques, mais surtout rongé par l'incertitude des objectifs, remarque : « avant d'offrir ma vie, j'aimerais savoir si mes gosses seront honorés comme des "enfants de martyrs" ou disqualifiés comme "enfants de traîtres" ». Les GI de la Seconde Guerre mondiale visionnaient avant la bataille une série de films intitulée « Pourquoi nous combattons ». On y exposait les méfaits de Hitler, son parti, ses troupes, son idéologie. Savoir pourquoi il combat est un droit et un besoin élémentaire du combattant. Jamais Zéroual n'a qualifié d'islamiste le terrorisme sans nom qu'il prétend « résiduel ». Faisant l'impasse sur l'idéologie, il paralyse le moral des troupes. Il y a beau temps qu'on ne risque plus sa vie pour goûter les saveurs de la chasse au « voyou ».

Redoublant les carences militaires par les ambiguïtés de sa politique, un clan important du pouvoir ne désespère pas d'organiser un « compromis historique » avec le FIS. À eux la gestion de la société civile. À nous la maîtrise militaire, quitte à partager la rente pétrolière. Le FIS exige le limogeage des militaires qu'il juge hostiles. Sur cinq têtes réclamées, Abassi Madani en a obtenu deux et demande l'amnistie pour tous les hommes en armes. Le GIA coupe les têtes et le FIS marchande.

Le terrorisme algérien affiche imperturbablement son « i » d'islamisme. FIS, GIA, AIS, MEI... mais aussi FIDA, organisation d'intellectuels chargée d'éliminer les intellectuels. Faut-il tenir pour négligeable, ce « i » omniprésent ? Selon Zéroual, il s'agirait d'une couverture dissimulant de purs crimes crapuleux. Selon maintes explications pseudosavantes, il n'y aurait là qu'un épiphénomène masquant des causes profondes, économiques et sociales. J'attends qu'on m'éclaire : pourquoi des causes générales, misère, acculturation, absence de démocratie, qui désolent la moitié de la planète ne produisent-elles pas ailleurs pareille cruauté ? On n'éventre pas nécessairement quand on subit le chômage et la fraude électorale ! En revanche entre islamisme et terrorisme, la relation est pertinente : Afghanistan, Soudan, Iran, Égypte...

Le mystère du « i » devint l'objet central de mon enquête. Au paysan sympathisant du FIS, au commerçant racketté, au repenti, au patriote, à tous les survivants croisés, je posai la même question en leitmotiv : les guerriers islamistes que vous avez côtoyés invoquent-ils Dieu et font-ils la prière ? Chacun a répondu oui ! Sans hésitation, sans complaisance pour la doctrine de l'État qui camoufle cette réalité. Ils répondent oui, bien que cela heurte, pour beaucoup, leur foi. On me précisa qu'Antar Zouabri était constamment flanqué d'un théologien, Cheikh Abou al-Mountir, qui tranchait du spirituel. Staline avait ses commissaires politiques. Le GIA invente le commissaire religieux. Il faut, pour immoler en série des enfants, une force de conviction peu commune. Le couteau du tueur est sacrificiel. Son crime est « une offrande à Dieu » et le « rapproche du Paradis ». Il le dit. Il l'écrit.

L'Algérie paie très cher l'absurde, bien que compréhensible, réticence à nommer le mal spécifique qui la ronge. La peste ne s'est pas déclarée d'un coup. C'est aujourd'hui seulement que devient évidente l'originalité d'un terrorisme « i ». Les terreurs mafieuses et politiques (OLP, FLN, ETA, IRA) ne sont pas tendres, mais leurs objectifs demeurent précis et leurs cibles distinctes : le lieu, le moment et les victimes de l'attentat sont sélectionnés en fonction de calculs et de projets repérables, même si condamnables. Le terrorisme « i » au contraire, frappe de plus en plus n'importe qui, n'importe où, n'importe quand. Il est théologique. Il jure de purifier sans délai la société dans son ensemble.

Dès le début, imitant Khomeiny, les « barbus » politisent la religion et tentent d'accaparer l'État, pour imposer la « réislamisation » de l'Algérie. En 1990, le FIS gouverne les municipalités : obligation du voile, interdiction de la cigarette, de l'alcool, de la cravate, de la musique, des cartes... Persécution des femmes seules, des chanteurs, des esprits libres. L'intolérance du FIS éclate. Ici une dizaine de soldats sont émasculés, ce qui soulève le cœur de l'armée. Ailleurs, un enfant de « putain » est brûlé vif, des collégiennes sont abattues, des profs égorgés... L'autoritarisme des mairies FIS tourne au totalitarisme municipal. Les esprits avertis — minoritaires — devinent le goût des lendemains sous la férule, fût-elle légale, des islamistes. Interruption du processus électoral (janvier 1992).

Deuxième étape, le terrorisme théologique passe à la lutte armée ouverte. Le modèle afghan prend la relève de l'iranien. Les réserves et les caches préparées depuis dix ans autorisent l'attaque frontale d'un État qualifié coraniquement d'« impie ». Le FIS entend non plus l'accaparer, mais le détruire dans ses institutions, militaires (meurtres d'appelés, de policiers et de leur famille, etc.), économiques (sabotages, Louxor puissance dix) et idéologiques (les écoles flambent). Les laïques, « valets objectifs du Taghout » (l'exécrable « Pharaon »), artistes, écrivains, journalistes tombent. On « travaille » déjà les femmes à l'arme blanche, la souffrance de la victime sanctifie l'acte. L'intensification de la guerre sainte à l'afghane se solde par un échec. Malgré les menaces mortelles du FIS, la participation fervente des simples citoyens à l'élection présidentielle en signa le rejet (fin 1995).

Troisième étape, nous y sommes. Une terreur inouïe, sans modèle, ni précédent, frappe désormais, au-delà de l'État impie, le peuple renégat. Le renégat est un apostat, pire que l'impie, l'infidèle, l'étranger. Le peuple qui lâche les islamistes mérite la mort, sa progéniture doit être « sauvée » et expédiée au paradis en quatrième vitesse. Le GIA est en droit de n'épargner personne et multiplie les Saint-Barthélemy pour la plus grande gloire de Dieu : Raïs, Aïn-defla, Larbaa, Benthala, Sidi-Moussa, Sidi-Hammed, Baïnem, Rélizane, Tiaret, Médéa, Tlemcen... La liste s'allonge et paraît loin d'être close. On estime que le recrutement tarit. Mais il reste entre

3 000 et 5 000 islamistes en armes. C'est peu ? C'est beaucoup, estime le commandant Azzedine, ancien chef du FLN de la wilaya 4. Il dirigeait 400 partisans dans ce qu'on appelle aujourd'hui le « triangle de la mort ». L'armée française alignait près d'un million d'hommes, selon lui. Elle ne put jamais le réduire. Le commandant Azzedine et d'autres officiers que j'ai pu rencontrer ne tiennent pas pour résiduels les débordements actuels de la violence.

L'assassin théologique intrigue. Que se passe-t-il dans la tête d'un émir qui gère l'extrême férocité ? Comment prie-t-il ? Un repenti, que sa ferveur religieuse fit déraper dans l'islamisme et qui monta « au maquis », me confie : « Ils ont voulu tromper Dieu, l'abuser et, juste retour, Dieu les aveugle. » Le nihilisme des *Possédés* de Dostoïevski est assumé et dépassé par le crime théologico-politique, qui inverse la prémisse et conserve la conclusion : Dieu existe, tout est permis. L'expérience intérieure des fous de Dieu perce dans les marges de toute religion établie... « Qui veut faire l'ange fait la bête. » La bête ange de Pascal dévore pour la troisième fois notre siècle.

La nausée. Une limite vient d'être franchie. Difficile de désigner ce jamais-vu. On se contente d'utiliser maladroitement des vocables anciens (« génocide »), au risque de banaliser des horreurs d'un type différent. Il y a de l'inédit dans le crime théologico-politique qui déploie ses fastes sous nos yeux. Ces attentats contre l'humanité choquent par leur qualité, l'intensité et l'intention bousculent plus que la quantité... le terrorisme algérien étale son abomination. Il massacre à ciel ouvert, il affiche l'ignominie. Cet exhibitionnisme se veut symbolique. Ses crimes parlent aux peuples du Livre. Le couteau qui déchiquette l'enfant met en scène un sacrifice d'Abraham inversé. Le Dieu de la tradition substitue, miséricordieux, un bélier au fils. Le terroriste islamiste remplace ostensiblement le mouton par un enfant.

En clouant sa petite victime égorgée sur la porte de la maison familiale, l'assassin jette à la face du monde sa bonne nouvelle... Aucune prohibition ne tient, ni celle du sexe quand le frère livre sa sœur à l'émir, puis à la troupe, ni celle du sang quand il revient purifier son village en massacrant ses proches... Le crime théologico-politique se révèle un crime contre l'humanité. Lorsque tout est permis au nom de la race, on obtient Hitler. Lorsque tout est permis au nom de la classe, Lénine passe aux actes. Lorsque tout est permis au nom de Dieu, les Antar Zouabri se multiplient.

J'ai quitté l'Algérie le cœur serré, mais plein d'admiration. Je songe aux montagnards de Zbarbar et de Kabylie qui les premiers se sont armés, dissuadant les bandes du GIA de lancer l'extermination. Les « villages de résistance » ne laissent pas passer les tueurs. Timidement un jeune, le fusil à l'épaule, m'offre la photo d'un émir qu'il a tué trois jours plus tôt. Le type terrorisait un hameau, l'avait vidé de ses habitants, s'y était installé en maître et jouait tranquillement au foot quand il fut abattu. Pas de Rambo à Tassaft. Un grand sérieux au contraire, la mort rôde alentour. « On se défend. On ne fait pas de barrage, on n'est pas des gendarmes. On surveille les forêts, ils s'y cachent. Quand on les repère, on les traque, on les poursuit. Parfois la meilleure défense c'est l'attaque. » Un autre reprend : « Les soldats ne connaissent rien, ni le terrain ni les gens. Ta meilleure couverture, c'est toi ; voilà ce qu'il faut se dire. C'est au nom de l'islam qu'ils égorgent, je me demande pourquoi j'ai fait carême ? » Tous rient. « Quand au début on se défendait avec des pioches et quelques vieilles pétoires, ils reculaient. Ils ne sont pas courageux, ils martyrisent les femmes, mais n'ont pas vocation au martyre, à croire qu'ils refusent les quarante vierges promises au paradis ! » Les GIA font, pour l'instant, profil bas en Kabylie.

Je pense aux journalistes, qui affrontent, depuis des années la balle des « i » et la censure gouvernementale pour inventer une presse libre. « Si tu parles tu meurs, si tu te tais tu meurs, alors dis et meurs » (Tahar Djaout, abattu). J'évoque surtout les femmes, premières visées par le terrorisme théologique. Chacune anticipe plusieurs fois l'abomination, et dans son corps, et dans le regard noir d'angoisse de ses enfants... À mi-chemin du commencement et de la fin du monde, l'Algérie affronte, selon toutes probabilités, une nouvelle peste promise à extension planétaire. Le fanatisme théologico-politique est contagieux. Les meurtriers de Sadate et de Rabin véhiculent leur germe, le crime de Baruch Goldstein, vidant son chargeur dans le dos de musulmans en prière, prouve combien l'infection transcende les frontières religieuses et nationales. Face à une cruauté qui s'annonçait apocalyptique, l'Allemagne des années 30 céda. L'Algérie, dans sa douleur extrême, tient. Que le lecteur m'excuse, je n'ai pas visité Alger, sa baie et ses palmiers. J'ai pleuré aux portes du XXIᵉ siècle.

Alger, janvier 1998, mois du Ramadan[1].

---

1. Reportage paru dans *L'Express*, 1998.

XIV

UNE CRUCIFIXION AU BORD DU GOUFFRE

La mort est le seul dieu que j'osais implorer.

Racine, *Phèdre*

Dieu et l'Europe se sont-ils répudiés par hasard, par mode ou par nécessité ? Pour l'instant ou pour toujours ? En vertu d'une exception culturelle, locale et circonscrite ? Ou selon un scénario bientôt universel ? Bref, l'Europe cultive-t-elle son incrédulité en marge ou en avance ? Cède-t-elle à un malaise épisodique ou couve-t-elle un virus transcontinental ? En préparant ce livre, j'agitai ces questions avec un ami très cher et très chrétien. Je me flattai de l'avoir troublé. Il m'accorda que la complexe déchristianisation de l'Europe ne saurait se réduire à la mauvaise influence (supposée) de la télévision, ni à l'absorption d'une pillule anticonceptionnelle ni aux autres mistigris de notre modernité. Il voulut convenir que l'expérience intérieure, dégoulinante de boue, de fureur et de sang, d'un Européen contemporain avait tourneboulé sa foi. Ayant saisi, à mi-mot, l'argumentaire, que je développe dans les chapitres précédents, il se faisait fort de renverser ma perspective. Par une objection dernière, mais à ses yeux insurmontable, je vous la livre.

Considérée en elle-même, vue de l'intérieur, l'Europe vaticine dans l'éclipse de ses dieux. Mais, à l'inverse, la plus européenne des religions demeure conquérante dans le reste du monde. Le christianisme progresse corrélativement à la démographie planétaire. Il est la première croyance de la terre et compte un milliard sept cent mille baptisés. La crise, qui affecte le catholicisme comme les protestantismes, manifeste leur déseuropéanisation, pas leur faillite. Dans la première moitié du xxᵉ siècle, la France, l'Italie, l'Espagne et l'ensemble Allemagne-Autriche représentaient les contrées emblématiques du catholicisme. Aujourd'hui, le Brésil, le Mexique et les Philippines forment le peloton de tête. Les États-Unis restent le principal pays protestant, au deuxième rang vient le Nigeria, coude à coude avec l'Angleterre et l'Allemagne. La quantité de croyants, comme l'intensité de la croyance et des pratiques, se décentre, au détriment d'un vieux continent déchu de sa fonction de phare spirituel. Les quatorze millions d'Indiens catholiques sont pratiquants à 80 % et vont en plus grand nombre à la messe que les 45 millions de catholiques français[1]. Optimiste impénitent, mon ami se mit à rire, en invoquant une ruse de l'histoire : après tout, pourquoi ne pas prévoir la rechristianisation de l'Europe par l'Afrique, l'Amérique et l'Asie ? Un prêté pour un rendu ! Après avoir européanisé les autres continents, le nôtre vieillissant serait, de l'extérieur, reconduit à sa foi ancestrale. Lorsque Rome tomba, le cœur du christianisme émigra de Milan à Carthage et Hippone. C'est un berbère, Augustin, qui définit le credo pour dix siècles. Pourquoi ne pas imaginer l'évangélisateur déchu réévangélisé ?

L'Europe terre de mission ? répliquai-je, la tâche tourne au travail de Sisyphe. Voilà plus d'un siècle que la France se voit désignée comme telle. Rien n'y fait. Les autorités compétentes ont annoncé, trompetté, à maintes reprises, des « renaissances » et des « réveils », étiquetés, au goût du jour, « revivals ». La décrue de la foi n'en suit pas moins son cours. Imperturbable, inexorable. Le « mauvais exemple » de la fille aînée de l'Église, contagieux pour un continent entier, montre combien « la mort de Dieu » résiste aux vœux pieux et aux exorcismes superficiels. Même si l'Église s'adapte et condescend au nouveau concile rêvé par des cardinaux réformateurs,

---

1. O. Vallet, « Dieu a changé d'adresse », *in Le Monde*, 26 octobre 1999, et *Les Religions dans le monde*, Flammarion, 1995.

les remèdes envisagés ne répondent pas à la profondeur de la crise. Les réajustements administratifs, pour ainsi dire techniques, renforcement du rôle des laïcs, réévaluation de la place des femmes, etc., ne sauraient retourner la situation, puisque les protestantismes traditionnels souffrent de la même désaffection, tout en ayant évité de tels handicaps. La question qui se pose à tous est celle de la condition humaine, à l'heure où les hommes découvrent qu'ils peuvent tuer l'humanité en bloc, ou par tranches. L'interpellation dite de « la mort de Dieu » s'inscrit dans l'horizon des génocides, effectués ou effectuables. Les guerres de Religion, les révolutions, la guerre de Troie, en avaient, par intermittence, exhibé la possibilité. Elle s'impose, de nos jours, au plus banal des citoyens par l'actualité la plus banale. Le terrible défi d'être ou ne pas être oblige les religions à se redéfinir devant un abîme, dont elles ne maîtrisent guère l'élargissement.

L'Europe a expédié ses dieux aux antipodes avec une énergie jamais vue. Pourquoi échouerait-elle à en exporter la mort ? Existe-t-il, du reste, une infranchissable différence entre ces deux options ? L'expérience religieuse, chrétienne, que les Européens diffusent sur tous les continents, véhicule déjà la Bonne Nouvelle d'un Dieu qui trépasse sur la croix. Le faire-part de son ultime décès risque de suivre, ailleurs comme ici. Je vous invite à déballer, avec délicatesse, les paquets cadeaux qu'une modernité religieuse et post-religieuse disperse aux quatre coins du monde. L'Europe a programmé en va-et-vient les deux versions d'une mort de Dieu, elles font mine de s'exclure l'une l'autre, bien qu'historiquement et intellectuellement elles s'emboîtent et s'impliquent. Dès que les autres Terriens mordent à l'hameçon de notre religion et de notre anti-religion, ils se prennent dans les rets de nos litiges, de nos drames et de nos combats ; ils ne s'en sortiront pas plus brillamment que nous. En vérité, c'est peut être à notre longue histoire que nous avons converti la planète, et nous voilà bien loin d'être catéchisés par elle. Quitte à me voir dénoncé comme « eurocentriste » — en premier lieu par les Européens qui fuient leur propre histoire, peu édifiante, j'en conviens —, je parie que l'avenir du monde s'esquisse dans le prisme des batailles mentales et spirituelles qui ébranlèrent l'Europe.

Les dieux meurent et ressuscitent. Cette idée court les rues et les mythologies. Beaucoup plus originale serait la figuration d'êtres immuables qui échapperaient aux mutations du temps et aux atteintes de la mortalité. Platon reprochait, souvenez-vous, aux Olympiens d'Homère de n'être que des immortels à passions et à visages humains. Qu'eût-il pensé d'un Dieu incarné et en croix ? Lorsque saint Paul énonce qu'il y a là « folie » pour païens, c'est aux Grecs platoniciens, l'élite de son époque, qu'il songe. De même lorsqu'il crie au « scandale pour les juifs », il faut garder raison et restreindre la sphère des scandalisés à temps complet, car le judéo-christianisme (Église de Jacques) a pratiqué, sans scandale, un syncrétisme éclectique et il est permis de retrouver en Paul-Saül un lot d'inspirations juives et pharisiennes[1]. L'avènement christique reste impensable pour deux catégories d'esprits. 1/ Sous l'étiquette inadéquate de « juifs », saint Paul vise tous ceux qui « demandent des signes ». Autrement dit, toutes les sociétés à tradition, pour qui le présent n'est lisible et accepté que s'il s'avère pré-construit par le passé. « Le mort saisit le vif. » En ce sens, la religion romaine, gouvernée par le respect des ancêtres, sera condamnée, au même titre que les pharisiens juifs, par saint Augustin. 2/ Sous l'étiquette de « sagesse païenne » est rejetée à son tour toute théologie de style platonicien, qui détermine Dieu par la raison et substitue à la révélation évangélique un savoir absolu.

Paul fonde le prosélytisme chrétien par une lutte sur deux fronts. Contre l'obscurantisme traditionaliste. Contre la superbe des sciences illuminées. Augustin retournera la machine de guerre contre l'élite romaine, partagée entre le culte des origines et les thaumaturges néoplatoniciens. La critique des sociétés closes et ossifiées est un magnifique instrument d'universalisation. La contestation des savoirs élitaires, un formidable vecteur de popularisation. L'expérience chrétienne propulse une modernité sans frontières géographiques,

---

1. S. Ben-Chorin, *Paul, un regard juif sur l'apôtre des gentils*, Desclée de Brouwer, 1999.

sans barrières sociales : « Il n'y a plus ni homme, ni femme. »
La passion du Christ est l'emblème d'un procès de déracinement universel et universalisant. « Alors vous êtes dans un
monde où il n'y a plus ni Grecs, ni juifs, ni circoncis, ni incir-
concis, ni Barbares, ni Scythes, ni esclaves, ni hommes libres,
mais le Christ qui est tout en tous[1]. » Le dieu qui meurt chrétien présente le fantastique avantage d'arriver après les
mythologies qu'il « scandalise » et contre la théologie savante
qu'il « affole ». Par où il tue et entraîne dans sa mort toute
prétention de dominer le monde, à partir du passé déifié ou
du futur décrypté et connu. La foi, dont se réclame Paul et
que « confesse » Augustin, n'est pas un savoir, mais une
connaissance de soi, une docte ignorance. Saisie « en énigme », dit Paul.

Rien de plus ordinaire, pour l'Antiquité, que l'instant de
révélation-conversion, où l'ancien païen devient chrétien. La
vision de Paul sur le chemin de Damas, la voix qui saisit
Augustin, « *Tolle, lege*, prends, lis ! », dans le jardin de Milan,
recoupent une foule d'aventures oraculaires de la même eau,
et pas forcément chrétiennes[2]. L'élément décisif, ici, n'est pas
la révélation d'un être suprême, dont la connaissance est
exclue par le rejet des théologies platoniciennes. La révélation proprement chrétienne instaure un retour sur soi, que
saint Augustin finit par nommer « confession ». Confronté à
l'événement tenu pour impossible — le Très-Haut plus bas
que terre — je dois trouver en moi la possibilité de cet impossible. L'imitation de Dieu revient, à l'inverse des platoniciens,
à découvrir sa propre finitude. De même que Jésus s'est
« vidé de lui-même » (*eauton ekenosen*) en choisissant une
mort d'esclave (Phil. 2, 1-11), de même Paul ou Augustin
s'avouent faillibles. Il y a en moi de l'« avorton », dit Paul. Le
face-à-face avec le Christ en croix implique un face-à-face
avec soi.

Le Dieu (biblique) de Paul et d'Augustin se montre plus

---

1. Saint Paul, *Épître aux Galates*, 3.28, et *Épître aux Colossiens* 3.9-11.
2. P. Courcelle, *Recherches sur les Confessions de saint Augustin*, de Boccard, 1968, p. 189 et s.

inquiétant que celui qu'honore l'élite de la Grèce finissante[1]. Sa justice n'est pas mesurable par la justice des hommes, à l'aune de laquelle elle paraît violente, imprévisible et apparemment injuste. Réciproquement, l'homme, qui s'examine au pied de la croix, doit reconnaître en lui une part d'inconnu terrible et menaçante (la référence au « péché originel » va tenter de la thématiser). Il lui faut se compter parmi les meurtriers du Christ ! Paradoxalement, le chrétien se retrouve plus proche d'Homère que de Platon. Son Dieu angoisse, tout aimant qu'il soit. Il paraît en colère et peut être jaloux. L'homme frémit, à nouveau habité par une puissance qui lui échappe. Investi derechef par l'orgueil, la libido, l'appétit de pouvoir, il retrouve les traces du vieil Éros, que la « paideïa » platonicienne n'aura décidément ni civilisé ni sublimé.

Le christianisme n'est pas une sagesse abâtardie, un platonisme « pour le peuple » (Nietzsche). Loin de fuir, il assume les contradictions honnies par Platon. Celles d'un dieu à la fois Bonté et Colère, comme celles du pécheur sauvé en tant que pécheur. D'où de mémorables querelles — prédestination, salut par les œuvres ou par la foi, etc. — qui contredisent chaque tentative de « théologie chrétienne » prétendant rationaliser la « folie » de la croix. L'arbitraire du Tout-Puissant, qui élit Jacob au lieu du premier-né Esaü, est indépassable (saint Paul), comme s'avère insondable l'existence finie dans sa tension. « Je n'admire point l'excès d'une vertu, comme de la valeur, si je ne vois en même temps l'excès de la vertu opposée, comme Épaminondas, qui avait l'extrême valeur et l'extrême bénignité. Car autrement, ce n'est pas monter, c'est tomber. On ne montre pas sa grandeur pour être à une extrémité, mais bien en touchant les deux à la fois, et remplissant tout l'entre-deux[2]. » Extrême « agilité de l'âme », dit Pascal. Irréductible « souplesse de la libido », proposera Freud en écho.

Le christianisme ne mérite pas sa caricature en philosophie du « ressentiment », blasphémant les vertus nobles et affirma-

---

1. Dès l'origine, le néoplatonisme chrétien « tronque le message de Paul » en occultant avec Denys l'Aréopagite, la « folie de la croix », *cf.* Y. de Andia, *op. cit.*, p. 415.

2. Pascal, *Pensées*, 353, *op. cit.*, p. 163.

tives. Nietzsche encore. La prévalence de la passion sur le savoir n'implique aucune victoire de la barbarie sur la culture, mais plutôt le primat de la connaissance de soi sur la connaissance de l'être mondain ou suprême, du pathein sur le mathein. Rien là qui n'ait été déjà introduit par le Socrate du *Phédon* et par les tragiques grecs. Voilà qui autorise ce soi-disant païen de Goethe à reprendre « l'agilité de l'âme » pascalienne dans son splendide rappel faustien :

Je me voue au vertige, à la jouissance la plus douloureuse
À la haine amoureuse, au dégoût réconfortant.
Mon cœur, guéri de la soif du savoir,
Ne doit désormais se fermer à aucune souffrance,
Et ce qui est départi à l'humanité entière,
Je veux en jouir dans mon moi intime,
Saisir en mon esprit les sommets et les abîmes,
Étreindre en mon cœur ses joies et ses douleurs,
Élargir ainsi mon moi jusqu'aux limites de son moi,
Et, comme elle-même, tomber, moi aussi, enfin au gouffre.

L'expérience religieuse que le christianisme exporte dans tous les recoins du monde n'est pas une expérience contradictoire, mais une expérience de la contradiction, celle de la collision assumée des extrêmes (dénuement-pénia et richesse-poros, grandeur et misère), celle du vertige et des gouffres, affrontés tels quels.

Quoi qu'il en ait, le christianisme ne saurait échapper à l'universelle vulnérabilité qu'il annonce. Le moment de la Croix — l'expérience d'un dieu qui meurt — ne peut être classé comme mauvais moment à passer. La crucifixion ne « passe » pas. Tout comme la panique, qui saisit Dostoïevski face au tableau d'Holbein, ne se laisse pas réduire à son accès d'épilepsie. Rien ici ne relève du traitement médical. *La Descente de croix*, dont Rogogine possède la reproduction, obsède *L'Idiot*, et chavire l'œuvre entière du romancier russe. Dans *Les Possédés*, au bord du suicide, Kirilov l'évoque dans son délire. « Ce tableau suffirait à faire perdre la foi », s'écrit Muichkine, le prince « idiot », hanté par l'instant même où tombe la mort, sans avant, sans après. « Peindre le visage d'un condamné au moment où il va être guillotiné... au dernier quart de seconde, lorsque la tête est déjà sous le couperet et que l'homme attend... et sent[1]. » Ce moment unique, où la coupure s'accomplit, subite, brutale, irréversible, est insaisissable.

« Tant que nous sommes la mort n'est pas, quand la mort est nous ne sommes plus », le visage du mourant, suspendu entre vie et mort, témoigne pour la vérité d'une condition humaine que le dieu endosse, là, sur la toile. Augustin, méticuleux, décortique le paradoxe d'Épicure, « comment appelons-nous donc mourants ceux qui ne sont pas encore morts et qui agonisent, vu que nul n'est mourant s'il est encore vivant ? ». Et il répond : toute contradictoire qu'elle paraisse, la mort est contradiction en acte, elle existe de plein droit, « comme il y a trois temps, avant la mort, dans la mort, et après la mort, il faut aussi qu'il y ait trois états qui répondent, c'est-à-dire vivant, mourant et mort[2]. » En religion, comme en philosophie, il faut « apprendre à mourir », sauf que dorénavant le point insécable, intouchable, intangible, qui définit l'homme comme mortel est assigné à l'ensemble des êtres : l'univers entier est « mourant ».

Tout advient **entre** la vie et la mort. Le temps historique tient dans ce suspens. L'espace rassemble, de façon éphémère, de l'éphémère. À la Rome éternelle et à Platon, Augustin oppose la révélation de la « seconde mort », propre au Nouveau Testament. À première vue, il baptise ainsi la damnation perpétuelle des pécheurs impardonnés. En fait, l'abîme menace tout et tous, n'était l'arbitraire d'une grâce divine qui sauve quelques-uns[3]. La possibilité d'une mort qui ne meurt pas (*mors sine morte*) implique davantage que la menace de passer un mauvais quart d'heure, elle unifie la collectivité humaine par un déracinement absolu. Est homme, pour l'homme, un être définitivement sans attache, qui ne se laisse ancrer ni « dans » la vie (immédiatement détachable) ni « dans » la mort (l'après-vie est hors de son atteinte).

1. F. Dostoïevski, *L'Idiot*, Bibliothèque de la Pléiade, p. 77, 79, 266.
2. Augustin, *op. cit.*, livre XIII, chap. IX-X-XI.
3. *Ibid.*, livre XIV, chap. I.

L'homme s'annonce à l'homme ni loup ni ange, mais « mourant », à la fois mortel et meurtrier.

Un tel message est subversif, parce qu'il déconcerte les certitudes savantes autant que les traditionnelles, qui inclinent à imaginer que seuls les individus (fussent-ils des dieux) sont mortels et que des êtres collectifs, supra-individuels (tribus, cités, ciel, mana) s'immunisent contre la finitude. Penser une impensable fin de « toutes choses », cette injonction bouleverse. Elle explique la violence des rejets. L'inquiétude s'intériorise et flambe, à mesure que le message rebondit sur le messager la faillibilité universelle lui est retournée comme la sienne propre. Cet être qui souffre, se décompose et agonise, c'est Dieu. Dire que le mourant meurt, c'est voir qu'il meurt dans l'angoisse de n'en pas revenir, « Père, pourquoi m'as-tu abandonné ? ». Et c'est s'angoisser de cette angoisse, sous peine de n'y rien comprendre. Atterrante découverte.

« Il me semble qu'en général les peintres se sont ingéniés à représenter le Christ soit sur la croix, soit déposé de la croix, avec un visage qui garde encore les traces d'une beauté peu commune ; cette beauté ils s'efforcent de la Lui conserver, en dépit des plus épouvantables tourments. Dans le tableau de Rogogine, plus un mot de cette beauté : c'est en plein le cadavre d'un homme qui a subi d'infinies souffrances avant d'être mis en croix : blessures, flagellation, coups de la part des gardes, coups de la part du peuple alors qu'il portait sa croix et tombait sous ce fardeau, enfin le supplice du crucifiement durant six longues heures (tel est à peu près mon calcul). En vérité, c'est bien là le visage d'un mort que l'on vient d'enlever à l'instant même d'une croix, c'est dire qu'il a conservé en lui beaucoup de vie et de chaleur. Rien n'a eu le temps de s'y figer, de sorte que le visage de ce mort a l'air de ressentir encore les douleurs qu'il vient d'endurer ; mais aussi ce visage n'a-t-il en rien été épargné ; c'est la *nature toute nue*, et, tel en vérité doit être le cadavre d'un homme, quel qu'il soit, après de pareils supplices... Sur ce tableau, le visage a été terriblement meurtri de coups ; il est enflé, avec d'affreuses plaies tuméfiées et ensanglantées ; les yeux sont ouverts, les pupilles révulsées ; les larges prunelles dilatées toutes blanches ont un éclat mort, vitreux. Mais chose étrange, en regardant ce cadavre de supplicié, il vous vient une question d'ordre particulier, curieuse. Si c'est bien là le cadavre (et il devait être absolument identique à celui-ci) que virent tous Ses disciples, les premiers apôtres futurs, que virent les femmes qui L'avaient suivi et qui se tenaient au pied de la croix, tous ceux qui croyaient en Lui et L'adoraient, **comment ont-ils pu croire, voyant un tel cadavre, que ce martyr allait ressusciter ?** Ces gens qui entouraient le mort, et dont pas un seul n'est représenté ici sur le tableau, ont dû ressentir une affreuse tristesse et un grand trouble en ce soir où, d'un coup, s'effondraient toutes leurs espérances et presque toutes leurs croyances. Ils ont dû se séparer dans le plus panique effroi... Et si le Maître eût pu voir Son image la veille du supplice, se serait-il placé lui-même sur la croix et serait-il mort, comme il l'est à présent ? »

F. Dostoïevski[1].

Christianisme aidant, l'Europe délivre le message d'une mort de Dieu, et de sa, et de notre, responsabilité dans l'affaire. L'histoire mouvementée de la représentation picturale du Christ, de ses saints et de ses saintes prouve, à elle seule, combien le message fut dur à supporter, combien il souleva d'obstacles, combien il bouscula d'interdits, chez les fidèles mêmes, qui le transmettaient. Il fallut la Renaissance pour que le peintre chrétien osât mettre en scène la crucifixion dans toute sa crudité. Lorsqu'un peintre roman, anonyme, entreprit de rendre *Le Martyre de saint Blaise*, il représenta, dans un seul tableau, deux moments. À ma droite, le bourreau lève son épée, se préparant à porter le coup mortel. À ma gauche, le saint s'effondre, sa tête coupée roule sur le sol[2]. Le non-vu de cette prise de vue tient précisément dans ce

---

1. F. Dostoïevski, L'*Idiot*, Œuvres complètes, Gallimard, Bibliothèque de la Pléiade, p. 436.
2. Église de Berzé-la-Ville. Cf. Louis Marin, *De la représentation*, Gallimard-Le Seuil, 1994, p. 285 s.

dont elle parle : la décapitation. L'avant et l'après sont livrés au spectateur. L'entre-deux, l'instant, à droite du meurtre et à gauche du « mourant », se dérobe au regard. Au contraire, le peintre de la Renaissance focalise sur cet intervalle occulté, l'instantané d'une mort tuante et mourante, sans plus s'attarder sur ce qui la précède ou la suit.

Le Caravage met en scène le sacrifice d'Isaac ou la décapitation d'Holopherne par Judith en figurant l'infigurable du peintre roman, les secondes, où ça (la mort) se passe. Abraham abaisse son couteau sur Isaac plaqué au sol, le visage écrasé sur la pierre sous la poigne du vieil homme. La bouche hurlante de terreur, l'adolescent fixe de son œil unique, effaré, le spectateur potentiel. Le crime n'a pas lieu, l'ange intervient à gauche, le bélier surgit à droite, mais au centre, entre le père et le fils, le meurtre en tant que meurtre gueule sans équivoque, dans son irréductible bestialité. Qu'elle ait lieu ou pas, la frappe de la mort fulgure. Le cri d'Isaac, vomi du trou noir de sa bouche, répercute à l'infini l'atrocité d'un égorgement toujours possible. La lame est fixée à mi-parcours dans le cou d'Holopherne, la tête commence à basculer, trois jets de sang giclent. L'acte s'impose éternellement en cours. D'autant plus inexorable que définitivement en train de s'accomplir. Isaac même sauvé in extremis, Holopherne dans le dernier regard de son dernier soupir, Judith qui boit des yeux les râles de sa victime, et, à distance, le spectateur, tous voient la même chose, une vertigineuse violence. Ils sont vus voyant. Et mutuellement, ils se voient fixant le moment extrême, que toute perception manque, sauf si le peintre impose sa vision médusante. Du *Sacrifice d'Abraham* au *Guernica* de Picasso, l'événement se donne à voir, qui coupe les paupières, cette mort qui ne meurt pas, et qu'Augustin nommait « seconde », parce que la plus abyssale.

Le tableau de Holbein, au Kunstmuseum de Bâle, présente un cadavre vu de profil, allongé sur un socle, nu, un linge couvrant les aisselles. Seul, anatomiquement vrai, épouvantablement banal. Ni cauchemar ni transfiguration. « Le christ de Holbein est un mort inaccessible, lointain mais sans au-delà... Cette vision débouche non pas sur la gloire mais sur l'endurance... La déréliction du Christ est ici à son comble, abandonné du Père, il est séparé de nous tous[1]. » Dieu meurt vraiment. Ce faisant, il entraîne tout avec lui. L'espace du « mourant » s'avère indépassable, il embrasse l'être dans son ensemble. Si cette mort est vraie, et Dieu sait qu'elle nous est présentée comme telle, l'avant ne compte plus et l'après pas davantage. La révélation foudroie Dostoïevski : comment devant un tel cadavre, devant « la nature toute nue », comment « croire que ce martyr allait ressusciter » ? Si la question se pose, c'est que la révélation fondamentale du christianisme est celle de la mort de Dieu, condition préalable de toute prédication de la résurrection.

Cette primauté d'une mort éternelle sur l'annonce de la vie éternelle instaure la cassure entre croire et savoir. À la différence des platoniciens, et des manichéens, et des pélagiens, Augustin ne **sait** pas Dieu. Croire pour savoir, *fides quaerens intellectum*, sans jamais oublier de savoir qu'on croit. L'angoisse, l'inquiétude et les multiples rejets provoqués par l'annonce chrétienne ne sauraient venir de la réconfortante nouvelle de la résurrection, mais plutôt de la très antérieure méditation d'une mort universelle, à laquelle Dieu est assujetti.

Quand les chrétiens refoulent leurs peurs, celles que Dostoïevski avoue, ils redeviennent platoniciens. Ils savent alors, de source sûre, que tout finit bien, comme le dimanche vient après le vendredi. Et ils nomment parfois leur platonisme « théologie », sans se demander si le Dieu de Platon se révèle si chrétien que cela. Lorsque la question est négligée, on s'interdit l'accès non seulement au vertige de Dostoïevski, mais aussi à la « folie » de Paul et à la « confession » d'Augustin[2]. Le moment de la Croix ne coupe plus le temps en deux, dès

---

1. J. Kristeva, *Soleil noir*, Gallimard, Folio, 1987, p. 125 s.
2. « Dostoïevski est un des plus grands chrétiens, un homme malheureux, et qui a dit toutes sortes de bêtises en matière théologique : qu'est-ce que ça peut me faire ? Ayons une discussion théologique ! et je vous dirai que pour un chrétien l'idée du Dieu crucifié, et que Dieu soit mort, ce sont des choses païennes », affirme P. Boutang, plus platonicien que chrétien lui-même. *In* P. Boutang et G. Steiner, *Dialogues*, éd. J.-C. Lattès, 1994, p. 152. On goûtera le platonisme irréductible de P. Boutang dans la traduction délicate et les commentaires exaltés qu'il offre du *Banquet*, Hermann, 1972.

que celui qui la contemple sait mieux que celui qui s'y trouve cloué ce qui va se passer ensuite. Le fidèle chrétien croit que Dieu est plus grand que le supplice, il l'espère, il le souhaite, il prie pour cela, mais seule sa crainte, seul son tremblement, seules ses incertitudes distinguent sa foi des assurances profanes, savantes ou frivoles. Pour lui, l'annonce de la mort de Dieu, que son espérance seule dépasse, reste ici-bas religieusement indépassable. Lorsque le XIXᵉ siècle s'avise, à la quasi-unanimité, de sauter le pas, il se décrète post-religieux. Sous l'égide du Savoir, de l'Art ou de l'Histoire, s'accomplit une deuxième version de la mort européenne de Dieu. Un rien, une épaisseur de papier cigarette et simultanément des années-lumière séparent le croire-pour-savoir de la mort chrétienne de Dieu et le croire-savoir de la deuxième mort théologico-communiste du même.

XV

LE PARADOXE D'ABRAHAM

> *Les autres pères, même s'ils livrent leurs enfants pour qu'on les sacrifie au salut de leur patrie ou de leurs armées, ou bien restent chez eux, ou bien s'écartent loin des autels, ou bien, s'ils sont présents, détournent les yeux, n'ayant pas la force de regarder, et ce sont d'autres qui tuent.*

Philon d'Alexandrie, *De Abrahamo*

La proclamation moderne de la mort de Dieu gravite autour d'un déicide et non plus d'une crucifixion. Elle s'avère, fût-ce malgré elle, post-chrétienne, car elle interprète en termes d'égalité le rapport établi entre Dieu et ce, celui, ceux qui le tuent. Le meurtre est fêté comme une restitution. C'est le retour à soi d'un esprit absolu revenu de ses aventures extérieures (Hegel). C'est la réconciliation avec elle-même d'une humanité générique mettant fin à son aliénation (Feuerbach, Marx). C'est l'émergence du surhumain au terme d'un long et inhumain dressage (Nietzsche). La mort de Dieu devient le miroir d'une collectivité, qui décide, par le déicide, de prendre son destin en main et de se conduire en conséquence, dotée d'un savoir-faire, d'un savoir-être et d'un savoir-croire qui la couronnent héritière de l'autorité suprême. Seul meurt le Dieu qui meurt, aux initiés de pressentir que le divin a seulement « changé de peau » (Nietzsche).

« Nous l'avons tué », l'information hurlée par un homme hors de lui, un *toller Mensch*, invite, selon Nietzsche, à la transgression que l'insensé biblique (« il n'y a pas de Dieu ») n'osait guère. La mort du Très-Haut n'est plus un fait, elle ne relève pas du constat, mais d'une performance qu'il nous faut assumer, même si elle demeure « trop grande pour nous ». L'homme qui nie est hors de son sens, parce qu'il se contredit ; il parle, de l'extérieur, à l'indicatif, d'un acte qu'il convient avant tout de concevoir de l'intérieur, au performatif — quand dire c'est faire. Tant que personne n'ose revendiquer la responsabilité de sa disparition, Dieu, même mort, domine l'esprit de ses liquidateurs. Son cadavre rend fou, fait perdre le sens, dans une relation de double contrainte, double bind disent les Anglo-Saxons. Elle nous impose d'affirmer, dans un même souffle, le même et son contraire, l'existence d'un seigneur éthéré et l'existence de son cadavre. Pour sortir du cercle vicieux, il faut généalogiser, distinguer les temps, opposer la longue durée de la servitude qui Le faisait exister et le grand midi de la délivrance qui scelle Sa disparition. On retrouve ainsi les trois temps chrétiens. Avant ou l'Ancien Testament. Pendant ou le Nouveau Testament. Après ou l'espérance de la cité divine. Mais, désormais, les trois moments sont assumés dans la dimension unitaire de leur succession. Ils se métamorphosent l'un dans l'autre : le chameau religieux se fait lion négateur, termine enfant réconcilié avec la gratuité du devenir. « De l'esprit, ces trois métamorphoses que je vous nomme : comment l'esprit devient chameau, et lion le chameau et, pour finir, enfant le lion[1]. »

Examinée de près, cette mort de Dieu là se révèle type accompli de la fausse information. Puisque pour supprimer Dieu, il faut se hisser à Sa hauteur, l'apparente mauvaise nouvelle en recouvre une bonne. Seul un Dieu peut en chasser un autre. Dyonisos soit avec nous ! La passion chrétienne mettait en scène une distance « infiniment infinie » (Pascal). Le péché d'Adam clouait le Christ, qui dépouillait en chacun le « vieil homme ». La passion nietzschéenne, au contraire, se

---

1. F. Nietzsche, *Ainsi parlait Zarathoustra*, « Les trois métamorphoses », *op. cit.*, p. 37.

joue dans la proximité théologique la plus fusionnelle, Dyonisos s'écartèle et se reconstitue. « Morts sont tous les dieux : à
présent nous voulons que vive le surhomme ! » Le meurtre
de Dieu est une signature, la marque d'un savoir-faire créateur qui, élevant le tueur au-dessus du tué, garantit l'assomption du successeur. Tous pouvoirs à qui ? Aux « soviets » ? À
la « volonté de puissance » ? À la « volonté de la volonté » ?
Tous pouvoirs à la communauté de la classe, de la race ? Tous
pouvoirs aux dictateurs, dont les diktats prétendent incarner
la dictée de la vox populi ? Peu importe l'étiquette. L'acte
de naissance demeure la mise au tombeau de l'être suprême.
L'objectif est invariable, la captation de l'héritage, la maîtrise
des « tous pouvoirs », l'omniscience et l'omnipotence, « la
prise en charge du règne de la terre »[1].

LA BIBLE RACONTÉE AUX ENFANTS DU GIA

« Si un peuple se détourne de Dieu, il donnera naissance à des
païens... alors il faut les frapper tous. Tant pis si des innocents
sont parmi eux. Moïse n'a-t-il pas posé cette question à Dieu :
"Pourquoi quand une ville commet une erreur, frappes-tu les
habitants, les bons comme les méchants ?" Dieu ne lui répondit pas et Moïse s'endormit sous un arbre.
Dans son sommeil, des fourmis montèrent sur son pied et
l'une d'elles le piqua. Dieu lui demanda alors : "Pourquoi as-
tu tué toutes les fourmis alors qu'une seule t'a piqué ?" Moïse
répondit : "Comme je ne sais pas laquelle m'a attaqué, je les
ai toutes tuées."
Dieu lui répondit qu'il agissait de même manière. "Si un
homme est coupable, je frappe toute sa famille, à l'image d'un
tremblement de terre qui décime une population sans distinguer ce qui est bon ou mauvais." Lorsque Dieu frappe un
peuple, c'est qu'il le mérite[2]. »

---

1. M. Heidegger, *Chemins qui ne mènent nulle part*, Gallimard, 1962, p. 207-208.
2. P. Forestier, *Confessions d'un émir du GIA*, *op. cit.*, p. 202-203.

Le groupe en fusion, qui hérite des attributs célestes, doit acquitter les frais philosophiques de la succession : assumer « tous » les pouvoirs et « tout » le devenir suppose qu'on accepte d'avaler d'épouvantables couleuvres et qu'on prenne sur soi la face ignoble du cours du monde. C'est dire qu'on se situe « par-delà le bien et le mal ». Entendons : par-delà le mal. Car le bien, c'est précisément d'être, donc de transcender le mal comme un non-être. Avale le serpent et coupe-lui la tête avec tes dents, propose Nietzsche. Les plus belles fleurs poussent sur les tas d'ordures, s'enchante Marx. L'ironie de Goethe échappe et l'on écoute son Méphistophélès avec un trop-plein de sérieux, « je suis la force qui toujours veut le mal et sans cesse accomplit le bien ! ».

« *L'insensé.* — N'avez-vous pas entendu parler de ce fou qui allumait une lanterne en plein jour et se mettait à courir sur la place publique en criant sans cesse : "Je cherche Dieu ! Je cherche Dieu !" Mais comme il y avait là beaucoup de ceux qui ne croient pas en Dieu son cri provoqua un grand rire. S'est-il perdu comme un enfant ? dit l'un. Se cache-t-il ? A-t-il peur de nous ? S'est-il embarqué ? A-t-il émigré ? Ainsi criaient et riaient-ils pêle mêle. Le fou bondit au milieu d'eux et les transperça du regard. "Où est allé Dieu ? s'écria-t-il, je vais vous le dire. **Nous l'avons tué**... vous et moi ! C'est nous, nous tous qui sommes ses assassins ! Mais comment avons-nous fait cela ? Comment avons-nous pu vider la mer ? Qui nous a donné une éponge pour effacer tout l'horizon ? Qu'avons-nous fait quand nous avons détaché la chaîne qui liait cette terre au soleil ? Où va-t-elle maintenant ? Où allons-nous nous-mêmes ? Loin de tous les soleils ? Ne tombons-nous pas sans cesse ? En avant, en arrière, de côté, de tous côtés ? Est-il encore un en-haut, un en-bas ? N'allons-nous pas errant comme par un néant infini ? Ne sentons-nous pas le souffle du vide sur notre face ? Ne fait-il pas plus froid ? Ne vient-il pas toujours des nuits, de plus en plus de nuits ? Ne faut-il pas dès le matin allumer des lanternes ? N'entendons-nous encore rien du bruit que font les fossoyeurs qui enterrent Dieu ? Ne sentons-nous encore rien de la décomposition divine ?... Les dieux aussi se décomposent. Dieu est mort ! Dieu reste mort ! Et c'est nous qui l'avons tué !". »

Nietzsche[1].

« Comment avons-nous pu vider la mer ? » Les exégètes, Heidegger compris, survolent la question sans y prêter attention. Et pourtant ! Dès l'origine, la mer a figuré l'espace d'incertitude, la zone des tempêtes, la région du monde où toutes les rencontres se nouent, en particulier les mauvaises. La mer, piège des pièges, que seul Ulysse l'intrépide sut affronter, « *fluctuat nec mergitur* » et que Platon, dans le *Politique*, nomme « l'océan sans fond de la dissemblance »[2]. Les clercs voient en elle le lieu où l'âme se disperse et se perd. D'autres parlent des Ténèbres où l'Enfant prodigue (*i.e.* l'homme qui selon l'évangile a oublié ses fins dernières, Luc XV, 13-14) erre, exposé à l'absence de Dieu et à la présence du mal. Gide l'évoque encore : « Rien n'est plus fatigant que de réaliser sa dissemblance. Ce voyage à la fin m'a lassé[3]. » L'océan sans fond de Platon reflète le moment où le démiurge lache les commandes et abandonne les créatures au bourbier d'une absence divine. Là règnent l'oubli, l'erreur et l'ignorance. La « dissemblance » est un principe de dislocation et d'émiettement infini. C'est la perverse altérité, que le Créateur doit, selon Timée ou Platon, enfermer et contenir dans le cercle du Même. Sans quoi le monde bascule dans un tête-à-queue aboulique et disparaît dans ses disparités. Les images mythologiques du Tartare, ou bibliques du Déluge, renforcent l'angoisse soulevée par ce lieu sans dieu.

Paradoxe des paradoxes, la deuxième « mort de Dieu » suppose la capacité de « vider la mer », c'est-à-dire d'abolir

---

1. Nietzsche, *Le Gai Savoir*, *Œuvres*, *op. cit.*, p. 104-105.

2. Le *Politique*, 273 d.c.

3. *Le Retour de l'enfant prodigue*, Gallimard, 1978. Cf. les textes d'une traduction bimillénaire, répertoriés dans la thèse de P. Courcelle, « Les confessions de saint Augustin dans la tradition littéraire », *Études augustiniennes*, 1963, p. 623-640, complété *in Recherches sur les Confessions*, *op. cit.*, p. 60.

la possibilité des mauvaises rencontres et des sales quarts d'heure.

Solution du paradoxe : tuer Dieu n'est pas tuer Dieu, « seul le Dieu moral est mort », mais c'est prétendre tuer le mal, en supprimant la distinction du bon et du méchant. C'est assumer « l'innocence du devenir ». Derrière le savoir-faire, qui, en apparence, procède au meurtre de l'Être suprême, perce un savoir-être, qui enseigne à vivre hors d'atteinte et affiche, toute mer bue, que le mal serait pure apparence. Tel est le message « bouddhique » de l'Antéchrist nietzschéen, qui prêche l'éternité hic et nunc, sur la croix, où règne d'ores et déjà le suprême détachement. « Ce mot "Fils" désigne l'accès à ce sentiment général de transfiguration de toute chose (la béatitude) et le mot "père" désigne ce sentiment même, le sentiment d'éternité, d'accomplissement[1]... » Tout baigne ! Pas de supplice. Pas de péché. Tu es au paradis cloué sur le bois même. Nous ne sommes jamais sortis de l'Éden. Toute référence à la faillibilité originelle ou à la punition potentielle ne fait que « maculer » le seul évangile qui vaille, celui qui émancipe de l'illusion fatale d'avoir, d'être ou de faire mal.

Il n'y a pas de mal entre nous, camarades ! Ainsi s'énonce le précepte initial de la bonne communauté, porteuse d'un communisme à géométrie variable. Il trace la ligne d'horizon fatidique de la seconde mort de Dieu. Le communisme cristallise une tentation fondamentale de l'Occident, bien antérieure à l'utopie de Marx-Lénine-Staline-Mao. Les gardiens de la cité platonicienne étaient censés mettre tout en commun, les femmes, les enfants, les richesses. Le christianisme ne fut pas immunisé contre ce puissant désir d'imposer l'hégémonie du Bien « commun », en tenant les biens « privés » pour racines de tous les vices, avarice, concupiscence et passion de dominer. Augustin dénonce l'amour du bien propre et félicite la langue latine d'avoir judicieusement qualifié cet amour « du privé (*privatum*), terme qui concerne plutôt la perte que le profit, car toute privation amoindrit ». Reste qu'il réservait au Ciel l'accomplissement de son « com-

---

1. F. Nietzsche, *L'Antéchrist*, Gallimard, coll. « Idées », p. 60.

munisme spirituel[1] ». Tel n'est plus le cas des modernes. Le ciel est revenu sur terre. Témoin Heidegger, lequel enseigne, dans l'Allemagne de 1940, que le communisme n'est nulle-ment une spécificité russe ou soviétique. La guerre mondiale, déclanchée tout juste par Hitler, n'est, selon le penseur, qu'une guerre entre communismes. Cela lui permet de légiti-mer le racisme nazi, auquel il ne croit pas, en l'instituant « inévitable » affirmation, spécifiquement allemande, de l'uni-versel communisme. Heidegger étaie sa prise de parti sur le postulat que tout retour des formes précommunistes, bour-geoises, libérales, d'organisation sociale est exclu : le commu-nisme est la « structure ontologique d'un nouvel âge du monde[2] ». Pour succéder au créateur et prendre l'histoire en charge, il faut une collectivité théologiquement immaculée. Elle s'élève au-dessus des déchirements qui risquent de la paralyser. Elle se divinise, donc une et indivisible, en tant que race supérieure, classe universelle ou par une sacrosainte « élection » ésotérique. Voilà autant d'acceptions d'une communauté communiste de fidèles, qui se revendiquent maîtres et producteurs du destin. Quand l'insensé dit : ils ne savent pas qu'ils ont tué Dieu, il sous-entend : ils ne savent pas qu'ils sont désormais Dieu.

DIEU C'EST...

... le peuple

« La religion est le lieu où un peuple se donne la définition de ce qu'il tient pour vrai. »

Hegel[3].

---

1. G. Madec, « Le communisme spirituel », *in Petites Études augustiniennes*, Ins-titut d'études augustiniennes, 1994, chap. XIII.
2. M. Heidegger, *Gesamtausgabe*, Band 69, Vittorio Klostermann, 1998, p. 183 et 223.
3. Hegel, *Leçons sur la philosophie de la religion*.

... la nature ou « la grande piscine de Dieu »

« Assistons à l'œuvre divine. Prenons une goutte dans la mer. Nous y verrons recommencer la primitive création... Car la mer n'est pas autre chose que le globe en son travail, en son plus actif enfantement... La base universelle de vie, le mucus embryonnaire, la vivante gelée animale où l'homme naquit et renaît, où il prit et reprend sans cesse la moelleuse consistance de son être, la mer l'a tellement, ce trésor, que c'est la mer elle-même...

On est triste quand on songe que les milliards et les milliards des habitants de la mer n'ont que l'amour vague, élémentaire, impersonnel... Peu, très peu, des plus vivants, des plus guerriers, ont l'amour à notre manière. Ces monstres si dangereux, le requin et sa requine, sont forcés de s'approcher... Baiser terrible et suspect. Habitués à dévorer, engloutir tout à l'aveugle, cette fois, chose admirable ! ils s'abstiennent... Mêlés, les monstres furieux roulent ainsi pendant des semaines entières, ne pouvant, quoique affamés, se résigner au divorce, ni s'arracher l'un à l'autre, et, même en pleine tempête, invincibles, invariables dans leur farouche embrassement ».

J. Michelet[1].

... le sexe

« Pour mieux ouvrir la fente, elle achevait de tirer la peau des deux mains. Ainsi les "guenilles" d'Edwarda me regardaient, velues et roses, pleines de vie comme une pieuvre répugnante. Je balbutiai doucement :
— Pourquoi fais-tu cela ?
— Tu vois, dit-elle, je suis DIEU... »

G. Bataille[2].

---

1. *La Mer*, Gallimard, coll. « Folio », p. 283, 198.
2. « Madame Edwarda », *Œuvres complètes*, t. III, *op. cit.*, p. 20-21.

« Il n'y a pas de mal », l'axiome ne détermine pas seulement le sujet (le collectif communiste) de l'action, mais l'action dans son intégralité, conçue à son tour comme communiste au sens large et « ontologique ». C'est-à-dire comme autogestion divinement communautaire de l'Histoire par elle-même. Que toute maîtrise soit bonne et que la plus intégrale maîtrise soit aussi la meilleure, pareille affirmation court rues et gouvernements. Elle ne relève pas uniquement de l'euphorie qu'entraînent les révolutions scientifiques et techniques. La fascination provoquée par le machinisme et ses suites ne rend pas compte d'une hybris de la maîtrise pour la maîtrise, très, très antérieure. Dante exigeait un empereur du monde, unique et tout-puissant, eu égard à la nécessité d'éradiquer un mal protéiforme. Le tout-puissant ne travaille pas contre sa toute-puissance, ainsi son empire universel assure-t-il la meilleure des paix concevables. Nietzsche reprend la chanson dans son apologie de la maîtrise « grand style », seule capable de métamorphoser le chaos en ordre. Au plus secret de la volonté de puissance moderne, derrière l'éloge naïf du progrès et d'un productivisme sans limites, travaille la fabuleuse décision d'abolir la possibilité d'agir mal.

En ce sens, la volonté de puissance devient volonté de la volonté, tandis que la maîtrise ne vise qu'un seul but : la maîtrise de la maîtrise. Ce redoublement, Heidegger l'a constaté sans voir que, loin de la gratuité et l'insignifiance inquiète d'un « destin de la technique », se réitère obscure mais immémoriale l'ambition d'atteindre une pureté qu'aucune folie, aucune méchanceté, aucune adversité, ne saurait plus effleurer. Avant de s'avouer maîtrise de... (du monde, de la production), la maîtrise se revendique absolue maîtrise **sur** le mal. Elle applique le principe du « Il n'y a rien que de bien », en prétendant à toute force le corroborer. Seul paraît mauvais ce qui résiste à ses volontés d'après-Dieu et qu'elle surmonte, en l'intégrant comme matière première de sa bonne action.

Pareille mise à mort n'installe pas seulement un savoir-faire et un savoir-être « par-delà » le mal, elle culmine dans un savoir-sacrifier. Sacrifier les autres comme soi-même. Mais sacrifier à quoi ? Qu'est-ce qui peut mesurer la sainteté ou la nocivité d'un sacrifice, une fois Dieu enterré ? Inutile de recourir à quelque succédané. Avec le Grand Défunt se dévalorisent, simultanément, « l'Impératif moral, le Progrès, le Bonheur pour tous, la Culture et la Civilisation [1] ». Dans la débandade des Valeurs Majuscules, plus rien ne semble pouvoir anthentifier un sacrifice... Rien, sinon le sacrifice même. Le législateur, qui a tué l'Être suprême, devient, par nécessité, « juge, vengeur et victime de sa propre loi » (Nietzsche). Comme un artiste qui se juge à son œuvre qu'il est seul à juger. Le sacrifice suprême sera suprême, parce qu'il est le plus grand chef-d'œuvre : « Autour du héros, tout devient tragédie ; autour du demi-dieu, tout devient danses de satyres et autour de Dieu, tout devient — comment ? Peut-être "monde" [2] ? »

Une violence sacrificielle instaure son propre tribunal. Elle refuse de rendre quelque compte que ce soit à qui que ce soit. L'« Homme de fer », le militant entêté de la grande époque soviétique, illustre le cas. La raideur des prototypes des races supérieures en rajoute. Avant même que Hitler ne monte au pouvoir, un « poète » chantait la résolution des jeunes nazis : « Dans leurs regards durs et impassibles/ Ils ne portent que des échafauds, pas de pitié [3] ». Pendant la débâcle nazie, au printemps 1945, la Propagandastaffel titrait encore « *Stur wie Panzer* », que l'on peut entendre, au choix, « Durs et cuirassés », « Raides comme la justice » ou mot à mot « Aussi inflexibles que les tanks ». Ces nombreux cas de fermeture fanatique, facile à pointer *in vivo*, s'avèrent d'analyse délicate, nul n'est entièrement ce qu'il finit par être — une pincée de sentiments résiduels, une bonne dose de cynisme, des louches d'hypocrisie viennent nuancer le tableau. Les maîtres du Kremlin furent, des décennies durant, bien moins convaincus de leur bon droit que ne le crurent leurs adulateurs. Beaucoup moins dogmatiques que ne l'estimèrent leurs pires ennemis. Mais tellement plus salauds : ils se savaient et s'acceptaient en train de commettre de purs et simples crimes,

---

1. M. Heidegger, *op. cit.*
2. F. Nietzsche, *Par-delà le Bien et le Mal*, Aubier, 1978.
3. *In* E. Voegelin, *Les Religions politiques*, Cerf, 1994, p. 103.

des crimes crapuleux par millions[1]. Pour saisir la dynamique sacrificielle générale, qui, dans les coulisses du XXᵉ siècle, régit nos histoires particulières, il faut l'examiner *in vitro*, telle qu'elle est formulée par un penseur qui, en parfaite innocence, anticipe. La très singulière autopsie du sacrifice d'Abraham à laquelle procéda Kierkegaard ne laisse pas, rétrospectivement, de projeter quelques sinistres lueurs.

Un commentateur pressé néglige la distance et comme le recul que Kierkegaard creuse entre ce qu'il écrit et ce qu'il invite à penser. Lorsqu'il propose l'éloge d'Abraham, et glorifie le couteau que le père brandit sur son fils, le lecteur doit se souvenir que l'auteur signe d'un pseudonyme. Deux écueils sont à éviter. 1/ Il ne s'agit pas d'un témoignage autobiographique, l'auteur souligne avec soin qu'il n'est pas le « chevalier de la foi », dont il chante la louange ; il s'affirme, au contraire, inapte à suivre l'exemple d'un Abraham, qu'il élève si haut, très haut, trop haut, peut-être à dessein. 2/ L'analyse se veut édifiante, mais ne manque pas d'ironie ; érigé parangon de la foi, Abraham soulève une *horror religiosus*[2], une sainte horreur qui enserre, silencieuse, l'acte de foi, et l'empreint du « charme du démon », car « plus profond est le silence, plus terrible est le démon ».

Le chevalier de la foi s'autorise exécuteur, sans parler à personne, ni à sa femme Sara, ni à son fils Isaac, victime promise. Tout se passe entre Dieu et lui, sans mot dire. « Pourquoi Abraham le fait-il ? Pour l'amour de Dieu, comme d'une manière absolument identique, pour l'amour de lui-même. Pour l'amour de Dieu, parce que Dieu exige cette épreuve de sa foi, et pour l'amour de lui-même pour donner cette preuve[3]. » Cette identité absolue entre celui offre le sacrifice et celui qui le reçoit, entre le destinateur et le destinataire, rapproche, plus qu'il n'est communément reconnu, l'Abraham de Kierkegaard des prophètes tueurs de Dieu, à la Nietzsche.

En route pour le sacrifice, le chevalier de la foi se mure dans un insondable silence. Pourquoi ?

---

1. Beria, entre autres exemples.
2. S. Kierkegaard, *Crainte et Tremblement*, *Œuvres complètes*, t. V, l'Orante, 1972, p. 152.
3. *Ibid.*, p. 151.

On sait Abraham aux prises avec une injonction contradictoire : le Dieu de la promesse semble renier sa promesse et reprendre son gage-Isaac, l'enfant du miracle — par lequel il scella une Alliance éternelle. Face à cette aporie, la conduite du parfait croyant tourbillonne dans un cercle vicieux. Se résoudre, par obéissance, au sacrifice exigé revient à désobéir au commandement « tu ne tueras point » et vice versa — se soumettre c'est transgresser, transgresser c'est se soumettre. L'affaire mérite discussions. Elles s'enchevêtrent depuis des millénaires. Et si l'ordre d'exécuter l'enfant chéri émanait d'un esprit mauvais ? ont interrogé les maîtres du Talmud. Abraham aurait dû douter de l'authenticité de l'émetteur, donc il devait s'abstenir, estima Kant. C'est Dieu qui est mis à l'épreuve, plus que l'homme, avancent d'autres. Ainsi Schelling distingue une double nature indécidée du Dieu, dont le profil obscur réclame du sang et le profil lumineux l'interdit.

L'originalité de Kierkegaard tient dans la prohibition absolue d'une telle discussion, à laquelle pourtant il ajoute son grain de sel. Le chevalier de la foi ne questionne personne ni Dieu, ni lui-même. Il entend l'ordre, il marche, il l'exécute, point final. C'est redoubler le sacrifice du fils par celui de l'intellect. Comme si Kierkegaard avait, en douce, ajouté à l'injonction contradictoire — ne tue pas et tue — une règle de clôture : ne discute pas ! Du coup, l'injonction glace, définitivement impérative et catégorique. Elle enferme son servile destinataire dans un cercle non plus vicieux mais fou. « Au point de vue éthique, la conduite d'Abraham s'exprime en disant qu'il voulut tuer Isaac, et au point de vue religieux qu'il voulut le sacrifier, c'est dans cette contradiction que réside l'angoisse... sans laquelle Abraham n'est pas l'homme qu'il est[1]. »

---

1. S. Kierkegaard, *Craintes...*, *op. cit.*, p. 124. R. Maritain, *Histoire d'Abraham*, Desclée de Brouwer, 1947, p. 44 : « Abraham a reçu l'ordre homicide et il a obéi. Là est la preuve de l'immensité de sa foi : il a reconnu l'exceptionnelle volonté divine non dans une évidence exceptionnelle mais dans l'obscurité inhérente à la foi. Et il n'a pas reculé devant l'atrocité du sacrifice qui aurait pu porter atteinte à la foi elle-même dans une âme moins haute. »

Le « père des croyants » se choisit infanticide sans l'ombre d'une hésitation, sans soupçon de délibération. Conviendrait-il de l'en glorifier ? En contradiction avec la tradition qui argumente et contre-argumente. Imaginons une seconde qu'Abraham fût au parfum et savait que l'horreur n'aurait pas lieu, et que Dieu testait tout bêtement l'astuce de son obligé, etc. Kierkegaard exclut ces accommodements. Il veut le paradoxe, rien que le paradoxe. L'éthique stipule : c'est un meurtre. La religion exulte, tout aussi radicale : c'est le plus saint des actes saints. À quelle condition l'éloge s'impose-t-il ? Au prix d'une « suspension théologique de l'éthique ». Qu'est-ce à dire, sinon que le chevalier de la foi peut être lavé du crime d'infanticide, si, et seulement si, le tribunal qui instruit de tels crimes disparaît. Abraham ne se juge pas. En transgressant l'éthique, l'amour de son fils, le « tu ne tueras point », Abraham se situe « par-delà » le Bien et le Mal, en Dieu donc en Bien. Il accomplit le grand saut nietzschéen, qui liquida le « Dieu moral ».

JE LUI AURAIS SERRÉ LA MAIN...

« J'ai vu pour mon malheur le cadavre du terroriste. Je n'aurais jamais dû le regarder. Je l'aurais rencontré à Alger, je lui aurais serré la main. Un mètre quatre-vingt-cinq, vingt-cinq ans, les cheveux coupés à la mode, short Nike, chaussures Nike, il était rouge de sang de la tête aux pieds... D'après ce que les rescapés m'ont dit, il était au milieu du lotissement, dans une cour, les autres lui jettaient les enfants du haut des terrasses et lui en bas les exécutait. Ce garçon n'avait pas de barbe, rien. Je me suis demandé comment un enfant — parce qu'à vingt-cinq ans on est un enfant — comment donc un enfant en arrive à pouvoir trancher les gorges des bébés. J'ai une réponse. Il n'y a qu'en se shootant à l'intégrisme, pas à n'importe quelle drogue, non, à l'intégrisme, que l'on peut faire cela... Ils se mettent à la place d'Abraham qui va tuer Ismaël, sauf que dans l'histoire l'ange Gabriel envoyé par Dieu remplace Ismaël par le mouton. Ici les GIA ont décidé

> que Dieu ne peut intervenir et que par conséquent le mouton
> ce sont les enfants, les femmes éventrées...
>
> Khalida Messaoudi[1].

La crainte et le tremblement du chrétien Kierkegaard et l'ivresse dyonisiaque fêtée par Nietzsche impliquent une identique levée de tabous. On m'objectera que si les procédures se ressemblent, les résultats diffèrent. L'un glorifie la Bible. L'autre la dépasse. Voire ! En projetant Abraham dans les sphères très éthérées d'un rapport absolu, non seulement indiscuté, mais indiscutable, avec le Créateur, Kierkegaard ne vient-il pas d'inventer le Surhomme chrétien, qui campe dans la certitude de ne pouvoir jamais se tromper ou être trompé ? Par quel miracle cet infaillible mais très dévot Abraham s'émancipe-t-il du péché originel et de l'universelle faillibilité dont il est l'emblème ? L'élan de la foi coïncide alors avec l'innocence du devenir et vole à 6 000 lieues au-dessus de l'immense océan des dissemblances, séjour des erreurs et des horreurs.

Signe d'un irréductible embarras, Kierkegaard, en fin de parcours, enfreint sa règle d'or. Alors qu'il ressasse à satiété que la foi ne peut en aucun cas se justifier à l'aide d'arguments, d'allégations, d'hypothèses, voilà que, contre toute attente, il permet à son Abraham, muet jusqu'alors, de nous expliquer ses raisons de faire ce qu'il fait : « Il dit en effet : non cela [la mort du fils] n'arrivera pas ou si cela arrive, l'Éternel me donnera un nouvel Isaac, en vertu de l'absurde[2]. » On tombe de haut. Ici l'absurde tourne au ridicule. Et le paradoxe glisse au raisonnement bouffon du père de famille, qui voit son enfant partir à la guerre et console son épouse : ne craignez rien madame, on vous en fera d'autres ! Si Abraham tient ferme sa police d'assurance divine, il n'a rien à perdre. Rien à risquer non plus. Sa foi n'a nullement

---

1. *In* Véronique Taveau, *L'Algérie dévoilée*, Plon, 1999, p. 149-151.
2. *Crainte et tremblement, op. cit.*, p. 201.

été mise à l'épreuve, mais bien sa capacité de compter jusqu'à deux, dans la certitude que Dieu fabrique les enfants à la pelle, en gratifiant les croyants méritants. Pareil collapsus de l'intelligence est révélateur. Puisque le chevalier de la foi ne s'accepte que si le mal n'existe ni en lui ni en Dieu, il lui est permis de tout faire et de dire n'importe quoi à l'encontre du commun des mortels[1].

Kierkegaard n'avait pas tort de condamner au mutisme son « familier de Dieu ». Mais les hommes sont des animaux parlants, et celui-ci finit par l'ouvrir. Ô surprise ! Ô misère ! Voilà son Abraham, son preux chevalier, enfilant des banalités de corps de garde. Tout comme le divin Heidegger endosse sans y croire le racisme de ses frères de sang. Tout comme la haute intelligentsia marxiste fraie avec des tortionnaires de bas étage, camarades de parti. Tout comme les mollahs mystiques recrutent les égorgeurs drogués. L'incongruité de ces cohabitations en esprit ou en acte est moins inconséquente qu'il n'y paraît. Il faut comprendre que la seconde mort de Dieu n'est qu'apparente côté divin — seul le « bon Dieu » est touché — mais qu'elle se traduit côté homme par une coupure sans rémission. Il y a ceux qui se déclarent de plain-pied avec un Dieu qu'ils tuent moins qu'ils ne le remplacent ou fréquentent en tête à tête. Il y a les autres, qui ne montent pas à d'aussi sidérales hauteurs, la plèbe honnie par Nietzsche, le troupeau paissant dans les champs de « l'éthique » et qui ne sait pas vivre « par-delà » le mal, et qui se voit privé des fulgurations supérieures, tour à tour « surhumaines », « religieuses », « scientifiques », mais toujours chasses gardées d'une élite triée et close. Il y a les éducateurs et les éduqués. Les collectivisateurs et les collectivisés. Les exécuteurs et les exécutés.

En remplaçant le signe de la croix par un signe d'égalité, le « nous », qui souscrit au « nous l'avons tué », s'affirme communauté olympienne, de là son théologique « communisme » à costumes divers et interchangeables. Si l'égalité est proclamée sur terre comme au ciel, les proclamateurs se

---

1. Thomas Mann, dans *Joseph et ses frères*, imagine Jacob répétant l'expérience d'Abraham et déclarant forfait pour sauver son fils Joseph.

réservent le privilège d'une inégalité dernière. Car ils se prouvent en avance, historiquement, racialement, religieusement, sur ceux qui sont proclamés. Tous pouvoirs à l'avant-garde de la communauté ! La libération des masses implique la dictature de leurs soi-disant libérateurs[1]. Dans sa solitude apolitique, le chevalier de la foi kierkegaardien dévoile le secret de l'opération. Il « tutoie le Dieu du ciel[2] ». Les élus, qui sont à tu et à toi avec les célestes, ne peuvent qu'entretenir une relation de silence, ou de bavardage gratuit, avec les multitudes démunies, qui ignorent la langue sacrée. Autant dire que si la mort n° 2 de Dieu reste limitée aux acquêts moraux dudit, la mort de « l'homme » est dans le même souffle, mais en douce, postulée complète et sans retour.

En se scindant, l'homme libère un sur-homme et un sous-homme que seul rassemble encore, comme les masses critiques des bombes atomiques, une relation sacrificielle. Le sacrifice s'est voulu absolu, nous l'avons vu s'émanciper des jugements de l'extérieur comme des scrupules intérieurs. Il est la relation suprême, qui ne se laisse à son tour relier ou délier par rien. Il ne se met plus au service d'une religion, il est service religieux à part entière, religion unique de la communauté, qui en lui communie, communique et foudroie. Marx demandait encore qui éduque l'éducateur suprême. Ses épigones concluent qu'il s'auto-intronise, comme la dictature du prolétariat fabrique le prolétariat, comme les racistes sélectionnent, dressent et redressent la race pure et comme le fou de Dieu se proclame loi divine.

Le genre humain était jusqu'alors tenu pour un ensemble de mortels se sachant tels. C'est lui, et non Dieu, qu'a sacrifié la mort théologico-communiste de Dieu. Restait à passer à l'acte. Ce qui fut fait. Et cela porte un nom : crime contre l'humanité.

---

1. Heidegger attribue, en 1940, au « nouvel âge du monde », qu'il suppose universel et irréversible, la dictature du parti unique, qui régit alors l'Allemagne et l'Union soviétique. *Op. cit.*, p. 192-193.

2. Kierkegaard, *op. cit.*, p. 166.

ÉPILOGUE

*Nous avons perfectionné les lois de la guerre
et les palliatifs qui ont été imaginés pour en
adoucir les rigueurs. Nous avons mêlé la poli-
tesse à l'usage de l'épée... Il y a plus de gloire à
sauver et à protéger le vaincu qu'à le détruire...
Peut-être est-ce là le trait principal d'après
lequel, pour des nations modernes, on peut
parler de nations civilisées ou policées.*

A. Ferguson[1]

Une première fois Dieu meurt en croix. Une seconde fois
dans les livres et les imprécations. Une troisième à même la
boue des siècles qui passent et viennent. D'Holbein au
Picasso de *Guernica*, voire depuis les grottes de Lascaux,
seule la peinture, peut-être, parvient à rendre une mort du
troisième type, me suis-je chuchoté, en arrêt devant l'injonction de penser cet impensable qu'est la fin de tout.

Pour ceux qui croient au ciel, comme pour ceux qui n'y
croient pas, Noël est la fête des enfants, la célébration et la
splendeur d'un nouveau-né, né n'importe où. J'ai commencé
ces pages le 25 décembre 1997, devant la crucifixion d'un
enfant à Baïnem. Je les termine ce 25 décembre 1999, lorsque,
dans le silence mondial, obus et bombes rasent une capitale
où se terrent des civils par dizaines de milliers. Ils volent de
victoire en victoire, les profanateurs de berceaux et les incen-
diaires de crèches ! Ils manquent rarement d'invoquer l'Être
suprême, massacrant au nom d'Allah en Algérie, éradiquant
la Tchétchénie avec la bénédiction conjointe de l'Église

---

1. *Essai sur l'histoire de la société civile*, 1767.

orthodoxe et du Parti communiste russes. À charge pour les autorités religieuses et morales de la planète de détourner les yeux, d'avaler les professions de foi et de vaquer aux offices courants comme si de rien n'était, comme si Dieu ne fut pas mis en croix dans la banlieue d'Alger ni déchiqueté vif dans les bras d'une mère à Grozny. En quoi une divinité peu concernée par ces événements nous concernerait-elle ? Quand les Européens se mettent massivement à vivre et à penser « comme si Dieu n'existait pas » (Jean-Paul II), ils prennent acte de la démission récurrente de nos sacro-saintes institutions cléricales et laïques.

Les meurtres qui se réclament de Dieu le tuent, les fidèles qui détournent les yeux l'enterrent et transforment une croyance jadis publique en affaire si privée qu'elle s'avère privée d'existence. Voilà qui retourne un continent dont l'habitant, dès l'origine, ose confronter ce qu'il expérimente sur terre et ce qu'il adore en « Dieu ».

L'Europe n'est pas douée pour l'histoire heureuse. Depuis Hérodote elle nous conte comment, avides de bonheurs définitifs, des hommes oublient d'apprendre à mourir et font feu de tout bois. Présomptions savantes, extases mystiques, ivresses érotiques confondues. La fausse bonne nouvelle de la fin des tragédies prospéra en 1918, 1945, 1989. L'an 2000 ajoute son chiffre tout rond et tout bête, pas davantage : un calendrier des postes ne mesure ni ne rythme le cours du monde.

L'Europe ne pense qu'en situation de défi et ses pensées suprêmes naissent de suprêmes défis. Celui d'une divinité, Chronos, Saturne, qui dévore ses enfants. Celui d'un roi, Laios, qui doit tuer son fils, Œdipe. Celui des adultes législateurs qui portent en terre les adolescents en guerre. Ni le christianisme, ni la littérature, ni la psychanalyse ne s'exonèrent de méditer le lien sacrificiel qui noue l'Ancien et le Nouveau, Abraham et Isaac, le Père et le Fils.

L'histoire de l'Occident est l'histoire tantôt comique d'une production contre-productive de fléaux, tantôt tragique des volontés d'en sortir, en panne d'outils. Alcibiade, le mécréant qui se permet tout, et Nicias, le dévot qui respecte trop, figurent l'irresponsabilité des responsables, dans une Athènes encore nôtre qui veut ignorer que la Grèce peut périr. Thucydide les regarde et nous lègue son troisième œil, quasi médical. Il décrypte la pathologie de nos effondrements collectifs, diagnostique un mal et pronostique son évolution. Quelques esprits malins relurent sa *Guerre du Péloponnèse* à la lumière de 1914, subodorant que la planète entière devient Péloponnèse.

Priam et Achille n'avaient nul besoin de la bombe atomique pour s'entrevoir vulnérables. En revanche, les multiples propriétaires d'armes de destruction massive pourraient leur emprunter un brin de conduite. Le père et l'assassin d'Hector, Priam et Achille, veillent ensemble la dépouille du héros, « Rien en effet ne pousse tant à la miséricorde que la pensée du danger qui atteint en propre », fait écho saint Augustin : « *Nihil enim ad misericordiam sic inclinat, quam proprii periculi cogitatio.* » Les mortels s'unissent devant un mal commun. Être ensemble sur cette terre, c'est être ensemble en danger et parfois s'en rendre compte. En l'absence d'un Dieu absolu, universel, reconnu, s'entendre à retarder l'échéance des fléaux, instituer une communauté du risque, faire face, cela s'appelle une civilisation.

INDEX

INDEX

TABLE

Cet ouvrage a été réalisé par la
SOCIÉTÉ NOUVELLE FIRMIN-DIDOT
Mesnil-sur-l'Estrée
pour le compte de NiL éditions
en mars 2000

Cet ouvrage a été composé par Nord Compo
59650 Villeneuve d'Ascq

NiL éditions
24, avenue Marceau
75381 Paris cedex 08

Imprimé en France
Dépôt légal : mars 2000
N° d'édition : 3378/01 – N° d'impression : 50338